MARCEL PROUST
du côté de la médecine

DU MÊME AUTEUR

UNE ÈRE CHIRURGICALE NOUVELLE (Voyage aux États-Unis, 1946). Buenos-Aires 1947, El Ateneo édit. *(épuisé)*.
ALEXIS CARREL, 1873-1944. Paris 1952, Plon.
RÉCITS D'UN DOCTEUR. Paris 1966, Éditions du Scorpion.
CHIRURGIE, MON MÉTIER. Paris 1966, Plon *(ouvrage couronné par l'Académie française)*.

En préparation

PLAIE DU CŒUR (Récits d'un Docteur, 2e série).
A LA FÊTE, Chroniques.

Articles concernant l'entourage de Proust.

Le Professeur Adrien Proust. Médecine de France. Mai 1966, n° 172. O. Perrin, éd.
La servante inspirée. Revue de Paris, Mars 1967.
Robert Proust, frère de Marcel. Bulletin de la Société des AMIS DE MARCEL PROUST et des AMIS DE COMBREY, 1967, n° 17.

Dr ROBERT SOUPAULT

De l'Académie de Chirurgie

MARCEL PROUST

du côté de la médecine

PLON

En très affectueux remerciement

à mon frère Philippe,
pour son appui et ses conseils,

à ma petite-fille, Danielle Bur,
pour avoir, de ses grands yeux
et avec tant de conscience,
fouillé pour moi dans la Recherche.

« *Nous tenons de notre famille aussi bien
les idées que nous vivons que les maladies
dont nous mourrons.* »   M. P.

Celui qui a conquis la gloire littéraire ne peut échapper aux
commentaires. Sa personne devient immanquablement objet
de curiosité et d'intérêt, de la part du monde cultivé. C'est une
conséquence naturelle et, peut-on dire, le prix de cette gloire.

A Proust, comme à beaucoup d'autres, celle-ci est venue
trop tard pour qu'il ait pu, de son vivant, documenter l'histoire, prévenir la légende. Certes, même à l'artiste encore
vivant et présent, il est malaisé de déjouer les informations
abusives, dont quelques-unes prennent corps, quoi qu'on fasse.
Mais, quand l'enquête est posthume, et quand biographes et
critiques n'ont, pour établir rétrospectivement le bilan d'une
existence, que des lettres éparpillées, ou bien des témoignages
estompés dans le passé, le risque est gros que des interpréta-
tions et des jugements erronés consacrent une image non pas
fictive, mais d'autant plus incertaine que l'individu s'est mani-
festé plus étrange.

Il est vrai que, dans le cas considéré, il existe une ample
correspondance dont on ne peut récuser les précisions qu'elle
apporte, même si la sincérité de certains passages prête au
doute. Les recoupements aboutissent à une probabilité accep-
table. Mais il est vrai, d'autre part, qu'en étrangetés, la vie
de Proust abonde; et ceux qui ont parlé de lui sur le vif, ou
écrit sur lui *a posteriori*, ont dû, au sujet de plusieurs de ses
attitudes et de ses démarches, présumer plutôt que conclure.

Le livre que voici est une simple contribution à l'histoire

littéraire. L'auteur se défend de viser autre chose, d'avancer quelque semblant de thèse personnelle. Il ne prétend qu'à restituer avec toute l'exactitude possible, des faits, des événements tels qu'ils ont eu lieu, mais 'sous leur véritable jour'. Un essai de ce genre, si limitées que soient ses ambitions, nécessite, outre une documentation sérieuse et méthodique, l'incomparable apport de circonstances particulières et propices.

*
* *

Sur ce dernier point, deux constatations s'imposent et se sont imposées à moi. 1) Marcel Proust a 'appartenu' (dans toute l'acception du verbe) au milieu médical. 2) De ses exégètes, de ceux qui l'interprètent, pas un n'est médecin [1].

Premièrement : Proust a eu un père médecin, hygiéniste, professeur et praticien de grand renom, d'une autorité scientifique indiscutée, remplissant des fonctions publiques éminentes. La mère, respectueuse et admirative de son époux, soumise aux exigences de la carrière, partagea les travaux, participa à la réussite. Le frère puîné, de deux ans le plus jeune, compagnon très cher de l'enfance et de l'adolescence, se voua à son tour aux études et à la carrière chirurgicales.

On conçoit que cette triple disposition ait donné un ton spécial au foyer où fut élevé le futur écrivain. Relations extérieures, mais surtout vie privée, propos, échos, discussions, appréciations, tournure d'esprit, tournures de phrase que Mar-

---

1. Il faut néanmoins mentionner, mais à titre d'études purement fragmentaires, un article du doyen P. Mauriac dans la *Revue hebdomadaire* (novembre 1923), celui du Dr A. Corone (*Siècle médical*, 1 et 15 juin 1930), des Drs J. Fleury-Zeraffa et M. Péquignot (*Presse médicale*, 2 avril 1966), une conférence du Dr E. Seidmann (*Bull. de la société des amis de Marcel Proust* n° 12), et, enfin, quelques thèses de doctorat en médecine qui étudient surtout l'influence de la maladie sur l'œuvre (v. *infra*, p. 215), avec la préface de H. Mondor pour l'une d'elles (Rivanne).

cel saisissait au passage et retransmit à merveille (le fond ne lui échappa pas plus que la forme), l'ambiance était bien spéciale, 'spécifique' où Proust passa la plus grande partie de sa vie (les deux tiers à six semaines près).

Le 'milieu' médical est un milieu singulier. Cela peut s'expliquer. L'exercice professionnel mène à la rencontre quotidienne, incessante, de la maladie, de la douleur et de la mort, à la fréquentation constante de gens tourmentés et, momentanément, réduits au plus simple appareil. L'angle sous lequel sont vus et observés les êtres humains et l'arrière-plan de leurs existences, a pour résultat d'imposer aux médecins une optique très différente de celle du commun des mortels, vivant dans l'ignorance et l'illusion. Quelque chose qui nous semble important ou grave, est souvent méconnu ou négligé du profane, tandis que beaucoup des sentiments ou des passions de celui-ci sont jugés par nous relativement vains et futiles. Cette dysharmonie morale nous place à part dans la société. C'est comme s'il existait un écran transparent mais infranchissable de chaque côté duquel on ne s'entend pas.

Le monde des médecins, monde fermé, ne peut être qu'incompris.

C'est donc pour ceux qui en parlent, une infériorité rédhibitoire que de n'en pas faire partie. La meilleure littérature foisonne de contresens, dès que le sujet aborde les affaires concernant la profession, aussi bien que la médecine elle-même.

Et voici, justement, le second point.

Aux contemporains (amis ou simples témoins), aux tardifs disciples ou curieux qui se sont penchés sur 'l'homme-Proust', il a manqué, malgré leur ferveur, leur finesse d'analyste, et tous leurs talents, la naissance et la formation, les 'verres' qui eussent ajusté leur vision, ou, pour user d'une autre métaphore, le 'mot de passe'.

A vrai dire, personne qui se soit aventuré bien loin dans ce domaine. Si l'on a partout et inévitablement évoqué l'état de maladie où se déroula une fort misérable existence physique, ce fut pour en déplorer les souffrances, tout en les supposant favorables à l'élaboration de l'œuvre. Quand on relève les railleries et les sentences de Proust à l'encontre des médecins, on se contente de conclure malicieusement que c'est parce qu'il les connaissait bien. Mais on laisse sous silence (ou alors, on n'en tire pas les conclusions) cette conjoncture, à mon sens, capitale, qu'il vécut trente-quatre ans dans un intérieur médical bourgeois, et on ne mesure pas la profondeur de l'impression que, fatalement (surtout réceptif comme il l'était), il devait en recevoir.

Je crois pouvoir, à bon droit, me mettre sur les rangs pour combler cette lacune. Je suis proustien et médecin, ou, du moins, chirurgien et fils de médecin. Ma génération n'est que d'à peine plus de vingt ans postérieure à celle de Marcel Proust.

Au surplus, une série de coïncidences assez extraordinaires, comme on va voir, favorisent et encouragent mon propos.

Ayant commencé mes études médicales en 1910, je me trouvai par hasard vite en rapport avec Robert Proust qui s'intéressa à moi, et fit de moi un de ses disciples les plus proches.

Mon propre père fut, comme Adrien Proust, médecin des Hôpitaux. Sa carrière, malheureusement brève, se déroula de 1882 à 1905. Sa promotion s'intercalait entre celle du père et celle du frère de Marcel. C'est dire qu'un grand nombre des contemporains et collègues du Pr. Proust, qu'il se soit agi des Guyon, des Courtois-Suffit, des Le Gendre, des Moutard-Martin, des Brissaud, des Dieulafoy, des Vaquez, d'un Bouffe de Saint-Blaise (qui mit au monde mes frères, ma sœur et ma fille), du doyen Debove qui prononça le discours funèbre aux obsèques d'Adrien Proust et qui, chef de mon père, venait chaque année vers ce temps-là, dîner à la maison, de tous, j'entendais, enfant, parler sans ambages. Je sais tout ce qu'on entend, tout ce qu'on apprend à la faveur de cette situation.

Ce n'est pas tout encore. La famille Proust et la nôtre appartenaient à la même classe, au même clan bourgeois. Nous étions aussi des parisiens de la rive droite, et du même arrondissement, le 8e, qui avait ses coutumes, ses convenances, ses prétentions [1]. La Madeleine, Saint-Augustin, Saint-Philippe-du-Roule nous furent des paroisses communes. Les Daireaux, les Caillavet, les Pouquet, les Hochon, les Devin, les Gomel, les Goujon, les Verdé-Delisle, les Touchard, les Cottin faisaient partie des relations de mes grands-parents. Mon grand-père maternel exerçait au Palais (avocat à la Cour de cassation et au Conseil d'Etat) comme un peu plus tard l'oncle Georges Weil (avoué et magistrat). Bourgeoisie très traditionaliste, mais ouverte (et, de plus, la médecine affranchit), éprise d'art, de littérature, de théâtre, de musique, fréquentant non les aristocrates du faubourg Saint-Germain, mais surtout les professions libérales, et aussi quelques familles israélites, sans que cela soulevât aucune objection.

J'ajoute que ma mère qui était née quatre mois après Marcel Proust, demeurait, jeune fille, boulevard Malesherbes, 69, à trente maisons des Proust, et qu'avec sa sœur, dans le monde, au bal, au tennis, elle rencontra Marcel. Celui-ci, en 1912, raconta à mon frère Philippe, qu'il se souvenait des yeux violets de ma tante. Les demoiselles Dancongnée figurent d'ailleurs sur le cliché original de la fameuse photographie du boulevard Bineau.

Plus tard, nous allâmes chaque été sur les plages normandes et, à Cabourg, il m'arriva plusieurs fois d'apercevoir le fantôme emmitouflé, au milieu d'un essaim de jeunesse.

Petit garçon, j'avais joué aux Champs-Elysées, autour des mêmes massifs, des mêmes chevaux de bois, près de l'Alcazar dont parle *Jean Santeuil* et *le Narrateur*.

1. On sait que Proust découvrait une affinité entre les gens et les quartiers qu'ils habitent.

Je fis mes classes au lycée Condorcet (j'ai connu le tambour qui battait la fin des récréations), et mon service militaire au 76ᵉ régiment d'infanterie, celui du volontariat de Marcel.

Ainsi, foyer de mes parents si semblable au sien avec son cachet professionnel, niveau social identique, principes invétérés de l'époque, même décor, camaraderies cadettes mais parentes des siennes au même lycée, mêmes villégiatures, mêmes relations, tels sont nos quartiers communs de 'tiers-état' qui m'aident à renseigner avec moins d'incertitude que d'autres, sur l'enfance et l'adolescence de Marcel Proust, en me remémorant les miennes. Je ne suis même pas tout à fait étranger au XIXᵉ siècle : faveur de plus en plus rarement concédée aux historiographes actuels.

*
* *

A l'heure où je trace ces lignes, Proust aurait quatre-vingt-quinze ans, et ceux qui l'ont réellement approché, à 'la période qui m'occupe', ont déjà franchi le cap des quatre-vingts ans. C'est dire qu'il ne faut plus guère espérer du nouveau de ce côté, et qu'on va devoir désormais travailler sur pièces.

Au point de vue documentaire, mon effort personnel de reconstitution s'est appuyé d'une part sur les nombreux faits épars consignés en divers articles ou monographies, dans les volumes de la *Correspondance,* mais sans négliger les indications manifestement autobiographiques contenues aussi bien dans les œuvres de jeunesse que dans *Contre Sainte-Beuve* et la *Recherche.*

Dans le chef-d'œuvre terminal, les critiques ont depuis longtemps admis que le Narrateur, en plus d'un passage,dissimule à peine son identité, et qu'il était licite (ainsi qu'on l'a fait d'ailleurs) de considérer certains traits de caractère et certaines anecdotes comme authentiques.

J'attache, pour ma part, beaucoup de crédit aux écrits antérieurs : « *Les plaisirs et les jours* (1896, avant ses vingt-cinq ans), *Jean Santeuil* [1] (1896-1904, entre vingt-cinq et trente-trois ans et enfin, bien que, dans l'ensemble, postérieur aux années envisagées ici, mais y ayant encore directement trait, le *Contre Sainte-Beuve* (1908-1910, trente-sept à trente-neuf ans), tous ouvrages rédigés sous l'impression du moment, dans le feu des émotions.

Sans doute y a-t-il des parties romancées, des incidents truqués, mais cela se devine assez aisément; ce sont des travestissements anodins, et qui ne donnent pas le change. L'écrivain en herbe n'avait pas encore la maîtrise; son système n'était pas au point, qui transfigurait son entourage et soi-même pour égarer.

Pour ce qui est des témoignages étrangers consignés ici ou là, je les ai adoptés chaque fois qu'ils n'étaient pas en contradiction avec la totalité des autres, ni avec une élémentaire vraisemblance. Ainsi, le livre des *Hommages* apporte-t-il, sous les signatures les plus disparates, des éléments fort utiles. Toutefois, outre que ce ne sont que des renseignements fragmentaires, on ne doit pas oublier qu'il s'agit d'évocations tardives, de souvenirs lointains, susceptibles, pour les périodes les plus anciennes, de retouches inconscientes.

Parmi toutes les sources d'information, les *Lettres* (surtout celles avant 1900, où la spontanéité éclate, où rien n'avait encore pris forme littéraire) sont de premier jet et, donc, pour la plupart (à part quelques exagérations évidentes), révélatrices et dignes de foi. Peut-être, dans l'avenir, quelque pièce encore inédite, apportera-t-elle sur tel point demeuré douteux, telle précision. Il y a peu de chance qu'il s'agisse de 'révélations'.

---

1. Cette appréciation de Proust lui-même sur J. S. : « *Puis-je appeler ce livre un roman? C'est moins peut-être et bien plus, l'essence même de ma vie sans y rien mêler* (sic), *dans ces heures de déchirement dont elle découle. Ce livre n'a jamais été fait, il a été récolté.* »

Bien entendu, j'ai largement utilisé les travaux de mes devanciers et je les cite souvent. Presque tout se trouve rassemblé dans les deux volumes du Painter où j'ai puisé à maintes et maintes reprises. C'est une 'Somme' de valeur inestimable pour qui s'intéresse à Marcel Proust, et il faut rendre justice à un labeur aussi consciencieusement qu'opiniâtrement poursuivi. Pour ce qui est de l'inventaire, on n'y trouve guère que des erreurs de détail ou des lacunes insignifiantes. Ce qui, par contre, m'a beaucoup gêné, c'est une explication, souvent toute gratuite, du fait brut; et, ce qui est plus gros de conséquences, une sorte de conception systématisée, d'ailleurs parfaitement cohérente mais trop tendancieuse, concernant l'évolution de Proust. Cela manque d'esprit critique. On aurait mieux aimé qu'au lieu de spéculer, l'auteur s'en tienne aux renseignements si patiemment accumulés, et nous les livre, sans, pour autant, s'engager délibérément, ne serait-ce que par les titres de plusieurs chapitres, on devine lesquels. Il est bon de rappeler que Mr. G. D. Painter est un Britannique, de formation puritaine, et qu'il est né au cours du siècle où nous sommes. Trois raisons pour faire sur un Français, bourgeois, républicain, et du siècle passé, une série de faux sens, assez excusables au demeurant.

Pour ma part, j'ai cherché à respecter une méthode quasi scientifique, clinique, sans quitter le terrain solide des faits suffisamment étayés, des citations épistolaires, des récolements. J'ai avancé le moins d'hypothèses possible, mon rôle se limitant à noter les interférences de tels ou tels incidents, à souligner les coïncidences évocatrices, à mettre ou à remettre en place chaque détail dans le contexte général, à insister sur ce qui prend ainsi force de preuves, bref, à montrer ce que dut être la réalité.

J'ai voulu de la sorte donner à l'existence supposée de Marcel Proust, enfant, jeune homme et homme jeune, son cadre exact, son véritable éclairage. « L'essence de la critique, a dit Renan, est de savoir comprendre des états différents de celui où nous vivons. »

C'est à cette compréhension que je me suis efforcé.

Il m'a fallu, pour cela, repenser sans cesse, en suivant Proust de son premier âge jusqu'à ses trente ans, ce que furent les débuts de ma propre vie, et, pour retrouver l'atmosphère du foyer des Proust, replonger dans celui de mes grands-parents, évoquer, derrière celle de Mme Proust, la silhouette de ma grand-mère, sa contemporaine, retrouver l'écho des conversations médicales de mon père.

Ainsi ai-je cru saisir et presque ressusciter cette intimité domestique, ce conservatisme, cette politesse intransgressible. Quelqu'un a fait remarquer avec justesse que, sur le plan des coutumes et de la vie privée des classes possédantes, il y avait eu moins de changements entre le xviiie et le xixe siècle, qu'entre le xixe et le xxe. Il est quasi impossible aux générations d'aujourd'hui d'imaginer avec exactitude ce monde disparu il y a cinquante ans (c'est ce qui explique notamment la réaction de ceux des lecteurs qui estiment certains thèmes de la *Recherche,* tout à fait surannés).

L'influence du milieu sur l'individu (vieux débat!), non pas selon le concept 'codifié' de Taine, mais s'exerçant 'de façon contingente', sporadique, indéterminée, autant par ce qu'on respire que par ce qu'on voit et entend, qui songerait à la nier?

Je concède que, sur cette question de l'importance de 'l'homme dans le siècle' relativement à son œuvre, il n'y a pas lieu d'attribuer trop d'intérêt à ce que (sa claustration, si singulière mais si opportune exceptée) la vie de Proust ait pris, après 1908 (approximativement) telle ou telle tournure : humeur, entourage, comportement social, incartades de sa vie privée. A partir de ce moment-là, qu'importe ce qu'il faisait, comment il réagissait au jour le jour. Cela ne comptait plus. Les jeux étaient faits. Il n'appartenait plus qu'à sa composition. Toute la substance du livre était prête. Il n'avait désormais qu'à en écouter et à en transcrire la dictée.

Tout autrement — je dirai : tout à l'inverse — doit-on considérer les choses pendant la période précédente : trente-cinq ans au moins de prises de contact avec le monde extérieur, de perceptions, d'enregistrement, de préparation, d'apprentissage. Là, les échanges, le type des échanges (et, comme pour quiconque, la part du hasard) sont capitaux, parce que, jusqu'à un certain point, déterminants.

Le futur écrivain, sans aucun doute, avait, en naissant, reçu, dans sa structure mentale, les dons d'un génie littéraire. De toutes façons, à moins d'accident, il n'eût pas pu ne pas les manifester. Mais sous quelle forme? Avec quelle puissance?

Les causes extrinsèques interviennent toujours. Quelle que soit leur personnalité, les prédestinés de cette trempe doivent composer avec les conjonctures favorables ou défavorisantes qui entourent leur éclosion. De même, le jugement rétrospectif qu'on porte sur eux retiendra — s'il se veut réaliste — ce qui fut leur expérience acquise, au même titre que leurs facultés originelles.

Proust, tout Marcel Proust qu'il deviendrait, ne pouvait pas ne pas être (jusqu'à un certain point) modelé à l'image de son entourage. Les effets du phénomène varient avec le caractère de l'individu, la nature du milieu, la durée du contact. Or, le contact dura longtemps. La tutelle se prolongea. Certes, la pensée se développe selon ses lois, mais les idées sont suggérées par l'environnement, 'par voie sensible et sensuelle plus encore qu'intellectuelle'. On ne peut tenir pour rien cette évidence. L'homme et son psychisme, et son capital de pensées, transparaît à travers l'artiste. L'artiste a pour support l'homme. Et l'homme, en la circonstance, doit beaucoup aux siens, beaucoup plus qu'à l'ordinaire.

C'est pour cette raison qu'il m'a paru bon de passer par le truchement de la vie familiale, non pour expliquer le pourquoi du génie, mais pour chercher à en indiquer le comment, distinction si pertinente de A. Ferré.

Sans doute, l'entreprise est hasardeuse, à travers la distance et la durée, de réanimer des vies, alors que nous ne pouvons que si mal connaître celles-là même qui ont croisé ou côtoyé la nôtre.

Je n'ignore pas non plus combien Proust s'est élevé contre le principe de juger un auteur d'après les circonstances de sa vie ou suivant son caractère. Certainement, le génie qui se déploie dans *les Confessions* d'un Jean-Jacques n'a pas de commune mesure avec l'assez pauvre sire qu'il confesse.

A propos de Sainte-Beuve, Proust écrit : « *Avoir fait l'histoire naturelle des esprits, avoir demandé à la biographie de l'homme, à l'histoire de sa famille, à toutes ses particularités, l'intelligence de ses œuvres et la nature de son génie, c'est là ce que tout le monde reconnaît comme son originalité...* » Mais il réfute : « *Cette méthode qui consiste à ne pas séparer l'homme de l'œuvre, à considérer qu'il n'est pas indifférent pour juger l'auteur d'un livre, d'avoir d'abord répondu aux questions qui paraissent les plus étrangères à son œuvre, à s'entourer de tous les renseignements possibles, à collectionner ses correspondances, à interroger les hommes qui l'ont connu, en causant avec eux s'ils vivent encore, en lisant ce qu'ils ont pu écrire sur lui s'ils sont morts* [1]*, cette méthode méconnaît ce qu'une fréquentation un peu profonde avec nous-mêmes nous apprend : qu'un livre est le produit d'un autre moi que celui que nous manifestons dans nos habitudes, dans la société, dans nos vices.* » Pour Proust, comme pour Carlyle, le poète (et le romancier inspiré) [2] n'est 'qu'une sorte de scribe écrivant, sous la dictée de la nature, une parodie plus ou moins importante de son secret'. Certes, l'œuvre seule compte, et que

1. Quel pressentiment!
2. La parenthèse est de moi.

nous importe que Villon fût un vaurien, Molière un mari infortuné, et Verlaine un ivrogne!

Pourtant, la connaissance d'un écrivain en tant qu'homme, si elle ne peut en rien servir à juger l'œuvre du point de vue esthétique, peut, en offrant des fils directeurs, aider à la mieux comprendre. Cela me paraît particulièrement vrai pour ceux qui, comme Proust, se sont plus ou moins ouvertement mis en scène. D'ailleurs, les meilleurs exégètes depuis quarante-cinq ans ne s'y sont pas trompés, jouant sans cesse des rapprochements entre les données biographiques et le texte.

Et, moralement parlant, cet enseignement n'est-il pas précieux qui nous montre l'écart, et donc l'ascension, entre la misère de la créature et la splendeur du créateur?

Loin d'admettre avec Sainte-Beuve que tant vaut l'homme, tant valent ses écrits, nous admettrons du moins avec Proust que s'il n'y a aucune communication, aucun « retour » de la littérature à la vie, il y a, par contre, communication à « l'aller » de la vie à la littérature (la vie nourrissant la littérature). Aussi bien la vie propre du littérateur que la vie de ses contemporains.

*
* *

La curiosité, presque sans précédents, suscitée par le roman, a poursuivi la personne de l'auteur, et, de là, atteint sa vie privée.

Puisque cette matière de « multiplier les anecdotes pour multiplier les points de vue » (qui n'a tout de même pas que des désavantages) s'est tellement répandue; à partir du moment où l'on a fait sortir de l'ombre celui qui, en tant qu'individu, souhaitait d'y rester, la probité veut qu'on le montre, autant que faire se peut, conforme à ce qu'il fut ici-bas.

Mon ouvrage concerne les années de famille (1871-1905).

Pour venir à bout de ce projet de reconstitution véridique,

pour approcher de l'exacte tonalité, j'ai catégorisé, puis juxtaposé les faits, petits ou grands, selon telle ou telle rubrique. Mon office de metteur en scène a consisté moins à faire aller et venir le personnage qu'à le situer dans son décor, afin que le lecteur, proustien averti, y découvre des allusions ou des coïncidences intéressantes ou plaisantes. Quelques réflexions ou déductions — en coups de projecteur — expriment précisément ce qui m'a été suggéré à moi-même lors de ma quête.

Si je me suis permis de mêler, de temps à autre à l'exposé objectif, des souvenirs personnels, c'est par commodité de confrontation, pour mieux retrouver un passé perdu, et non par manque de bienséance.

On trouvera peut-être que j'ai abusé des citations en nombre et en étendue. Elles m'ont paru indispensables. « Une forte démonstration, a écrit Mondor en préfaçant Rivanne, ne doit pas trop dédaigner, même si elles paraissent innombrables, la multiplicité des preuves. »

Pour rendre les choses plus claires, et prévenir toute équivoque, tout ce qui est emprunté à Proust ou aux siens (correspondance ou textes publiés) sera imprimé en italiques. De même, en italiques, les indications bibliographiques et, comme il est d'usage, les mots étrangers. Toutes les autres citations figurent entre guillemets, et ce que j'ai voulu personnellement souligner, entre guillemets anglais. Dans le même but, j'ai souvent, quand s'imposait une date, indiqué l'âge correspondant de Proust. Une date est abstraite, muette. Un âge parle, éveille l'attention, surtout lorsque, comme ici, la précocité est flagrante. Chacun, de cette façon, pourra faire retour sur soi-même.

Afin de ne pas alourdir l'ouvrage, j'ai renoncé aux renvois bibliographiques. Tous les fervents de Proust s'y retrouveront sans difficultés majeures.

En apportant de la sorte mon concours au portrait, qu'on se doit de souhaiter toujours plus exact, d'un homme si rare, j'espère qu'il sera jugé de quelque intérêt — même s' « *il est absurde de juger le poète par l'homme...* », même si « *l'homme lui-même... peut parfaitement ignorer ce que veut le poète qui vit en lui* ».

Je tiens à exprimer à Madame Suzy Mante-Proust mes sentiments d'amicale gratitude pour l'accueil favorable qu'elle a réservé au projet de mon ouvrage.

Il m'est agréable d'adresser mes sincères remerciements à l'intention de Mlle G. Amiot, Mme Callu, Mlle Delaville, Mme le Dr A. Prost, MM. le Dr P. Blamoutier, R. Delaubier, J. Duclos, Dr R. A. Gutmann, Prt M. Leser, P. L. Larcher, M. Soufflot, pour leur amical empressement à me procurer divers renseignements ou documents.

LIVRE I

PROUST ET LES SIENS

LA BOURGEOISIE MÉDICALE

LES ORIGINES — LA GÉNÉALOGIE

LA LIGNÉE PROUST.

Ce que l'on sait des *origines lointaines* des Proust, a été transcrit dans la thèse de R. Le Masle [1] et dans le livre de A. Maurois.

Je me contenterai, à cet égard, de la documentation due à mes prédécesseurs, en insistant à l'occasion sur quelques points.

Illiers où l'on retrouve trace de la résidence des Proust (il faudrait prononcer *Prou* à la mode provinciale) pendant plusieurs siècles, est ce gros bourg de plus de 3 000 âmes, à 25 kilomètres au sud-ouest de Chartres, sur les bords du Loir, aux confins de la Beauce et du Perche, aujourd'hui lieu de pèlerinage pour les initiés.

Voici ce qu'écrit Le Masle : « En 1589, Jehan Proust figure parmi les notables de la ville. En 1621, Gilles Proust, bailli d'Illiers, est, à titre gracieux, exempt de taille. En 1633, un Robert Proust devient receveur de la seigneurie, en vertu d'un bail que lui concède « haute et puissante dame Françoise de Schomberg, veuve du deffunt et puissant Seigneur Monseigneur Messire François de Daillon, vivant chevalier, comte du

1. La thèse du Dr R. Le Masle, outre sa qualité intrinsèque, présente l'avantage d'avoir été préparée avec l'accord et sous la caution du Pr Robert Proust, maître de l'auteur. — Les amateurs de précisions consulteront aussi avec fruit l'ouvrage du chanoine Marquis : *Illiers —* 1907 — *Archives historiques du diocèse de Chartres.*

Ludde, de Pontgibault, marquis d'Illiers » moyennant la somme de dix mille cinq cents livres tournois et la servitude de fournir à ses dépens « un cierge par chacun an en l'église de Chartres, au jour et feste Notre Dame de la Chandeleur ». En 1669, le huit mars, Françoise de Daillon est marraine d'un fils de Robert qui reçoit le prénom de Claude, de son parrain, Claude de Commargon, seigneur de Méréglise. Michel Proust, licencié, bailli d'Illiers en 1673, est inhumé, environ 1693, dans l'église Saint-Jacques. Tous, par la suite, furent cultivateurs ou marchands. Son petit-fils, vraisemblablement, François Roch Proust, épouse en 1748 Marie-Louise Renard. L'aîné de leurs cinq enfants épouse Marie-Madeleine Mandeguerre en 1770; de cette union naît le premier janvier 1771, René-François Proust, marié à Louise Monique Lejeune, dont il eut quatre filles et trois fils, le plus jeune étant Louis-François Valentin. »

Ce LOUIS-FRANÇOIS VALENTIN PROUST, le propre grand-père de Marcel naquit le 28 Germinal, an IX de la république. Il devait mourir à peine quinquagénaire en 1853. Il épouse en 1827 (?) une toute jeune fille, native de Cernay, village à trois lieues de là, Virginie Torcheux, qui, elle, allait vivre jusqu'à l'âge de quatre-vingt un ans (Marcel avait, lors de son décès, dix-huit ans). Le jeune couple ouvrit boutique d'épicerie place du Marché, en face le portail de l'Église. « Leur commerce était prospère, qui approvisionnait à la fois d'épices, de fils, de sucre, de sabots, de papier et de chandelles. On fournissait même les cierges de la paroisse », le commerçant ayant adjoint une ciergerie et autres menues industries à ses affaires.

Quand VIRGINIE PROUST, née TORCHEUX, resta veuve à quarante-cinq ans, elle continua seule à exploiter son fond de commerce. Car son fils, Adrien (le père de Marcel), dès l'année qui suivit, partait pour Paris, y apprendre la médecine; et sa fille dont nous parlons plus loin, s'était mariée assez richement, six ans plus tôt, à Illiers même. Elle vécut plus ou moins solitaire, quoique à proximité de sa fille et de son gendre. Probablement assez casanière, ce qui n'avait rien que de banal en ce temps-là, il semble qu'elle ne s'absenta guère (même en 1870, tandis que l'armée de la Loire se battait tout alentour), puisque, pour la cérémonie du mariage d'Adrien, elle se contenta d'envoyer son consentement par procuration. Ce n'est pas suffisant pour supposer que les rapports entre Adrien et les siens se soient relâchés du fait de son union avec une israélite, et sous l'impression qu'aurait causée cette nouvelle dans le cercle d'un catholicisme paroissial peu tolérant. En effet, dès les prochaines vacances et pendant de longues années, le jeune ménage vint régulièrement se reposer au berceau de famille, sans qu'il y eût trace d'aucun froissement. Cependant, si, comme tout incite à le croire, les liens demeurèrent toujours empreints de compréhensive affection, les différences des vies citadine et villageoise, l'opposition des mentalités parisienne et provinciale (qu'on se représente ce qu'était la population des campagnes à la fin du XIXe siècle; ou, bien mieux, qu'on relise les passages où Marcel la décrit), ces différences, cette opposition distendirent ces liens. Lorsque la vieille femme mourut en 1889, précédant de quelques mois dans la tombe 'l'autre grand-mère', ce qu'on sait à propos de l'un et de l'autre deuil, donne l'impression que le premier n'eut qu'assez peu d'écho dans les cœurs, tandis que l'autre fut, et pour Marcel et, bien entendu, pour sa mère, un véritable bouleversement. Et dans le roman, est-il seulement fait allusion à l'aïeule paternelle?

Des deux enfants de la sus-nommée Virginie Proust, l'aînée ELISABETH, c'est la fameuse tante Léonie, celle dont l'écrivain fit l'impérissable portrait. Il semble que cette personne, maîtresse de maison accueillante pour la famille de son frère fût, par ailleurs, d'humeur assez chagrine, vétilleuse pour la cuisine, querelleuse dans son intérieur. (Elle eut deux fils et une fille, cousins de Marcel dont il n'est question qu'épisodiquement

comme prenant part aux promenades à la campagne. Ils sont
quasiment absents de l'horizon proustien). Peu à peu elle s'enferma « dans sa maison, dans sa chambre, et, en fin de compte,
dans son lit », se croyant malade, n'étant crue par personne, et,
finalement, l'étant pour de bon. Elle fut opérée sur ses vieux
jours par le Dr de Fourmestraux, chirurgien de Chartres pour
une lésion intestinale d'origine ancienne. Elle mourut en 1886,
trois ans avant sa mère, sans que son décès ait soulevé grande
émotion. Ce qui est sûr, c'est que le personnage frappa assez
l'imagination de son tout jeune neveu pour qu'il en fît plus
tard un 'caractère', avec son eau de Vichy, ses médicaments,
ses tisanes et ses madeleines. C'est s'avancer sans preuve que
de conclure, comme le fait Painter, « que la tendance de
Marcel à ressentir un mal qui était à la fois hypocondriaque
et authentique, lui fut transmise non par sa mère... mais par
la branche familiale de son père — cet euphorique extraverti
(*sic*) ». Pathogénie atavique tout ce qu'il y a de plus discutable.

L'oncle JULES AMIOT (en partie le modèle de l'oncle
Adolphe), mari d'Elisabeth (Léonie), possédait un magasin
de marchand drapier, à quelques pas de celui de ses beaux-
parents, et habitait une maison cossue (pour l'époque) dans une
rue toute proche. La maison, aujourd'hui convertie en musée
et servant de siège social à la Société des Amis de Marcel
Proust et des Amis de Combray (secrétaire : M. P. L. Larcher), était, dans les années 1870-85, celle où résidaient, pendant les vacances de Pâques et d'été, le professeur Proust, sa
femme et ses deux enfants, venant jouir d'air et de campagne
(Marcel en sera privé par son allergie aux pollens, à partir
de 1880). L'oncle Jules, né en 1816, avait séjourné en Algérie
peu après la conquête et en avait rapporté panoplies, nattes,
tapis et coussins (objets alors considérés comme d'un pittoresque achevé sur lequel les expositions universelles attirèrent
la vogue), en même temps qu'une certaine nostalgie pour ses
équipées africaines. Le fait est que sa fille partit en Algérie

pour se marier (et y mourut). En plus de sa maison, sa fortune lui permit d'acquérir, à la sortie du bourg, passé le Loir,
un vaste parc qui fut baptisé le pré Catelan, et que Marcel
célébra. Ayons donc une pensée de gratitude pour la mémoire
de l'oncle Jules, responsable indirect des merveilleuses évocations des haies d'aubépines et autres descriptions florales. Cet
original, un peu plein de lui-même, resta veuf à soixante-dix ans
et le resta longtemps, puisqu'il ne décéda qu'en 1912, à quatre-
vingt-quinze ans. Il avait été entre temps adjoint au maire
d'Illiers, libre-penseur et anticlérical, ce qui était faire offense
aux mânes de ses beaux-parents. Ses neveux restèrent-ils en
relations avec lui? On ne peut discerner pourquoi Marcel, qui
ne perdit ce dernier membre de la branche paternelle que
fort tard, ayant lui-même quarante et un ans, et alors qu'il
avait déjà écrit toute la partie du roman concernant Combray,
trouva commode ou plaisant de lui prêter une mort prématurée,
et en fit, pour sa valétudinaire épouse, un revenant qui voulait l'obliger coûte que coûte à la promenade quotidienne.

Voici enfin ADRIEN PROUST, le père de Marcel.

Concernant les faits biographiques, j'évoquerai en plusieurs autres chapitres l'homme dans son métier et dans son
foyer.

De son enfance, on sait seulement qu'il fut élève studieux à
l'école primaire, que, boursier au collège de Chartres, il y fit
de solides études (« à la fin de sa vie, riche de titres, il était
fier de rappeler que son nom figurait au tableau d'honneur
dans le parloir du vieux collège »). Bachelier ès lettres et
ès sciences la même année, il passait brillamment le certificat
d'aptitude ès sciences physiques en juillet 1853. On répète un
peu partout qu'il avait été primitivement destiné à la prêtrise.
Rien d'invraisemblable, étant données la tradition et la pratique
religieuse fervente dans lesquelles il fut élevé. Quant à savoir
ce qui le fit renoncer, on en est réduit aux suppositions. Il faut
toutefois noter la coïncidence de la mort de son père, l'année

même de son option en faveur de la médecine. Le père avait-il donné son acquiescement? Ou bien l'autorité maternelle, livrée à elle-même, se montra-t-elle impuissante à contrecarrer la nouvelle vocation? Car c'en fut une. Comme l'explique Le Masle, c'était, de toutes parts, le grand élan de curiosité de la jeunesse française vers les nouvelles découvertes scientifiques et, notamment, biologiques. Toujours est-il qu'il partit pour Paris, seul et sans grand soutien qu'on sache.

Ses débuts furent tout de suite excellents. Non seulement le sérieux dans le travail, des facultés d'observation et de raisonnement, mais aussi le désir de s'élever concoururent à le mettre en vue. Le relevé de ses états de service le montre franchissant rapidement les étapes, devenant interne des hôpitaux à vingt-quatre ans, docteur en médecine à vingt-huit, chef de clinique à vingt-neuf, professeur agrégé à trente-deux, médecin des hôpitaux à trente-trois, puis, bientôt, jugé digne de missions d'intérêt public, aventureuses et lointaines, et recevant pour sa valeur la Légion d'honneur.

Au moment où il se marie, il est déjà quelqu'un. Dans une ascension continuelle (il acquerra beaucoup d'autres titres), il jouit d'une notoriété flatteuse, d'appuis assurés, d'amitiés solides, de relations utiles, et, enfin, il possède une précoce maturité, faite autant d'expérience personnelle que de savoir théorique.

Adrien Proust ne fut pas le seul que la Faculté ait vu arriver de son terroir en gros sabots, pour se faire, à force de labeur et grâce à des dons véritables, une situation de choix.

Dur pour lui-même, il plia son intelligence à la discipline et à l'application que réclame la filière des concours. Il conserva cependant un caractère indépendant, un esprit ouvert. Le choix de ses premiers travaux, la manière dont il les traita, le sujet de sa thèse d'agrégation, dénotent déjà une personnalité affirmée; son orientation vers l'hygiène, spécialité alors peu en honneur, montre qu'il ne se contente pas de frayer les

chemins battus; son courage, tranquille et modeste, dont font
état maintes relations, au cours des meurtrières épidémies (de
choléra, entre autres), la réussite remarquable et remarquée
de ses missions, voilà une somme de qualités très au-dessus
de la moyenne.

Chemin faisant, il s'était affiné. La médecine, immanquablement, affranchit quiconque l'aborde et l'exerce. Sans que
rien n'attente à son solide équilibre, à son fonds de santé
morale, il perd ses préjugés. En même temps, il acquiert
— et comment en pourrait-il être autrement? — une évidente
confiance en soi, une satisfaction de soi, moins par infatuation
que par un sens très exact de sa valeur et de ses pouvoirs.
D'assez véniels travers : un manque de goût artistique, tem-
péré par la bonhomie, un autoritarisme de surface avec un
fond de scepticisme, de la rondeur de caractère coupée d'accès
d'amour-propre et, certainement, de la bonté. Son attitude
sociale en ce demi-siècle de bourgeoisie triomphante, sera celle
d'un bon bourgeois; d'aucuns diraient à présent : d'un 'affreux
bourgeois'. Il ne se montrera pourtant ni égoïste, ni intransi-
geant, ni pusillanime, ni, chez lui, despotique.

Le moment venu de prendre femme, la chance le servit.
Rendons néanmoins un juste hommage à sa clairvoyance : à
trente-six ans, il sut distinguer, chez celle qui s'offrait comme
un avantageux parti, mais que l'épineuse question religieuse
aurait pu faire écarter par principe, des vertus rares, qui se
révèleront, en temps voulu, tout à fait appropriées au rôle qui
lui incomba. D'avoir osé malgré sa formation, renoncer à un
préjugé, il fut amplement récompensé.

LA LIGNÉE WEIL.

De ce côté, on ne remonte pas au-delà des grands-parents.
On sait qu'ils venaient de l'est, de Metz. Qu'y faisaient-ils?
Quand se fixèrent-ils à Paris? On l'ignore. Peut-être une
patiente enquête administrative éclairerait-elle quelques points

obscurs? Cela ne serait que de peu d'intérêt. Le cadre familial
est suffisamment dessiné par les cinq personnages suivants.

NATHÉ WEIL était non pas agent de change, comme on
l'écrit un peu partout, mais commanditaire des agents de
change Ramel puis Blin, 18 boulevard Montmartre, de 1865
à 1890. Il possédait donc, par définition, une notable fortune,
et ses occupations devaient consister à en surveiller le placement, en collaborant à la charge. Comme il lui reste des loisirs,
on le voit souvent à la table de ses enfants, surtout après la
mort de sa femme, qui précéda la sienne de six ans. C'était
un vieux bonhomme barbu, « d'humeur inquiète », un peu
grincheux, assez maniaque, « *baissant sa tête boudeuse sur un
vêtement misérable et soigné, fumant sa pipe sans parler* ». On
raconte que, sauf pendant le siège de Paris, en 1870, où il alla
mettre sa femme en sûreté à Etampes, il ne quitta pas un seul
jour la capitale. « *Un voyage de grand-père à Dieppe d'où il
était reparti le soir même pour ne pas y coucher* », écrit quelque part son petit-fils. Fieffé conservateur, très formaliste,
mais avec, au fond, un cœur sensible, il admirait son gendre.
A l'endroit de Marcel, il manifesta beaucoup d'appréhension,
eut des accès d'humeur et de sévérité. C'est lui, dans *Jean Santeuil,* qui réagit contre la mère, sa propre fille. « *Quelle faiblesse! Vous donnez à cet enfant de belles habitudes!* » Et,
comme M. Santeuil invoque des excuses, « *Je me moque
d'être dérangé! Je donnerais bien du dérangement pour que cet
enfant se porte mieux. Il ne faut pas pour votre commodité
encourager votre femme à fléchir sur un principe.* » Si Proust
ne peut avoir surpris une conversation hors de sa présence,
au moins l'a-t-il reconstituée en tenant compte des traits de
caractères, tels qu'il les connaissait. En fin de compte, cherchant à le comprendre et à l'excuser, le vieillard fit preuve de
tendre indulgence, « *quand la faiblesse de son âge eut à lutter
avec la violence de son tempérament* ». Il est fort possible que
sa femme, avant de mourir, l'ait prévenu en faveur de Marcel.

ADÈLE BERNCASTEL. C'est l'ineffable grand-mère. Tout ce que l'on tenterait d'en dire, ne pourrait qu'en déformer l'image émouvante que son petit-fils traça d'elle, et où l'on sent, sous l'émotion du sentiment, une perspicace vision : esprit de famille, esprit d'abnégation, culte de la musique, de la littérature du grand siècle, finesse de manières. C'est encore trop peu dire. Il faut se reporter au roman. Selon sa fille, citant Mme de Sévigné, elle était « transmise à ses enfants ».

Elle se trouvait par une de ses tantes alliée aux Crémieux (son oncle Isaac Crémieux, « membre du gouvernement provisoire de la Drôme », alors âgé de soixante-quinze ans, fut un des témoins de sa fille) et, par là, à deux hommes politiques qui eurent, sous la IIIe République, leurs heures de notoriété : G. Thomson et J. Cruppi [1].

LOUIS WEIL, frère de Nathé et beau-frère d'Adèle : personnalité singulière. Il avait naguère possédé une fabrique de boutons. Devenu rentier, jouissant de gros revenus, il acheta à Auteuil, à l'emplacement du carrefour actuel de la rue La Fontaine et de l'avenue Mozart, une propriété (grande maison, vaste jardin avec beaux arbres, bassin, potager), celle où, fuyant la Commune, vint se réfugier, presque au terme de sa grossesse, sa nièce enceinte de Marcel. Célibataire, il avait meublé richement, mais sans goût, sa villa, sa « campagne » (ainsi nommait-on Auteuil), et y recevait tantôt sa famille, tantôt ses maîtresses. Il passe pour avoir mené une vie parisienne, toute d'oisiveté et de libertinage avec des « dames en rose », dont l'une, Laure Haymann, d'une réelle distinction d'esprit et d'une attirante beauté, suscita l'admiration, puis l'amitié, puis une vive flamme du jouvenceau Marcel, encore bien inexpert. On ne peut guère douter qu'elle lui accorda certaines faveurs dans le boudoir intime de « ses petits Saxe ». Néanmoins, sa tenue, son tact, sa bonne influence lui valurent la considération et

1. Bergson aussi fut allié de la famille par son mariage avec Mlle Louise Neuberger, cousine éloignée de Mme A. Proust.

la sympathie des parents. Quant à l'oncle Louis, dont on raconte qu'après sa mort, on retrouva dans un tiroir, une collection de photographies-souvenirs de petites actrices ou danseuses, il est surprenant que, dans un milieu très 'à cheval' sur les principes et les convenances (on en trouve la preuve à chaque instant), si l'on fut choqué par ses dérèglements (il y eut des fâcheries), on finit par s'y résigner avec des sourires ou des sous-entendus narquois. Les liens de famille prédominaient.

Les deux frères, Nathé et Louis, moururent à quelques semaines d'intervalle, vers la fin du printemps de 1896; Marcel avait vingt-cinq ans. On a quelques détails sur l'enterrement de Louis : la veillée funèbre assurée par Marcel et sa mère; l'incident de la corbeille de fleurs que Laure Hayman, ignorant que ce fût une cérémonie « sans fleurs ni couronnes », envoya au dernier moment par un cycliste et que Marcel convoya dans son fiacre, puis que Mme Proust fit placer sur le cercueil dans la sépulture.

Georges, Baruche, Denis Weil, fils aîné de Nathé et d'Adèle, et, par conséquent, frère de Jeanne et oncle de Marcel, fut le second témoin au mariage de sa sœur. Sur l'acte civil, on le désigne comme « avocat, âgé de vingt-deux ans ». Il fut peut-être avoué par la suite, en tout cas, figure, dans les archives de la place Vendôme, comme juge suppléant à Paris, en 1881, juge titulaire en 1889, et, ultérieurement, vice-président au Tribunal de la Seine. Il se maria, eut une fille Adèle (cousine germaine des fils Proust). Homme sévère, placide mais caustique, il s'entendait bien avec les Proust, et estimait son beau-frère, le Professeur, à sa juste valeur. Grand liseur, il approvisionnait sa sœur en livres. Par héritage, il devint propriétaire de l'immeuble du 102 boulevard Haussmann. Après sa mort survenue en août 1906, sa veuve Amélie, tante par alliance de Marcel, consentit, bien que la sympathie n'eût jamais été grande de part et d'autre, à louer à celui-ci l'appartement du second étage, précisément celui (avec sa chambre peinte en rose chair qui fut bientôt tapissée de plaques de liège) de feu le grand oncle Louis.

JEANNE CLÉMENCE WEIL enfin, la 'mère', qui, serait-ce à ce seul titre (mais elle en a combien d'autres!), mérite qu'on insiste longuement sur elle; ce que n'ont pas manqué de faire tous les biographes.

Son personnage est, en vérité, extrêmement attachant. Ce fut un être d'exception par ses qualités, un être d'élite par la conduite de sa vie. L'accord est quasi-unanime à son sujet.

Belle juive de vingt et un ans, lorsqu'elle accorda sa main à Adrien Proust, de quinze ans plus âgé qu'elle, on se rend compte, en passant en revue la série des photographies réparties sur plus d'un quart de siècle, qu'elle s'épaissit passablement vite; il lui fallut d'ailleurs assez tôt se soigner, faire des saisons à Salies de Béarn, prendre des bains de mer froids, prescrits pour sa circulation, subir en 1898 une très grave opération chirurgicale de gynécologie.

Mais, jeune femme, on la voit grande, élancée, avec beaucoup de grâce et de distinction, et un joli visage « aux yeux de velours ». Dans sa corbeille de mariée, elle apportait l'assurance d'une « solide fortune » et d'agréables « perspectives » d'argent; mais elle apportait bien davantage : une armature morale à toute épreuve.

Sens de la famille transmis par une mère vénérée avec laquelle elle était tendrement et intimement unie. Rien, pour elle, ne comptera que les siens. Ses parents, tous ses parents dont elle subira les disparitions successives avec une douleur inconsolable, et dont elle cultivera jalousement la mémoire. Son mari pour qui, nous aurons l'occasion de le redire, elle se révélera une compagne inégalable. Ses fils qu'elle élèvera et instruira avec vigilance — bien plus inclinée vers l'aîné pour des raisons très compréhensibles —, et pour lesquels elle déploiera les immenses ressources de sa finesse et de son tact féminins.

Effacement d'elle-même devant ses devoirs, tous ses devoirs, parfois contradictoires, qu'elle parviendra à concilier.

Sens du beau, de l'honnête, du bienséant, du juste.

Sens aussi de l'économie domestique; organisation et parfaite tenue du foyer. « Elle faisait la caissière », se remémorait, mi-admiratif, mi-moqueur, Marcel vers la fin de sa vie, devant la servante Céleste. Maîtresse de maison modèle, comme mère et épouse exemplaire.

Pour l'évoquer d'un mot que me souffla sa petite-fille, Mme Mante-Proust, c'était la 'femme forte de l'Ecriture'.

De surcroît, elle se montra, nous le verrons, d'un conformisme pointilleux, reprenant Marcel sur sa mise, sur ses façons, ses extravagances, son hygiène, Robert sur son humeur, son sans-gêne, ses engouements. Elle cessera, raconte A. Maurois, toutes relations avec une nièce qui se mettait du rouge aux lèvres. Quels traits ne décoche-t-elle pas, dans ses lettres, sur telle ou telle incongruité remarquée dans ses relations, ou au hasard de ses villégiatures! Quel soin apporte-t-elle à ne pas déroger aux conventions mondaines!

Elle connut l'amère épreuve de ces mères attachées à la règle, et qu'un fils, par ses écarts, oblige sans cesse à composer. Trop intelligente pour se laisser désemparer, elle fut sans relâche sur la brèche, accomplissant obstinément sa mission.

Voilà comment dans son *Jean Santeuil*, presque autobiographique, la jugeait et la décrivait son fils de vingt-cinq ans... « *pleine de goût en littérature, de bon sens dans la vie, de drôlerie quand il s'agissait de raconter la plus simple histoire, de cœur, de tact, d'habileté pour tenir le ménage...* »

On doit enfin s'arrêter un moment encore sur sa solide préparation, son érudition, son attirance et ses goûts littéraires (plutôt qu'artistiques). Elle avait appris les langues anciennes, parlait l'anglais et passablement l'allemand. Elle avait de vastes lectures et une mémoire qui, si elle fut dépassée par celle de son enfant, n'en était pas moins extraordinaire. Une fois mariée et bien que le professeur, retenu par d'autres tâches absorbantes, ne s'y prêtât guère, elle continua à se cultiver, lisant, parfois à haute voix au coin du feu, aussi bien les revues d'actualité que ses chers auteurs classiques, se tenant, comme par pressentiment, au courant de l'évolution des idées et du monde des lettres.

Et l'on en vient naturellement à se demander dans quelle mesure elle fut responsable de la carrière du futur écrivain : soit qu'elle lui transmît par hérédité les germes de la vocation, soit qu'elle influençât de bonne heure, par la séduction de ses lectures, un cerveau magnifiquement doué, soit enfin que, plus tard, la sensibilité aiguë de Marcel trouvât, dans le giron maternel, un refuge délicieux où les beautés du verbe, l'enthousiasme poétique, les affinités spirituelles remédiaient aux froissements et aux déceptions éprouvés dans les autres contacts humains.

Tout le long de leur coexistence (trente-quatre ans), ils communièrent intellectuellement.

Il n'y a rien au monde de plus émouvant que ses derniers instants, consignés par son fils dans les *Cahiers inédits* : « *Maman avait quelquefois bien du chagrin, mais on ne le savait pas, car elle ne pleurait jamais qu'avec douceur et esprit. Elle est morte en me faisant une citation de Molière et une citation de Labiche. Elle m'a dit de la garde qui sortait un instant, nous laissant seuls :* « Son départ ne pouvait plus à propos se faire... » *Que ce petit-là n'ait pas peur; sa Maman ne le quittera pas.* « Il ferait beau voir que je sois à Etampes et mon orthographe à Arpajon... » *Et puis elle n'a plus parlé et elle fronça les sourcils, fit la moue en souriant; je distinguai dans sa parole déjà si embrouillée :* « Si vous n'êtes Romain, soyez digne de l'être... »

Scène pathétique d'un adieu où, au moment de quitter le monde des vivants et d'y laisser son fils bien-aimé, elle se rassemble et se résume tout entière en quelques minutes et en quelques phrases : atticisme, élévation de l'âme, douce ironie, tendre et inquiète sollicitude, ultime conseil de stoïcisme.

Digne fut le dernier mot que Marcel, penché avec une douloureuse angoisse sur le visage de la mourante, recueillit au bord de ses lèvres.

★
★ ★

Les deuils de famille de Marcel Proust

Son grand-père, Louis-François Valentin Proust, était mort en 1853, antérieurement à sa naissance. Puis, de son vivant, les deuils s'échelonnent ainsi :

1er juin 1886 — Sa tante paternelle, Mme Jules Amiot. (M. a quatorze ans.)

19 mars 1889 — Sa grand-mère paternelle, Mme Valentin Proust. (M. a dix-sept ans.)

2 janvier 1890 — Sa grand-mère maternelle, Mme Nathé Weil. (M. a dix-huit ans.)

10 mai 1896 — Son grand-oncle maternel, M. Louis Weil. (M. a vingt-cinq ans.)

30 juin 1896 — Son grand-père maternel, M. Nathé Weil. (M. a vingt-cinq ans.)

26 novembre 1903 — Son père, le Pr. Adrien Proust. (M. a trente-deux ans.)

26 septembre 1905 — Sa mère, Mme Adrien Proust. (M. a trente-quatre ans.)

2 août 1906 — Son oncle maternel, M. Georges Weil. (M. a trente-cinq ans.)

23 février 1912 — Son oncle paternel, M. Jules Amiot. (M. a quarante ans.)

*
* *

En mourant, en 1922, Marcel Proust ne laissait ni ascendant, ni descendant; seulement son frère Robert (marié et père
d'une fille, Suzy [1]), et des parentés collatérales. Côté Weil : la
tante Amélie Weil et sa fille, Adèle (morte en déportation).
Côté Proust : deux cousins germains (Amiot) : André (décédé
en 1925 et dont une fille mourut en 1942) et Fernand (décédé
en 1931, et qui eut trois enfants : un fils mort en bas âge,
un autre tué à la guerre en 1916 et, enfin, seule survivante,
une fille, Mlle Germaine Amiot, actuellement âgée de quatre-
vingt-deux ans, cousine issue de germains de Marcel).

1. Madame Mante-Proust.

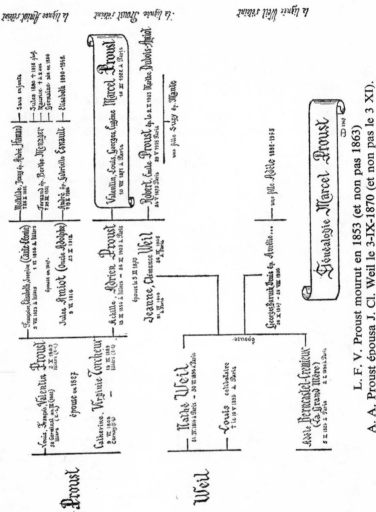

Généalogie Marcel Proust

L. F. V. Proust mourut en 1853 (et non pas 1863)
A. A. Proust épousa J. Cl. Weil le 3-IX-1870 (et non pas le 3 XI).

LA FONDATION DU FOYER PROUST

Comment Achille *Adrien* Proust et *Jeanne* Clémence Weil, dont le couple allait procréer un de nos plus grands génies littéraires, se rencontrèrent-ils? Rien, dans leurs origines, dans leurs personnes, dans leurs situations, n'inclinait leurs destins l'un vers l'autre.

On ignorait jusqu'à présent par quel concours de circonstances, l'événement se produisit.

Nous sommes parvenus à soulever un coin du voile. En consultant l'extrait des minutes de l'acte de mariage, on remarque que les témoins du docteur Proust étaient deux frères, Gustave et Charles Cabanellas, domiciliés 5, rue de Mogador. Lui, le marié, habitait 35, rue Joubert, à deux pas. Ils devaient tous trois être assez intimes, et se fréquenter beaucoup. Or, il est porté sur l'acte que l'aîné des Cabanellas était docteur en médecine, et, donc, confrère (sensiblement plus âgé et quelque peu mentor) d'Adrien Proust. Le second frère, Charles, était fondé de pouvoir d'agent de change. Puisque Nathé Weil, le père de la jeune fille, commanditait précisément une charge d'agent de change, la présomption est sérieuse pour que les Cabanellas, l'un médecin, l'autre agent de change, aient été les instigateurs, les entremetteurs, les facteurs d'une conjonction, par ailleurs si peu probable.

Les jeunes gens se plurent sans doute beaucoup, puisqu'ils se fiancèrent nonobstant les différences de religion et de milieu.

Le mariage se fit selon les rites catholiques (sacrement à l'église, baptême promis aux enfants à naître).

La cérémonie civile eut lieu à la mairie du X° arrondisse-

PREFECTURE DE LA SEINE   13ᵉ Lot — Nᵒ 14829

Mairie
du   Arrondissement   *EXTRAIT des Minutes des Actes de Mariage*

Coût de cette expédition : 1,50 F

B   N° 370150

6:b;

L'an mil huit cent soixante-dix , le trois septembre une heure , en la dixiè
me Mairie de PARIS et par Nous , Officier de l'Etat Civil , ACTE célébré
publiquement le mariage de Achille Adrien PROUST , professeur agrégé à la
Faculté de médecine , né à Illiers (Eure et Loir) le dix-huit mars mil ***
huit cent trente quatre , demeurant à PARIS rue Joubert 35 , fils de ****
François Valentin PROUST , décédé , et de Catherine Virginie TORCHEUX ,
sa veuve rentière , demeurant à Illiers , consentante par acte de Maître
PONCIN , Notaire y résidant d'une part ./ ET de Jeanne Clémence WEIL , sans
profession , née à PARIS , le vingt un avril mil huit cent quarante-neuf
y demeurant rue du faubourg Poissonnière 40 bis avec ses père et mère , fil
le de Nathé WEIL , et de Adèle BERNCASTELL , son épouse , rentiers , pré-
sentset consentants, d'autre part ./ Les Actes annexés sont ceux des publications faites à cette Mairie le neuvième, les dimanches vingt-un
et vingt-huit aout derniers, affichés sans opposition , ceux de naissance
des contractants , celui de décès du père du contractant etle consentement de sa mère , par eux et par Nous paraphés desquels Nous avons donné
lecture ainsi que du chapitre six du code Napoléon , du titre du Mariage.
Les contractants présenta Nous ont déclaré séparément prendre pour époux ,
l'un Jeanne Clémence WEIL , l'autre Achille Adrien PROUST , EN présence de
1° Gustave CABANELLAS , docteur en médecine , chevalier de la Légion d'Honneur , âgé de soixante deux ans , demeurant rue de Mogador 5 , 2° Georges

..../...

---

ment, en présence des parents de la mariée, avec procuration écrite de la mère du marié (voir ci-contre la photocopie de l'acte) à la date du 3 septembre 1870, le lendemain du désastre de Sedan, à l'heure même où la nouvelle se répandait

dans la capitale avec celle de la reddition de Napoléon III.
Lugubres auspices...

On peut croire que le repas et la nuit de noces furent passa-

...../

Baruch Denis WEIL , avocat agé de vingt-deux ans , demeurant rue du Faubourg
Poissonnière , 40 bis , frère de l'épouse , 3° Isaac Adolphe CRÉMIEUX , membre
du Gouvernementprovisoire de la Drôme agé de soixante quinze ans , demeurant
rue Bonaparte I° Grand Oncle de l'épouse ;4° Charles Emmanuel François *****
CABANELLAS , associé d'agent de change , agé de cinquante cinq ans , demeurant
rue de Mogador 5 ,qui ont signé avec Nous les époux , et les père et mère de
l'épouse après lecture ./

P.C.C.

PARIS le vingt-un juin mil neuf cent soixante-six ./

--/et Ministre de la Justice en mil huit cent quarante
huit , Député de la Seine et Membre du Conseil de la
Drôme ./.

Approuvé ce renvoi.

blement troublés par les sombres rumeurs, le spectre de la
défaite, l'inquiétude des jours à venir. De partir en voyage,
il ne pouvait être question. Ils allèrent demeurer momentanément 2, rue Roy (8ᵉ arrᵗ).

Le 4 septembre, peu après le réveil des jeunes épousés, c'était l'insurrection, et, à la chambre des députés, non loin de leur demeure, la proclamation de la III⁰ république.

Les jours suivants, les Allemands marchaient sur Paris, qui fut investi le 19 du même mois.

Il y eut un exode vers la province, et les parents Weil partirent s'installer à Etampes. Adrien et Jeanne ne les suivirent pas, et les dramatiques épreuves, où ils durent de concert affermir leurs âmes, allaient cimenter leur union.

Le siège commença. Gambetta s'envola en ballon pour établir à Bordeaux le gouvernement. La capitale fut abandonnée à elle-même. Tout le monde sait les calamités endurées par la population : le rationnement, puis la disette, puis la famine. Beaucoup de gens mangèrent du chien, du chat, du rat. Le chauffage, encore rudimentaire, devint impossible, faute de charbon et de bois, et l'hiver fut très rude.

En supposant même que, grâce à leur aisance et aux relations du Dr Proust, sa jeune femme et lui aient été parmi les moins défavorisés, l'inconfort, le manque d'hygiène et de bien du nécessaire, se faisaient péniblement sentir. Mais, plus encore, les transes morales accablaient les cœurs. Jeanne savait ses parents à 60 km, dans une petite ville à proximité des Prussiens. Adrien se tourmentait du sort de sa famille, ayant appris les batailles en Beauce. Il envoya par ballon-poste un message à un ami de Tours, M. Esnault, l'adjurant de lui faire parvenir par dépêche « pigeon » des nouvelles de sa mère, isolée à Illiers.

Il n'est pas besoin d'un grand effort d'imagination pour se représenter ce que pouvait être, en l'absence de toute diversion, la vie quotidienne pendant ces mois où le spectacle des rues, les boulets tombant sur la ville, l'échec des sorties des gardes mobiles, les revers annoncés des armées, formaient le plus noir tableau.

C'est alors que Mme Proust tombe enceinte, dans la première quinzaine d'octobre. Le calcul est facile à faire, étant donné que Marcel vint au monde le 10 juillet suivant. La grossesse débutait donc dans les pires conditions. Elle se poursuivit aussi malencontreusement, contrariée par le froid, la faim, l'angoisse; les soins les plus vigilants et les plus avisés ne pouvaient pas grand chose contre tant de traumatismes. Malgré son cran et son endurance, malgré la protection et les attentions de son mari, comment la future maman aurait-elle échappé à une constante tension nerveuse, obsédée par les incertitudes sur le sort de la patrie, soumise aux secousses d'alarmes imprévues, plus terrifiantes chaque jour.

La capitulation, signée le 28 janvier, ne procura aucune relâche; la Commune éclata le 26 mars, avec son cortège d'atrocités bien connues. Partout, les exactions, les bourgeois menacés, les pillages, les arrestations arbitraires, les exécutions (tout près de chez les Proust, le curé de la Madeleine arrêté comme otage et fusillé), les massacres dans les prisons, les incendies. Ces spectacles produisirent sur la France un effet d'horreur. Jeanne Proust, grosse de Marcel, en entendait chaque jour le récit avant de s'endormir. Deux mois plus tard, la répression qui ne fût pas moins affreuse : les combats de rues inexpiables, pendant une semaine, Paris à feu et à sang.

Un des jours de ce printemps-là, en se rendant à l'hôpital de la Charité (ironie des choses et des mots!), le Dr Proust échappa de justesse à la balle d'un communard (ou d'un versaillais?). C'en était trop. Dès qu'il le put, le couple se décida à déménager, coûte que coûte, cahin-caha, pour aller au « village » d'Auteuil, éprouvé par le double bombardement de l'ennemi et de l'armée de Freycinet, mais désormais libéré et en sécurité. La villa des Goncourt, voisine de la propriété de famille où ils vinrent loger, avait été éventrée à deux reprises. Les jardins étaient saccagés.

Puis le calme se fit peu à peu dans le deuil du pays. En

juillet, pour accueillir Marcel, les fusillades, la canonnade
s'étaient tues enfin. Le silence était revenu. Les passions
commençaient à s'apaiser. La France meurtrie allait se relever.

Une de ses futures gloires littéraires voyait le jour le 10
de ce mois. L'enfant fut prénommé *Valentin, Louis, Georges,
Eugène, Marcel.*

En accord avec les doctrines médicales actuelles quant aux
répercussions sur le fœtus des grossesses perturbées (quelle
qu'en soit la cause), j'estime qu'il y a lieu de tenir le plus
grand compte des faits ci-dessus exposés, et de les rap-
procher de l'état pathologique dont sera affligé celui qui, alors
frêle organisme, recevait sa constitution dans le sein maternel, agité d'émotions extrêmes.

En effet, le nouveau-né était tellement faible qu'on ne le
crut pas viable. D'ailleurs, Marcel n'hésitait pas à attribuer
sa mauvaise santé à une gestation si imparfaite. Celle qui le
porta, eut, à coup sûr, la même conviction, d'où ce repentir
tout naturel et commun à bien des mères, et les indulgences
apeurées qu'elle lui accorda toujours. Le père lui-même,
protagoniste convaincu de l'hygiène sous toutes ses formes, ne
pouvait guère en juger autrement.

Dans les antécédents *prénataux* de Marcel, il y a lieu de
mettre en relief et de distinguer clairement deux facteurs essentiels, car ils déterminèrent (c'est plus qu'une hypothèse), selon
des concepts biologiques peu controversés, sa nature avec ce
qu'elle comportera de bon et de mauvais.

D'une part, l'hérédité qui fut faste; d'autre part, l'innéité
qui fut néfaste.

Héréditairement, on a souvent et justement fait allusion à
son double atavisme. Maurois s'exprime avec son tact habi-
tuel : « En littérature comme en génétique, le croisement est
sain. Il aide l'esprit à juger en lui offrant des points de
comparaison, » et de rappeler la notation de Gide, que c'est
parmi « les produits de croisement en qui coexistent et gran-

dissent, en se neutralisant, les exigences opposées,... que se recrutent les arbitres, les artistes ». D'une façon plus générale, on sait en zoologie que, chez les vertébrés supérieurs, dans une espèce donnée, l'accouplement d'animaux de races différentes, donne souvent des produits sélectionnés. Il n'y a nul artifice à attribuer à la conjugaison sexuelle, judéo-chrétienne, d'une Weil avec un Proust, l'origine d'un rejeton hors série. Montaigne, on le sait, est un exemple comparable.

Le bénéficiaire y songea certainement souvent. Dans une lettre à Georges de Lauris, en 1907, à propos de l'examen comparatif, d'après des photographies, de la physionomie des parents de celui-ci, cet aperçu : ... *j'y ai facilement retrouvé la généalogie et l'un après l'autre tous les titres de votre noblesse intellectuelle, morale et physique.* »

Ce n'est donc pas à la dualité de son ascendance, qu'il faut, selon une vue tout à fait arbitraire, subordonner ce qu'on pourrait appeler les tares de Proust. Bien loin de là. Le « doublet franco-sémitique » lui valut un composé de facultés inouï : une mémoire tenant du prodige, des ressources de sensibilité inépuisables, une perspicacité touchant à l'art divinatoire, un pouvoir d'introspection jamais atteint, et, pour finir, cette soumission à la souffrance, et puis, cette soudaine et implacable volonté de sacrifice jusqu'à la mort, qui pourrait évoquer, sans blasphème, l'illumination du chemin de Damas.

Il en va tout autrement de l'innéité (doctrine en faveur croissante à mesure que progresse la science de l'eugénisme) qui concerne « les dispositions propres à l'individu, relevant de causes occasionnelles dont l'action s'est fait sentir plus ou moins directement pendant la conception et la gestation. » Tout dernièrement encore, Jean Rostand a professé que la vie prénatale se ressentait, pour une très grande part, des traumatismes psycho-affectifs subis par la mère.

La conclusion s'impose. Dans le cas de Marcel Proust, ce fut l'innéité, si fâcheusement influencée et compromise, qui eut pour double conséquence, le terrain allergique et la constitution névrotique : instabilité, complexes, défauts, vices même, dont les censeurs lui font si inconsidérément grief.

Vingt-deux mois plus tard, le 24 mai 1873, c'était la naissance du second fils, Robert Emile, bel enfant robuste, dont la santé physique et l'équilibre moral ne poseront jamais de problème. Lui est évidemment du côté du père dont il embrassera la carrière. Nous y reviendrons.

Il n'y aura pas d'autres enfants.

Voici la famille au complet. Le quatuor est réuni qui ne se séparera pas pendant trente ans.

LA SITUATION SOCIALE DES PROUST
CONDITIONS MATÉRIELLES ET TRAIN DE VIE

On ne tiendra jamais trop compte, dans le jugement qu'on porte sur les gens d'une époque donnée, de l'écoulement du temps. Les époques se succèdent et leurs dissemblances sont telles qu'à moins d'un siècle d'intervalle — état des esprits comme état des mœurs —, on ne s'y reconnaît plus. Toute enquête rétrospective qui se veut clairvoyante, doit donc prendre ses mesures, et se reporter à tout instant au millésime.

Il serait fastidieux de tenter une reconstitution panoramique de ce que furent, sur le plan politique, social, économique, et quant aux faits divers littéraires ou artistiques, mondains, sportifs même, quant aux découvertes et aux progrès, les trente années où vont être observés la famille Proust et son milieu.

Au reste, plusieurs excellents livres récents concernent cette rétrospective.

En résumant à l'extrême, on peut dire, avant tout, de cette troisième République naissante et adolescente, qu'elle fut prospère, que son économie fut d'une stabilité qui étonne nos contemporains, qu'un certain ordre y régna, sans bouleversement ni même trop grands remous. Les conquêtes républicaines et sociales se firent graduellement et lentement. Les secousses politiques (coup d'état manqué de 1875, boulangisme) restèrent sans lendemain. Ce qui marqua davantage, fut la lutte antireligieuse, la conquête de la laïcité, principal cheval de bataille gouvernemental et parlementaire. Les scan-

dales qui alertèrent ou excitèrent l'opinion (Panama, affaire
Dreyfus, affaire Humbert, scandale des décorations, scandale
des fiches), n'eurent pas, sauf l'affaire Dreyfus, de répercussions bien profondes.

En politique extérieure, d'autre part, si le pays, encore mor-
tifié par la défaite de 1870, restait sensibilisé vis-à-vis de ses
voisins, on ne s'intéressait qu'assez lâchement aux guerres
extérieures lointaines (à l'exception de l'incident de Fachoda
et de la guerre des Boërs), aux attentats, aux calamités à
l'étranger, qui ne firent pourtant pas défaut. Même relative
indifférence à l'égard de l'effort qui se faisait, presque à bas
bruit, en Asie, en Afrique, pour bâtir à la France un empire
colonial.

Enfin, le XIXe siècle, sur sa fin, assiste à la naissance du
symbolisme, du naturalisme, en littérature, de l'impression-
nisme en peinture, et de l'école de Rodin en sculpture, en
même temps que, sur le plan scientifique et industriel, au
développement de l'hygiène, de l'électricité, de l'éclairage, à
l'apparition de la bicyclette, de l'automobile, du téléphone,
du cinéma, du radium, des rayons X...

On aura quelque mal à imaginer que les rues ne furent
vraiment illuminées qu'à partir de 1878, que l'instruction n'est
obligatoire que depuis 1881, que le divorce, momentanément
admis sous la Révolution et l'Empire, ne fut à nouveau autorisé qu'en 1883; le baccalauréat sans grec, consenti qu'en
1902. Cependant, quelques vieillards sont encore parmi nous,
qui ont connu des villes sans guère de lumières, l'analphabé-
tisme, le mariage indissoluble, l'étude assidue des langues
mortes.

Tel fut le cours des événements qui appelaient l'attention
du monde, telles étaient les préoccupations de la société, au
temps où vécurent les parents de Proust.

Dans une première période, entre 1870 et 1890, malgré le

bien-être, une traditionnelle simplicité de mœurs régna dans ce foyer sérieux, économe, réservé. A Paris, le Dr Proust franchissait, grâce à ses travaux et à son autorité reconnue, les étapes successives de la longue carrière. Les enfants étaient jeunes, écoliers, puis lycéens, et Mme Proust secondée par sa mère, se consacrait à leur éducation.

On se fréquentait beaucoup en famille (la branche maternelle, parisienne : Weil). A deux ou trois exceptions près chaque année, les réceptions se limitaient aux intimes.

Les vacances de Pâques et celles d'été se passaient à Illiers (jusqu'en 1894 pour Marcel), avec les classiques pique-niques, les promenades en groupe, la pêche à la ligne. On se retrouvait à table autour du poulet *d'Ernestine* et des fraises à la crème de *l'oncle Adolphe*. Dès le printemps, on s'installait à Auteuil, chez l'oncle Louis. C'est là qu'entre soi ou avec quelque voisin, on sirotait les liqueurs au jardin, dans les fauteuils de rotin. Marcel se souvenait de l'ameublement sans grande distinction, rappelait l'usage des porte-couteaux aux reflets irrisés, *selon la mode la plus vulgairement bourgeoise*.

Ce genre de vie, quelque peu casanier, sans prétention affichée, s'expliquait par le sentiment bien ancré de la hiérarchie sociale. « Se déclasser, c'était non seulement fréquenter une caste inférieure, mais aussi s'aventurer dans une caste supérieure ». Les Proust ne songèrent pas tout d'abord à se lier avec des gens que, tacitement, ils considéraient comme 'au-dessus d'eux'. Exemple : les Benardaky (cf. *Jean Santeuil*). Chacun, conscient de sa position, mettait sa dignité à n'en pas sortir. On était, de plus, très méfiant envers les parvenus. L'éducation vous façonnait de la sorte, et Marcel fut initié à toutes ces nuances, dès son jeune âge. Le 'transfert de classe' restera au premier rang de ses préoccupations d'adolescent.

Plus tard, les grands-parents disparus, les fils devenus hommes, la situation du père ayant pris grand relief, les habitudes se transformèrent : les préventions furent moins strictes, tandis que le confort augmentait. Les goûts furent moins modiques, la table moins frugale. La fortune accrue permit qu'on s'adressât aux bons faiseurs, qu'on choisît les meilleures marques, les adresses en vogue. Malgré son goût de la mesure, Mme Proust céda à ces facilités. Quant à Marcel, cela devint très tôt chez lui un réflexe (plus qu'un snobisme) : bière de chez Pousset, poulet du Ritz, poire Bourdaloue de chez Larue, gâteaux Rumpelmayer, fleurs de chez Dechaume, Lemaire ou Vaillant-Rozier, Carnaval de Venise et Charvet pour la chemiserie; il n'y avait pas de ressources hors ces fournisseurs.

Par besoin de repos, amour du foyer, réserve naturelle, et beaucoup à cause de l'affliction profondément ressentie lors de ses deuils successifs, Mme Proust sortait très peu ou pas. Le professeur allait dans le monde, la plupart du temps, seul. Mais ils se mirent à recevoir de plus en plus.

Qui? Tout d'abord, bien entendu, d'anciens condisciples du père, puis ses collègues des hôpitaux, de la Faculté, de l'Académie de Médecine, dont plusieurs étaient en même temps les chefs de Robert : les professeurs Brouardel, Pozzi, Guyon, Lannelongue, Duplay, Debove, Bezançon, Courtois-Suffit, Bouffe de Saint-Blaise, Vaquez, Richelot.

Etant haut fonctionnaire, Adrien Proust traita aussi des ministres, des diplomates, des hommes politiques : Armand Nisard, Gabriel Hanotaux, Camille Barrère, Gaston Thomson, Charles Dupuy, Félix Faure, Jean Cruppi et, peut-être, Jules Méline, Armand Fallières, Louis Barthou; des préfets : Louis Lépine et Justin de Selves; des magistrats dont le président Lescouvé; des académiciens et hommes de lettres : René Doumic, Ferdinand Brunetière, Anatole France, Henri Bergson, Paul Hervieu, Paul Bourget, Paul Desjardins, Alphonse Daudet.

Par sa belle famille, Adrien Proust fut mis en relation avec le milieu de la banque et de la bourse : Raphaël-Georges Lévy, Horace Finaly, André Bénac.

Marcel introduisit chez ses parents le journalisme avec Léon Calmette, les lettres et les arts avec la Comtesse Anna de Noailles, Raynaldo Hahn, Jacques-Emile Blanche, Madeleine Lemaire, Jean Béraud, Marie Nordlinger, des gens du monde comme les Strauss, le comte de Montesquiou, enfin des jeunes de sa génération dont plusieurs allaient conquérir la notoriété à des titres divers : Léon Brunschwig, Fernand Gregh, Robert Dreyfus, Jacques Bizet, Jacques Baignères, Henri de Régnier, Daniel Halévy, Robert de Flers, G. A. de Caillavet, Georges de Lauris, les princes Antoine et Emmanuel Bibesco, Albufera, Guiche, Bertrand de Fénelon, le prince Radziwill.

Liste sans doute incomplète et sans doute inexacte pour quelques noms, mais destinée à former décor au théâtre mondain où évolua, entre 1873 et 1903, le ménage bourgeois, libre-penseur, bien-pensant, bien renté des Proust, et où le romancier en herbe fit ample moisson de caractères et d'anecdotes.

On sait le faste que l'esthète donna à partir de 1892 à ses 'grands dîners' personnels, qu'il organisait avec raffinement (débauche florale, ordonnance de la table, assemblage hétéroclite des convives, surenchère d'attentions de leur hôte). Il est inutile d'y revenir sauf pour noter qu'en l'espèce, ce n'étaient plus les parents qui dictaient leurs préférences, mais le fils qui donnait le ton.

En effet, le climat familial quelque peu rigoriste des premières années, fut insensiblement transformé par des relations qui n'auraient, sans le jeune homme, probablement jamais existé, et qui furent acceptées sans enthousiasme excessif, au moins au début. Plus tard, la vague ambition que tous les siens partagèrent pour Marcel, atténua leurs réserves, élargit la porte.

Et puis, les parents en vieillissant, de guerre lasse, désarmèrent.

LA FORTUNE

L'avoir des Proust était fort estimable. A supposer que le professeur n'eût reçu qu'un petit héritage paternel et qu'il en eût abandonné, comme c'est vraisemblable, la jouissance à sa mère restée veuve et solitaire à Illiers, il avait déjà en main, quand il se maria, tous les atouts voulus — titres, qualités et réputation — pour pouvoir gagner largement sa vie et celle des siens. Les missions sanitaires en Asie, à lui confiées par l'Etat (et si fructueuses pour le bien public), n'avaient pas été sans lui valoir, outre les récompenses honorifiques, certains avantages matériels.

Il obtint vite des fonctions administratives rétribuées. Ses tournées d'inspection, de même que sa présence à la tête de la délégation française dans les Conférences internationales d'hygiène, comportaient des indemnités appréciables.

Enfin sa clientèle prit, semble-t-il une rapide ampleur.

En épousant Mlle Weil, fille et nièce d'Israélites fortunés, il épousa aussi une dot ; cela dit sans la moindre insinuation désobligeante, car la jeune fille avait de quoi séduire par ses propres attraits, et il misa juste. Mais le fait est qu'elle était riche.

Deux autres facteurs contribuèrent à asseoir solidement la situation du ménage.

Il n'est guère discutable que son alliance avec les cercles boursiers et bancaires par l'intermédiaire de sa belle-famille, son introduction dans les sphères gouvernementales, facilitèrent au père de famille une gestion avisée de son portefeuille.

D'autre part, un esprit de sage économie présidait au foyer. La doctrine de l'épargne et de la lente ascension vers la fortune ne se discutait pas. La règle d'or était de proportionner ses besoins à ses ressources. Pour quiconque, riche ou pauvre, un sou était un sou. Adrien Proust, parcimonieux, évitait de prendre un fiacre, quand il pouvait utiliser l'omnibus. Même souci d'épargne à la maison, ainsi qu'en fait foi le récit pittoresque et indéniablement vécu que voici : « *Aux jours lointains... où M. Santeuil était ce monsieur à barbe noire et Mme Santeuil cette jeune femme souriante... sorte de rêve... ayant aussi peu de rapports avec la vie de M. et Mme Santeuil trente ans après... mais qui furent des jours médiocres et sérieux..., Marie le plus vieux camarade de Santeuil venait dîner à l'improviste. Quoique Mme Santeuil s'excusât à table du mauvais dîner qu'elle avait fait ce soir-là, le dîner se trouvant justement ce soir-là plus modeste, disait-elle... dès que M. Marie avait apparu elle avait envoyé la femme de chambre à son vif mécontentement, courir chez le pâtissier, le charcutier, le glacier. Et de la langue de bœuf ou un jambonneau, un pâté, une mousse aux fraises, donnait au dîner des Santeuil des proportions inusitées.* » Nous allons voir Jeanne Proust à l'œuvre pour tenter d'inculquer à son fils de tels préceptes bourgeois intransgressibles.

Le bien familial ira s'accroissant progressivement de lui-même et l'opulence s'en suivra; et, quand surviendront les décès et les héritages successifs (des deux grands-mères, du grand-oncle célibataire, du grand-père) — les frais de succession étaient peu élevés —, le patrimoine qui reviendra en partage aux deux fils, à la mort de leurs parents, dix ans plus tard, sera des plus estimables.

Par ailleurs, l'époque, à tous points de vue, était douce à la bourgeoisie; on l'a assez souvent répété. Elle ne s'en rendait pas compte, et ce n'est que par comparaison que nous en jugeons. Si tant de confort dont nous ne saurions plus nous passer, dans l'habitat, dans la locomotion, dans les soins de santé, faisait défaut, d'autres commodités existaient qui ont maintenant disparu.

Les signes extérieurs de richesse n'étaient donc en rien comparables avec les nôtres.

LES DEMEURES

Le 'chez soi' comptait beaucoup. Les demeures en témoignent.

Les Weil habitaient, comme la plupart des juifs du négoce ou des affaires, dans un quartier du centre de Paris. Proust, en parlant de la rue des Blancs Manteaux, dit quelque part : « *une rue entièrement concédée aux juifs* ». Le 40 bis, rue du Faubourg-Poissonnière est un peu plus au nord, dans le X⁰ arrondissement. La maison date du premier Empire. Elle a dû être de belle apparence. Elle donne actuellement une impression de vétusté; la plupart des immeubles voisins ont été bâtis dans la seconde moitié du XIX⁰ siècle, en pierre de taille, tandis que la façade de celle-ci est crépie dans une teinte jaunâtre, et que ses quatre étages sont surmontés d'un toit mansardé à l'ancienne. Cependant, la voûte d'entrée est spacieuse, l'escalier ample avec sa rampe à balustres métalliques, sa main courante d'acajou terminée en bas par la classique pomme de cuivre. Devant les dernières marches, au rez-de-chaussée, une grande glace de plain-pied, où Jeanne, partant pour la mairie et pour l'église, se mira dans sa toilette de mariée.

Le Dr Adrien Proust, au moment de son mariage, occupait un appartement au 35, rue Joubert, totalement absorbé depuis par les grands magasins du Printemps. Il loua alors pour sa femme et pour lui, un pied-à-terre au 2 de la rue Roy. C'est là sans doute que se passa la nuit de noces.

On ne sait exactement ce qui lui avait fait préférer ce quartier que la percée récente du boulevard Haussmann mettait en vogue; le VIII⁰ arrondissement allait effectivement devenir en grande partie 'résidentiel', et le rester jusqu'à l'entre-deux-guerres.

Les Proust habitèrent rue Roy pendant le siège de Paris et la Commune, puis dès 1871, la paix revenue, fixèrent leur choix sur un immeuble, alors tout neuf, aujourd'hui encore très honorable, 9, boulevard Malesherbes, et y amménagea. Là allait se passer l'enfance, l'adolescence, et une partie de l'âge mûr du futur écrivain; il aura vingt-neuf ans quand la famille, pour la première et la seule fois, changera de domicile.

L'appartement se trouvait dans le corps de bâtiment du fond; les pièces principales donnaient sur la rue de Suresnes. Notons comme typique ce choix raisonnable, dicté à la fois par le désir d'habiter un quartier considéré, sur une grande voie élégante, qui payait de mine, avec une adresse qui sonnait bien, et aussi par la volonté de rester dans les limites de ses moyens, de ne pas consacrer trop de son budget aux seules apparences. Equilibre domestique, sens d'une certaine prévoyance dont on va retrouver trace à bien d'autres propos, et dont Marcel restera toujours tracassé, sinon respectueux. Oui, c'est ainsi qu'on raisonnait encore vingt ans plus tard, j'en puis répondre. On appréciait comme bienséant ce juste milieu. Cela procurait un double sentiment de dignité et de sécurité.

En 1900 seulement, quand, leurs revenus ayant beaucoup augmenté, les Proust eurent atteint une enviable situation, tant mondaine que professionnelle, ils déménagèrent, et, fidèles au VIIIᵉ arrondissement où se rassemblaient les praticiens de la rive droite tant soit peu 'lancés', s'installèrent dans une maison de construction moderne (1885), de grande allure, à proximité du parc Monceau.

L'appartement, au second étage au lieu de l'entresol, tout en façade cette fois, faisait le coin de la rue de Courcelles et de la rue de Monceau, avec un large balcon de pierre dont on pouvait jouir sans être gêné par la poussière, le bruit ou l'odeur des véhicules, fiacres et équipages particuliers.

Les visites domiciliaires que j'ai pu faire, grâce à l'amabi-

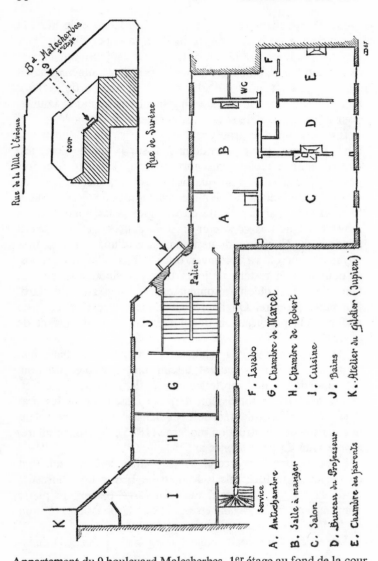

Rue de la Ville l'Évêque

B^d Malesherbes 3^eétage

9

cour

Rue de Surène

Palier

WC

A   B   C   D   E   F

J   G   H   I   K

Service

A. Antichambre
B. Salle à manger
C. Salon
D. Bureau du Professeur
E. Chambre des parents

F. Lavabo
G. Chambre de Marcel
H. Chambre de Robert
I. Cuisine
J. Bains
K. Atelier du giletier (Jupien)

Appartement du 9 boulevard Malesherbes, 1er étage au fond de la cour.

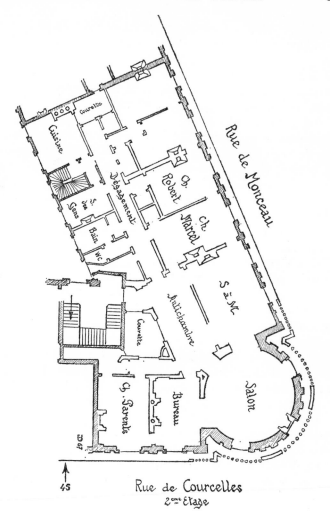

Appartement du 45 rue de Courcelles, 2eme étage, en façade.

lité des locataires actuels, ne sont pas sans intérêt. Outre l'émotion qu'elles procurent au visiteur susceptible d'imaginer sur place tant de scènes ou de saynètes authentiques, l'agencement des lieux aide à se rendre compte des dispositions, des habitudes, de l'organisation de ceux qui les occupaient, comme aussi de certains faits qui en découlèrent.

Par exemple, Marcel insistant ridiculement auprès de sa mère pour qu'elle veille à ce que les domestiques ne fassent pas de bruit le matin : un simple coup d'œil sur le corridor de service, passant devant sa porte, fait mieux excuser une exigence qui, vu le besoin de sommeil diurne du jeune homme, n'est plus, à tout prendre, un caprice.

Dans l'une comme dans l'autre des deux demeures (la seconde ne fut habitée par les Proust que durant cinq ans), les pièces étaient réparties de telle manière que celles réservées aux parents et celles des fils se trouvaient à l'opposé, séparées par l'antichambre et la réception. Le noctambule et ses visiteurs avaient ainsi tout loisir d'aller et de venir.

Ou bien encore, lorsque, sous un angle facile, de la fenêtre de son ancienne chambre, on plonge le regard dans l'atelier du tailleur voisin (car l'atelier à verrières existe et on y travaille encore!), on s'explique aisément la tentation de curiosité qu'offraient au jeune garçon, aux aguets derrière la vitre, à ses moments de désœuvrement, les plus menus faits divers de l'existence de ce petit monde (celui de Jupien).

L'escalier, au fond de la cour, du 9, boulevard Malesherbes (celui qu'empruntèrent Montesquiou, Anatole France, la comtesse de Noailles et tant d'autres invités de marque), est convenable à souhait, avec son vestibule et ses paliers intermédiaires, assez riche même par ses décorations et ses dorures, mais celui du 45, rue de Courcelles, luxueux et imposant, fait incontestablement plus d'effet.

J'ai reproduit les plans des appartements et j'ai indiqué sur les légendes la destination supposée et très vraisemblable des locaux. Le lecteur pourra ainsi se reporter à volonté aux croquis.

Le premier appartement où les quatre personnages de la famille demeurèrent près de trente ans, était relativement clair et aéré, mais d'un confort qui semblerait aujourd'hui fort médiocre. Tout le sanitaire déficient : un seul W. C. tout à fait primitif, avec « planche à écrire », mais sans lumière électrique « *pour éclairer nos œuvres* » (sic); deux étroits cabinets de toilette sans commodités ni lumière du jour (ni, bien entendu, électricité); tout au fond, vers la cuisine, une salle de bains avec chauffe-eau par le gaz. C'était pourtant le *standing* bourgeois normal et, toute notre enfance, à Paris, mes frères et moi, aux alentours de 1900, utilisions pour notre toilette un grand meuble à dessus de marbre avec cuvette et pot à eau. Il y avait, il est vrai, un valet de chambre pour apporter de l'eau chaude et une femme de chambre pour nettoyer la cuvette. Ainsi chez les Proust qui, on le verra, ne manquaient pas de domestiques.

Le grand salon avait deux fenêtres et un plafond à motif décoratif, puis venait le cabinet du professeur avec un petit réduit contigu, puis la chambre conjugale. Dans le même secteur, mais donnant sur la cour assez claire, la fameuse salle à manger, à deux fenêtres aussi; fameuse en raison des fastueux dîners qui s'y donnèrent, et aussi parce que c'est là que Marcel, plus au large que dans sa chambre, et sans doute mieux chauffé, s'installait pour lire, travailler ses leçons et ses devoirs de lycéen et, par la suite, pour rédiger ses cahiers, penché sur la grande table recouverte de molleton rouge, tournant le dos au grand feu de bois, sous la lampe Carcel dont il aimait l'éclairage. C'est là que, jour après jour, il passa une grande partie de son adolescence studieuse et frivole à la fois, là qu'ils faisaient, sa mère et lui, la lecture à haute voix, partageant de mêmes enthousiasmes, là qu'il entendit son père et son frère causer du métier médical, là qu'il reçut les semonces; ce fut cette porte qu'il claqua en se réfugiant dans sa chambre, c'est au cadre de cette glace qu'il exposait ses cartes d'invitation, c'est dans le salon voisin qu'il reçut, des relations de son père, pour l'orientation de sa carrière, des conseils qu'il ne suivit point.

« Ainsi se déroulait dans notre salle à manger, sous la lumière de la lampe dont elles sont amies, une de ces causeries, ou la sagesse, non des nations, mais des familles... »

De l'autre côté de l'antichambre où, quand il eut adopté un rythme de vie qui le faisait se coucher à l'aube et dormir jusqu'à midi, il déposait dans une coupe les billets pour sa mère, débouchait un étroit couloir d'une douzaine de mètres de long avec, sur la droite, trois portes successives, deux pour les chambres de Marcel et de Robert, la troisième pour une probable lingerie et, tout au fond, la cuisine. On s'imagine aisément les appels, les bruits de voix et le va-et-vient qui résultait de cette disposition, outre les palabres dans l'office ou la cuisine si l'on ne refermait pas soigneusement les portes : d'où les objurgations de l'insomniaque pour obtenir par l'intermédiaire de Mme Proust le silence du personnel.

Par ce même corridor et à travers l'antichambre se faisait le service de table. Pour remédier à l'incommodité, il existait dans le mur mitoyen, salle à manger-antichambre, un large coffre s'ouvrant de part et d'autre, à la fois passe-plat et chauffe-plat avec, à la base, un petit foyer pour la braise. De la sorte, le ou les maîtres d'hôtel, pour servir les repas, n'avaient pas à quitter la pièce. On n'utilisait guère encore le chauffage central; dans de larges et hautes cheminées de marbre, plutôt qu'un feu de bois d'entretien difficile au cours d'une réception, brûlaient, sur une grille ou dans une salamandre, des boulets Bernot. Les messieurs en frac ou les dames en décolleté, mieux aguerris sans doute que les mondains modernes, acceptaient à l'un des bouts de la table l'excessive chaleur du foyer trop proche, à l'autre la trop grande fraîcheur de l'air ambiant.

L'éclairage aussi traduisait les assez pauvres ressources de l'époque; flambeaux ou candélabres à bougies, lampes à pétrole ou à gaz avec bec Auer. L'électricité faisait à peine son apparition. On raconte que, à l'un de ses 'grands dîners', Marcel Proust ayant fait installer dans la cour un petit moteur avec génératrice et tout un système de câbles, on put allumer de petites ampoules parsemées sur la nappe au milieu des corbeilles de roses...?

Rue de Courcelles — c'était au début de notre siècle — il y eut beaucoup d'améliorations, entre autres le calorifère, mais avec des bouches à air chaud, qui ne valaient rien pour l'asthmatique (il apprécia au contraire les radiateurs à eau chaude à Amsterdam).

Le mobilier des Proust était cossu, certainement, mais très bourgeois, sans raffinement : meubles second empire, petits guéridons, bureau de palissandre du père, grand buffet traditionnel dans la salle à manger. Voici le souvenir de F. Gregh :

... « ...intérieur assez obscur, bondé de meubles lourds, calfeutré de rideaux, étouffé de tapis, le tout noir et rouge, l'appartement type d'alors qui n'était pas si éloigné que nous le croyons du sombre bric-à-brac balzacien... »

En tout cas, cela ne séduisait pas grand monde. Plusieurs des invités ou visiteurs laissèrent percer leur désappointement ou leur désapprobation. Le grand avocat Emile Strauss, raconte Painter, parmi les bronzes de Barbedienne, les plantes vertes, les meubles d'acajou et de peluche, cherche un objet au sujet duquel il pourrait faire un compliment et, avisant un petit dessin d'Henri Monnier offert au Dr Proust par l'un de ses patients, le fameux caricaturiste Caran d'Ache, murmura : « Charmant, charmant... » Montesquiou fut plus sévère et moins réservé, ce qui n'alla pas sans blesser son jeune ami qui avait un sens très poussé de la famille. S'en souvenant,

« *comme c'est laid chez vous!* » fit dire par M. de Charlus le *Narrateur* du temps perdu. O. Wilde aussi, en 1894, au cours d'une visite, fit des remarques désobligeantes sur le mobilier, et Proust rétorqua : « *Je doute de l'éducation de M. Wilde.* » Lucien Daudet, à son tour, avoua qu'il avait été déçu.

Le décor ne devait sûrement pas être du meilleur goût : l'ameublement avait été composé de bric et de broc. Marcel en souffrit-il vraiment, malgré les comparaisons qu'il était à même de faire avec les intérieurs les plus élégants?

Chose surprenante de prime abord, mais qui, au fond, s'explique fort bien (par la prédominance accordée à sa quête abstraite et introspective, les objets n'étant que les accessoires des mises en scènes), « Proust était, au cadre matériel de son existence, aux murs, meubles, bibelots, plus qu'indifférent : vraiment aveugle. On ne l'a jamais vu soucieux de s'aménager un décor artistique ». (André Ferré.) Et, cependant, quelques lignes du *Contre Sainte-Beuve,* prouvent qu'il n'en était pas inconscient. « *Le fait que les mêmes* (particularités) *n'existaient pas chez moi me semblaient l'aveu d'une inégalité sociale qui, si elle était connue de la petite fille que j'aimais, me séparerait d'elle à jamais, comme d'une espèce trop inférieure à elle, et n'ayant pu obtenir de mes parents barbares qu'ils fassent cesser l'humiliante anomalie de notre appartement et de nos habitudes, je préférai lui mentir, et sûr que la petite fille ne viendrait jamais chez nous constater l'humiliante vérité, j'eus l'audace de lui faire croire que chez nous comme chez elle les meubles du salon étaient recouverts de housses et qu'on ne servait jamais de chocolat à goûter.* »

Notons le mot : barbare, employé ici dans deux sens : goût de barbares, et cruelle obstination. Mais l'écrivain se monte un peu la tête en écrivant : son humiliation n'est au fond que bien relative. En même temps qu'il auréole la petite fille bien aimée, il se jette sur le premier motif venu pour en faire la cause et le symbole de leur éloignement mutuel.

La décoration s'améliora avec les années et, en 1900, M. et Mme Proust eurent des tapisseries de valeur, un mobilier de soie bleu Nattier, crédences, étagères, lustres, objets d'art de qualité, ensemble dont Marcel hérita en grande partie et fut si encombré qu'il sollicita les conseils de la vieille amie survivante de sa mère, Mme Catusse. Du nombreux mobilier, inemployé, épars dans son salon du Boulevard Haussmann, certaines pièces devaient prendre un chemin sacrilège.

Il est à peu près certain que le téléphone privé n'exista jamais dans l'appartement du boulevard Malesherbes, étant donné ce que nous lisons des difficultés que Mme Proust éprouva à la poste pour communiquer avec son fils à Fontainebleau (1895), et de l'obligeance des boutiquiers voisins. Rue de Courcelles, vu la situation atteinte par le Dr Proust et la rapide diffusion de ce nouveau moyen de communication, il y eut le téléphone. Mon père, médecin des hôpitaux lui aussi, mais de trente ans plus jeune, se le fit installer, précisément en 1900, détail qui me reste en mémoire.

Néanmoins, on ne trouve du téléphone qu'une vague mention (non probante) dans la lettre du 31 août 1901. Au contraire, c'est toujours au moyen de plis portés par les domestiques que Proust envoie ou reçoit ses messages urgents. Il est vrai qu'il n'était pas encore entré dans les convenances qu'on dérangeât les gens, d'autorité, par une sonnerie, et que beaucoup d'éventuels correspondants, malgré la vogue, se refusèrent longtemps à s'abonner. Mes grands-parents, exactement de la génération de M. et Mme Proust, n'y consentirent jamais. Cette coutume incivile s'installera peu à peu, sous la pression de la commodité. Proust, vers la fin de sa vie, s'en servira beaucoup par personne interposée (sa servante Céleste, tout particulièrement, qui s'y distinguait en filtrant les importuns), puis, sur le tard, excédé et avide de tranquillité, fera suspendre la ligne.

LA DOMESTICITÉ

Comme dans toute la bourgeoisie aisée de l'époque, la domesticité, chez les Proust, se composait de plusieurs femmes de chambre, d'une cuisinière, et, très probablement, (les dix dernières années sûrement) d'un valet, sans compter les extras pour les réceptions. Il était d'usage, chez les médecins, je m'en souviens, que le valet de chambre se mît en habit les jours de consultations, pour ouvrir la porte aux clients.

Dans deux scènes caractéristiques et mémorables, que le jeune écrivain rapporte avec un réalisme qui ne fait pas de doute, dans son *Jean Santeuil,* les valets de chambre tiennent lieu de témoins.

Tout d'abord, la soirée à Auteuil du baiser retardé de la mère à l'enfant trop nerveux. « *Jean entendit dans le couloir le pas d'Augustin, le vieux domestique, qui rapportait dans la salle à manger la vaisselle lavée. Il l'appela. Augustin* [1] *habitué aux nerfs de Monsieur Jean... etc... Vous voyez, Augustin, dit Mme Santeuil avec tristesse, M. Jean ne sait pas lui-même ce qu'il veut, il souffre de ses nerfs.* »

Et de nouveau, dans la scène de la dispute, détaillée dans le même tome I de Jean Santeuil, scène corroborée par ces lignes d'un billet de sa mère à Marcel : « Je n'avais pas songé un instant à dire quoi que ce soit devant Jean [2] et que si cela a été, c'est absolument à mon insu. » (Mai 1897.)

Les documents nous apprennent que Marcel, petit, eut une bonne d'enfant, qui s'appelait Louise, et qui disait : « *Je ne sais pas où ce que cet enfant-là va chercher tout cela...* »

Aux Champs-Elysées, Marcel et son frère Robert étaient

1. Augustin : en réalité Auguste.
2. Le domestique d'alors.

comme tous les enfants qu'ils y retrouvaient, accompagnés et surveillés par une bonne ou une gouvernante.

Vers les années 95-98, on voit (dans *Contre Sainte-Beuve*) Mme Proust se faisant coiffer par Félicie et la réprimandant parce qu'elle lui tire les cheveux — cette même Félicie qui sera encore en place à la mort de ses patrons. Marcel la reprendra à son service, sans pouvoir la supporter longtemps, en raison du caractère de la vieille servante, indocile à ses caprices débridés, rebelle à sa nouvelle vie.

Il y avait, entre maîtresse et serviteurs, un certain degré de familiarité teintée de respect d'une part, de sollicitude de l'autre.

Durant l'été, Mme Proust court dès l'aube au magasin se procurer un corsage léger pour une certaine Eugénie qui « succombait à la chaleur ».

Le 14 juillet 1890, à 6 h 3/4 après-midi : « *Nous allons dîner afin que le peuple soit libre de bonne heure pour les réjouissances.* »

Décidément, Mme Proust ne recule pas devant ses tâches de maîtresse de maison. Au plein de ce même été 1890, d'Auteuil où elle réside, elle ira à Paris : « *... q.q. commissions pour ton grand-père* (désormais veuf) (*corsages, pour Philomèle dont la tenue lui déplaît). J'irai livrer chez lui* (faubourg Poissonnière) *vers 4 h. puis nous reviendrons ensemble.* »

Il y a en même temps une certaine Catherine « *à laquelle rien de ce qui nous appartient n'est étranger* », qui « *m'a amené tout droit à ton tiroir de petite table avec lequel elle me paraît se tutoyer.* »

Quand on part en séjour dans une villa à Trouville, on se fait suivre d'une domesticité à peine croyable aujourd'hui : « *J'emmène une femme de chambre... nièce de Félicie (si nous habitons chez nous elle sera doublée d'une cuisinière et d'une aide pour la maison).* »

L'été qui suivit la mort du grand-père Weil, Marcel, seul à

Paris, s'occupe des affaires de famille avec les serviteurs du défunt... « *Jean trie les papiers pour papa et envoie ce qu'il faut.* »

Il est question en 1896 d'un nommé Gustave qu'on charge d'une délicate mission : « *...que vers 10 1/2 onze h. moins 1/4 il prenne le tramway et aille Porte Champerret au recrutement porter ce livret (qu'il fasse attention qu'il y a dedans une feuille détachée) comme il l'a déjà fait (peut-être en offrant un cigare je ne sais).* »

En 1898, c'est une Gabrielle qui, comme l'ange annonciateur, descend à la plage [à Trouville] apporter à la Maman toujours dans l'attente, une dépêche de son fils : « *Suis à Paris.* »

Une autre lettre de Proust, en 1899, nous donne un trait caractéristique de son comportement avec les gens qui le servaient : « *Dis bien des choses à Eugénie et aux Gustave* [un ménage] *et que je ne les ai pas trompés dans l'Affaire et que si Dreyfus, etc...* » Un peu après dans un *post-scriptum* : « *Remercie bien Eugénie de sa charmante lettre. Je vais lui répondre.* »

Deux ans plus tard (il a maintenant trente ans), nouvelle allusion à la correspondance avec le personnel : « *j'ai reçu un mot de Félicie qui exprime si faiblement ses sentiments que cela la dessert d'écrire. En revanche, lettre remarquable déjà ancienne d'Eugénie.* »

Ne peut-on déduire qu'il y cherchait déjà substance pour ses thèmes et collectionnait les tournures ? Cette sorte de condescendance, mêlée de curiosité, ne l'empêche pas de marquer sa surprise quand les domestiques de l'hôtel se font appeler : EMPLOYÉS. « *Euphémisme charmant* », plaisante-t-il.

Pendant l'été 1901, son service solitaire à Paris est assuré par un Arthur et sa femme Marie. L'envoi d'une cuisinière supplémentaire serait superflu, indique-t-il à sa mère.

En 1902, à l'occasion d'un *grand* dîner chic (Noailles, Chimay, Bibesco, Fénelon, Ab. Hermant), « *...le pauvre Arthur,*

quoique bien toussant juge Lajuigné ou Baptiste [les **extras**]
*inutiles. Ce n'était pas l'avis de Félicie. Mais je me suis rangé
à celui d'Arthur.* »

Et voici encore qui rend bien compte du mode de relations :
« *...le pauvre Arthur ne va pas, sa toux, crachats etc. a
beaucoup augmenté. Il ne dit rien mais Félicie m'a dit qu'il
pleurait hier soir. Je l'ai autorisé à sortir tantôt et à ne pas rentrer; il a dû aller voir le Dr Laffite. C'est Marie qui m'a
servi mon dîner. La paix et forte affectueuse* (sic) *est revenue
entre moi et Félicie et dans ce cas là je la préfère de beaucoup
à toute autre. Marie plus lettrée est moins littéraire dans son
langage. Et surtout l'affection de Félicie est charmante et
simple.* »

1904 : *Marie vient me dire que trop souffrante elle va se
coucher (elle avait été hier en voiture découverte chez sa sœur,
enfin la pure folie)... comme tu es sensée ne savoir aucune
des nouvelles des domestiques que je te donne, de Marie
etc...* » « *Félicie s'est encore couchée de très bonne heure,
moins pourtant qu'elle n'aurait pu, mais enfin je suppose vers
9 h. 1/2 bien que je n'aie pas regardé l'heure à ce moment.
Marie est restée un peu à m'expliquer ses divers projets et
très gentiment s'est refusée à ce que je fasse revenir Baptiste
si j'avais besoin de rester un soir couché, disant qu'elle le ferait
très volontiers. Elle m'a dit de te dire qu'elle t'avait terminé
un corsage.* »

Sans plus de commentaires, voici en contexte d'après le précieux répertoire de Raoul Celly, la place tenue dans le roman
par le thème des domestiques.

— Comment ne pas supposer aux domestiques des mobiles
différents des nôtres? — Les domestiques observent leurs
maîtres comme les humains les animaux. — Etrangeté mons-
trueuse de la vie des domestiques. — Pouvoir de divination
des domestiques. — Les domestiques marquent plus les limites
de leur caste à mesure qu'ils pénètrent davantage dans la nôtre.

— Le défaut des domestiques renseigne le Narrateur sur les
siens propres. — Pitié du Narrateur pour les domestiques.
— Tyrannie de Françoise sur les autres domestiques. —
Elle est moins domestique que les autres. — Et une excellente
éducatrice pour eux. — Les conceptions des domestiques de
Combray.

Il faut avouer que si Proust avait besoin de modèles, ils ne
lui ont point manqué. Il vit défiler chez ses parents une vingt-
aine de serviteurs des deux sexes, sans compter ceux d'Illiers,
ceux d'Auteuil, ceux du faubourg Poissonnière, ceux de ses
relations. Il eût été bien surprenant que, penché sur tous
les types d'humanité, il ne fût pas intéressé par ceux, tout
proches, qui vaquaient à son service, à la fois si exigeant et
si particulier.

LA MISE

Les photographies seules nous renseignent sur la mise des
parents.

La mode existait avec ses outrances, mais, dans le cercle
médical, un conformisme assez strict s'imposait. Un docteur se
considérait comme tenu à une certaine pompe conventionnelle
que ses clients attendaient de lui : le professeur Proust portait, dans sa profession, la jaquette ou la redingote, le haut de
forme et le col cassé avec un sobre petit nœud de cravate
noir. Sa femme nous apparaît, corsetée à l'ancienne et vêtue
de toilettes assez chamarrées, aux lourdes étoffes, montantes
ou discrètement décolletées, avec empiècements de dentelle,
rabats de tulle, châles de mousseline, presque sans bijoux, et,
étant donné tous les deuils échelonnés à partir de 1890, souvent tout de noir habillée; mais les reproductions sont celles
de portraits ou de photos d'atelier. Dans la vie courante,

la mise devait être, suivant le caractère de la personne, d'une grande simplicité.

Pour les fils, rien ne semble, au contraire, leur avoir été refusé des précoces fantaisies que les potaches, devenant gandins, aiment à arborer. Il est question à plusieurs reprises, entre eux, pour Robert comme pour Marcel, de commandes de chapeaux, de complets, de cravates. Sur toute la série des clichés d'enfants, les deux frères toujours côte à côte portent un costume identique, en écossais, en marins, en uniforme, en veston, et sur le dernier, en 1891, ce sont deux grands jeunes gens en redingote et en plastron, encadrant leur mère en deuil.

Marcel, ensuite, eut quant à sa toilette, un comportement étrange, changeant, indéfinissable. Il passe par des extrêmes, de sorte que ses contemporains — amis ou relations — s'expriment très diversement sur le compte de sa tenue.

Tantôt il donne l'impression d'une élégance raffinée, tantôt on le décrit débraillé.

F. Gregh se souvient de lui « un léger pardessus entrouvert sur son plastron d'habit, une fleur à la boutonnière (les camélias blancs sont à la mode) » J. E. Blanche, deux ans après : « Cravates de soie vert d'eau nouées au hasard, pantalon tire-bouchonné, redingote flottante, tenant à la main une canne de jonc, des gants gris perle à baguettes noires, froissés, plissés, salis, un chapeau haut de forme incroyablement hérissé, à sa boutonnière se fanait quelque orchidée ».

Sa mère s'alarme à l'occasion de son négligé, le sollicite, le rappelle à l'ordre pour qu'il montre plus de soin, qu'il fasse attention à ses gants perdus, à un parapluie oublié! « *Toutes tes affaires de la tête exclusiv(ement) aux pieds inclusiv. sont-elles en parfait état? Ce qui était à laver — à nettoyer — à visiter — à ressemeler — à marquer — à repriser — à border — à changer les cols — boutonnières etc. En retirant les jours de fête, Marie a eu pour cela 6 journées.*

J'aimerais savoir si elles ont été appliquées utilement. Tâche que toute chose se fasse avec un peu d'ordre ».

Encore en 1904 (ils vivent ensemble; elle est momentanément à Dieppe; lui resté à Paris) : *« Fais bien vérifier ta tenue. Si tu as à t'habiller dans le jour, es-tu sûr que ton costume soit irréprochable. Mais avant tout plus de chevelure de roi franc, tes cheveux obscurcissent ma vue pendant que je pense à toi. J'espère qu'à l'heure où je t'écris c'est fait. »* Il a trente-trois ans! En vérité, Proust qui faisait venir son coiffeur François à domicile, redoutait tellement les relents de parfums (même celui de sa propre brosse à dents) que, dès qu'il se sentait le moins du monde souffrant, il remettait la séance de coupe.

Il éprouve de temps à autre le besoin de rassurer sa mère. *« Je n'ai pas reçu de costume, mais je suis bien et proprement mis »* — *« Pour le chapeau je ferai comme tu voudras mais la pluie a redressé et remis à neuf la paille. De sorte que c'est le cœur serré que je vais encore dépenser des francs dont je ne tirerai aucun plaisir pour avoir un chapeau médiocre. Mlle Kiki est comme toi. Elle voudrait que je sois mieux mis et s'étonne qu'avec Eppler (un tailleur) dans la maison je n'y parvienne pas. »* — *« Je n'ai toujours pas de chapeau et j'ai pensé que tu serais furieuse que « Pauline » (d'Haussonville) m'ait vu en feutre gris sale, le chapeau de paille ne convenant pas à ce temps ».*

Mélange de recherche et de laisser aller, voulu ou non. « La recherche d'un dandy mêlée déjà à un certain débraillé de vieux savant du moyen-âge. Mise très recherchée, mais un bouton manquait à son pardessus. Sous le col rabattu, il portait des cravates mal nouées ou de larges plastrons de chez Charvet, d'un rose crémeux dont il avait longuement cherché le ton... Brummel un peu sauvage » (L. P. Quint). Et Lucien Daudet : « Déjà, dans ces temps lointains, Marcel Proust n'avait aucune idée de l'élégance vestimentaire, il en

riait lui-même. Je crois que ça l'aurait amusé d'être très bien
habillé, mais que son intelligence dépassait le but quand il
s'agissait de ces questions-là... »

Telle me paraît être la note juste, concordant avec la
' moyenne ' des photographies (celles d'amateur prises à l'improviste ayant beaucoup plus de pittoresque et de véracité que
les portraits).

La question, somme toute, ne l'intéressait pas. Contrairement à ce qu'on aurait attendu d'un mondain, d'un (faux)
snob, il s'en moquait comme de sa première chemise. Si, par
boutade, il manifestait quelque recherche dans sa toilette,
tels l'assortiment de ses plastrons (celui du portrait par
J. E. Blanche) et, bien plus tard, la doublure mauve de sa cape
à l'instar de celle de Montesquiou, il ignorait la vraie coquet-
terie. Tantôt il obéissait 'aux usages', aux conventions, par des
vélléités de chic, tantôt il s'abandonnait aux fantaisies les plus
négligentes, satisfait au surplus de sembler défier les convenances. Ces attitudes contradictoires se rencontrent chez lui en
maintes occasions.

MOYENS DE LOCOMOTION

Il y a trois quarts de siècle, même dans les classes riches,
on allait beaucoup à pied. Pour des déplacements un peu lointains, on utilisait à la ville les omnibus ou les tramways
hippomobiles. C'était une commodité considérée comme un
demi-luxe que de circuler dans un fiacre, qu'on allait chercher
aux stations ou qu'on arrêtait maraudant dans les rues,
fermés ou découverts (sortes de victorias) suivant la
saison.

La description des équipages dans la cour de l'hôtel de Guermantes, avec les valets de pied attendant dans le vestibule au
bas de l'escalier la sortie de leurs maîtres, et les appels reten-

tissants des « gens » de leurs altesses ou de messeigneurs, ne doit pas faire illusion. Il s'agissait d'une aristocratie privilégiée et tenue à l'apparat.

La bourgeoisie cossue, jusque vers 1900, se passait souvent de voitures particulières. Les plus fortunés avaient des 'locatis' au mois, pour permettre aux dames de se faire visite les unes aux autres. Mais beaucoup utilisaient les transports publics. (La première ligne de métro fut inaugurée pour l'exposition de 1900.)

On a peu de précisions en ce qui concerne les Proust.

Avant 1880, quand, le mois de mai venu, ils allaient à la campagne d'Auteuil, villégiaturer chez l'oncle Louis, le Dr Proust, chaque matin, pour se rendre à l'hôpital, sautait dans l'omnibus Auteuil-Madeleine qu'un domestique avait couru faire patienter.

Mme Proust fait allusion aux visites de clientèle de son mari où il lui arrivait de l'accompagner en voiture, ainsi qu'à l'Hôtel-Dieu avec, parfois, ses deux garçons. Mais aussi, les époux rentraient souvent à pied, le soir, à travers Passy et Auteuil. C'était une promenade rituelle. De la clinique de la rue Piccini où une de ses amies venait d'être opérée, elle arrive, toute fière de sa course par la rue de la Pompe jusqu'à Auteuil : « *promenade salutaire par un temps frais — et que j'ai renouvelée le soir avec ton père — (mais cette fois le tour règlementaire)* ». On savait se passer de véhicule!

Il est, une fois, vaguement question d'un coupé de l'oncle Louis mis occasionnellement à la disposition de sa nièce.

Quand Marcel, au régiment à Orléans, en 1890, débarquait en permission à la gare d'Austerlitz, on allait au devant de lui, et le retour se faisait en bateau-mouche.

Cependant, en 1890 cette mention : « *ton père m'a fait — atteler pour 9 heures — le coupé* » et par contre : « *...le fidèle Jean (valet de chambre) arrive en fiacre au devant de son maître.* » Tôt ou tard, le professeur eut vraisemblablement,

comme beaucoup de médecins, une voiture de louage. Rien ne
le confirme. En revanche, Robert, féru de sport, richement
marié, acheta une automobile dès 1903. Sur une photo à
Illiers, aux côtés de l'oncle Jules, il est coiffé d'une large
casquette à visière, coiffure à la mode des automobilistes,
encore très peu nombreux.

Son frère qui, en 1902, gémit d'être sans auto pour aller
à Chartres, et de devoir se contenter d'un « *modeste billet de
1re classe* », le fait solliciter au début de l'été 1903, dans un
mot à Mme Proust. « *Dis à Robert que si par hasard il ne se
sert plus de son automobile, je voudrais bien qu'il me le
prête quelquefois. Je demanderai pour les jours où il me le
prêterait un chauffeur à n'importe quelle maison qu'il voudrait et qui lui donnerait confiance...* »

Pour ce qui est de Marcel, en effet, s'il usa et abusa des
fiacres, s'il eut un cocher (Roche) et une voiture attelée, à
ses frais, quelques semaines dans les années après 1900, si,
à partir de 1910, il ne cessa de recourir à des sociétés de taxis
ou à des chauffeurs privés (dont Agostinelli et Albaret), il
ne posséda jamais d'automobile personnelle. On ne le voit pas
bien aux prises avec une mécanique...

DÉPLACEMENTS ET VILLÉGIATURES

« *Tu sais,* écrivait Proust à Bertrand de Fénelon, *que j'ai
toujours eu le désir et l'impossibilité de voyager.* » Et ailleurs :
« *Mes rêves de voyages et d'amour n'étaient que des
moments... dans un même et infléchissable jaillissement de
toutes les force de ma vie.* »

Si Proust a beaucoup souhaité voyager, rêvé de voyages,
si la réalisation partielle de ce rêve a finalement détruit ses
illusions (peut-être trop ambitieuses), quels furent ses voyages?
Et dans quelles conditions eurent-ils lieu? Plusieurs remarques
préalables sont nécessaires.

Au temps dont il est question, seuls les gens fortunés se déplaçaient pour leur agrément; et ils se déplaçaient volontiers, bien que les transports fussent encore peu pratiques. D'automobiles point, jusqu'après 1900 sauf pour de rares précurseurs. On devait recourir au chemin de fer, ce qui restreignait passablement les possibilités. Il faut donc bien se représenter que, hormis quelques excursions en coupé automobile (toutes vitres levées), et exceptionnellement dans la torpédo de son frère, Proust, avant 1905, chaque fois qu'il décidait un voyage, fût-ce en proche banlieue, avait à prendre le train. Avec quelle minutie n'étudiait-il pas alors les horaires! On a assez souvent répété que les indicateurs Chaix n'avaient pas de secret pour lui. Les lecteurs de son roman se souviennent de l'importance que revêtaient à ses yeux, tels 'tortillards' (ou *petits trains*) régionaux de la Côte normande, de la Bretagne, ou des bords du lac de Genève.

Comme, de plus, il était sujet à des fantaisies soudaines, qui le faisaient soit s'arrêter en cours de route, soit modifier inopinément son itinéraire, il devait le payer d'un effort et d'une fatigue supplémentaire, moins inoffensive pour lui que pour d'autres. Mais son ardent désir de connaître, d'explorer, l'emportait souvent sur les servitudes de la maladie. Pas toujours, à vrai dire, car ses lettres abondent en refus d'invitations, en projets avortés, en renoncements forcés, en excuses.

Avant son service militaire, il ne se déplaça à peu près jamais sans l'un des membres de sa famille. Lorsque, depuis ses dix ans et en raison de ses crises d'asthme, les vacances à la campagne (à Illiers où continuaient à se rendre le professeur, sa femme et Robert) lui furent interdites, sa grand-mère l'emmena avec elle plusieurs étés des années 80, sur les plages normandes. On le retrouve ensuite avec sa mère à Salies de Béarn, à Dieppe, au Tréport, et, de nouveau, en Calvados, puis à Kreuznach en Rhénanie, puis au Mont d'Or, puis à Evian (en compagnie aussi de son père), puis à

Venise. Il arrivait aussi que Mme Proust, ou pour accompagner son mari, ou pour faire une cure thermale, laissât l'un de ses enfants ou les deux à Paris, à la garde de leur grand-mère, ou les envoyât en d'autres villégiatures. C'est ainsi qu'en 1889 Marcel, séjournant à Ostende, chez les Horace Finaly, Robert est avec elle à Salies, le professeur en mission d'inspection.

Plus tard Proust prit un peu plus d'indépendance. Il est en 93 avec Montesquiou et La Salle à Saint-Moritz, en 95 avec Reynaldo Hahn en Bretagne, en 96 avec Léon Daudet à Fontainebleau, en 1900 seul à Venise, en 1902 avec Fénelon à Amsterdam. En somme, soit routine, soit facilité, soit esprit de famille, il ne s'éloigne guère des siens.

Notons, parce que cela est symptomatique, que les Proust voyageaient en première classe (il y avait alors trois classes). Personne de leur cercle ne se serait avisé de se 'déclasser'. Seules quelques familles austères, par économie ou pour l'exemple, prenaient pour leurs enfants des billets de seconde.

Les longs trajets (en France ou à l'étranger) coûtaient relativement cher, et Marcel, ne disposant pas d'argent personnel, les parents étaient d'accord pour y pourvoir.

Le budget villégiature paraît avoir été largement prévu. Il est frappant que, chez les Proust, tandis qu'on faisait les comptes de très près, on ne lésinait apparemment jamais quant aux dépenses hôtelières. Pour s'en tenir à des références précises, on les voit, les uns ou les autres, tour à tour aux *Roches noires* à Trouville, au *Grand Hôtel* à Cabourg, au *Splendide* à Evian, au *Grand Hôtel Victoria* à Interlaken, au *Danieli* à Venise, tous établissements de très grand luxe. Sans doute, vis à vis des relations et en raison de la situation en vue du professeur, fallait-il tenir son rang : de Hollande, Marcel à sa mère : « ...*La vérité est qu'il faudra si je revoyage choisir des hôtels de 2ᵉ ordre, où l'on est aussi bien, où l'on ne paye pas des prix fous pour une différence de luxe qui ne me charme pas,*

d'autant plus que comme il n'y a pas un Français dans la
ville, on n'a même pas le plaisir d'être « coté »... Si l'on hésite
entre deux hôtels, c'est pour des raisons secondaires. Quand
il est fait allusion au prix, cela ne porte pas à conséquence,
et l'on choisit finalement ce qu'il y a de mieux.

Je n'ai pas à considérer la période ultérieure, où Marcel, en
possession de sa fortune mais de plus en plus souffrant, s'il
voyage assez peu, voyagera toujours somptueusement (voiture
en permanence à sa disposition; réservation de plusieurs
chambres mitoyennes pour se défendre du bruit des voisins;
pourboires princiers, et autres prodigalités).

Tout compte fait, Proust en France dans ses trente premières années, séjourna dans les Pyrénées, en Normandie
(Normandie sa préférence), en Auvergne, en Bretagne, en
Haute-Savoie, excursionna en Picardie, en Touraine, en
Sologne, en Champagne, en Bourgogne, parcourut en tous
sens l'Ile de France. Il ne visita, sauf erreur, ni la Riviera,
ni la Provence, ni la côte Atlantique, ni l'Alsace. A l'étranger,
il se rendit en Italie du Nord, en Suisse, en Belgique, en Hollande, mais il ne connut ni l'Allemagne (sauf pour deux saisons thermales), ni l'Espagne, ni, ce qui est plus surprenant,
vu ses affinités pour la littérature anglaise, l'Angleterre.

TRADITIONS ET PRINCIPES

Il faut essayer maintenant de se représenter l'état d'esprit qui présidait à la vie d'un foyer de la bourgeoisie moyenne, comme celui des Proust.

Un certain nombre de traditions s'imposait.

D'abord, celle de ne pas discuter les traditions. Ce simple fait explique déjà beaucoup des comportements de Marcel, même lorsqu'il commença à s'émanciper. Le respect était un mot puissant et significatif. Appris par éducation, consenti par raison, on s'y référait à tout propos. Il remplaçait l'obéissance aveugle et servile des temps révolus.

Cette notion de respect s'étendait à des domaines tout à fait divers.

Respect de la famille. Enfants, jeunes gens acceptaient comme naturels, la tutelle, les préséances, les droits paternels, et ne s'en affranchissaient qu'en de très rares occasions. Notons que Marcel ne manifesta ouvertement quelque impatience du joug familial qu'aux approches de la trentaine. On peut se dire qu'il trouvait au bercail bien des compensations matérielles. Ses sentiments l'y retenaient aussi. Le fait est qu'il supporta bien mieux que d'autres, cette sorte de contrôle, au moins virtuel, et les contradictions, au moins verbales, inconvénients inévitables de la vie en commun avec père et mère, que, de nos jours, rejettent les adolescents les moins insoumis.

Une telle considération de la part des enfants ne se limitait pas aux parents, mais concernait tout le groupe familial, ancêtres et alliés, et Marcel prendra une part sincère aux épreuves des uns ou des autres. C'est presque un culte qu'il vouera à sa grand-mère.

De même que l'on ne songeait pas à critiquer les faits et gestes de ses parents, on adoptait de plein gré leurs idées. La jeunesse en général, faisait siens les principes qu'elle voyait arborés et suivis jour après jour.

Ainsi, malgré tant de singularités de son caractère et quelles qu'aient été ses réactions ultérieures, en fut-il pour Marcel Proust.

On avait aussi le respect des hiérarchies : hiérarchie d'état, hiérarchie sociale, hiérarchie professionnelle qui impliquaient le respect de l'âge et celui pour les devanciers. Et, en effet, en attendant les réprobations ou les railleries exprimées dans son roman, le futur romancier ne laisse paraître qu'une condescendance toute spontanée pour l'état de choses établi. Personne plus que lui qui n'ait décrit, défini, admis le compartimentage social en classes, en castes, en clans. Ce 'ségrégationnisme' de principe sinon de sentiment, se retrouve dans une phrase d'une lettre à un ami pendant la guerre en 1914 ou 1915 : « *Je ne renie rien... et je crois que les « gens bien » sont quelquefois très bien. Mais leur mort ne peut me faire plus de peine que celle des autres* ».

La magistrature et l'armée étaient l'objet d'une déférence générale. Malgré le rude assaut que subirent ses convictions au moment de l'affaire Dreyfus, Proust fera rejaillir sur l'armée son amour patriotique (véritable 'credo' de famille) et lui conservera un inaltérable attachement.

Chose curieuse : les bienfaits de la discipline il les voudra applicables à l'art, et sa déclaration vaut d'être notée. « *Je crois que nous mourrons en effet mais faute non pas de liberté mais de discipline. Je ne crois pas que la liberté soit très utile*

*à l'artiste et je crois que surtout pour l'artiste d'aujourd'hui la
discipline serait comme au névropathe entièrement bienfaisante* » (1904). Et, sans doute influencé par Ruskin : « ... *tient
la liberté pour funeste à l'artiste, et l'obéissance et le respect
pour essentiels* ».

La gloire ne lui paraissait pas une conception surannée.
Il se faisait une non moins haute idée de la gloire littéraire.
Il veut qu'elle soit conquise et non usurpée. Il fustige des
débutants qui parlent de 'percer', s'indignant « qu'*on compare
la gloire à un abcès* ».

Tant de croyances jugées aujourd'hui conventionnelles,
formaient les assises solides de ce monde d'il y a moins d'un
siècle.

On se soumettait aussi à des convenances mineures, et on
s'évertuait à ne les enfreindre jamais. Une partie de l'éducation
consistait à enseigner les choses qui se faisaient et celles qui
ne se faisaient pas. Pourquoi? Parce que c'était ainsi.

Dans le protocole avec les 'relations', il y avait des rites à
observer. On se choquait pour peu. Des froissements se produi-
saient entre amis pour des inconséquences qui nous feraient
sourire. C'est ce que Marcel, plus susceptible qu'aucun autre,
appelait ses 'malentendus'.

On se méfiait beaucoup des nouvelles connaissances. Avant
de les fréquenter, il fallait savoir ce qu'étaient les gens, leurs
occupations, leurs propres fréquentations, ('dis-moi qui tu
hantes et je te dirai qui tu es'), et même l'origine de leur
situation. L'industrie, les affaires, le grand négoce étaient loin
d'occuper la place qu'ils ont dans les structures actuelles.

La bourgeoisie qui se voulait et se disait 'distinguée', se
composait en majeure partie d'oisifs, de rentiers, de dilet-
tantes, comprenant aussi les professions libérales.

Deux exemples sont assez frappants. On n'avait aucune
chance de devenir membre d'un cercle en vue, si on tenait
boutique, fût-on orfèvre. D'autre part, toute famille dont

l'ascension par la fortune avait été trop prompte, passait pour suspecte et n'avait qu'un accès difficile dans les milieux 'honorables', qui se piquaient de moralité. Les salons se fermaient devant les nouveaux riches.

Inversement, ne trouve-t-on pas dans *Jean Santeuil* cette repartie tellement typique : « *Mme S. qui, ds. l'orgueilleuse modestie de sa condition bourgeoise, répétait en riant « C'est trop chic pour nous »*, et le grand-père grommelant avec méfiance : « *Si c'était chic, cela ne viendrait pas chez nous... »*

Aussi, les aspirations, puis l'évasion du jeune homme vers le faubourg Saint-Germain que sa naissance, en principe, lui interdisait, détonnent. Son intérêt, presque maniaque, pour les généalogies s'explique par l'importance qu'il leur donnait en vue de sa propre accession. Et il lui arrivait déjà de s'en entretenir avec son père.

La tradition de l'austérité des mœurs conservait théoriquement une grande valeur. Personne qui se retînt de blâmer tout haut le libertinage de l'un, les légèretés de la femme de l'autre. La consigne officielle était le bien-fondé de la vertu : les passions ne sont guère de mise; tout romantisme est banni; on fait des mariages de raison. En réalité, dans une société où l'hypocrisie avait le pas sur le cynisme, une grande indulgence était tacitement accordée aux délinquants, parce que beaucoup avaient à se faire pardonner. Obstinément rigoureux sur vingt autres points, chacun riait sous cape des mésaventures d'adultère qui se colportaient. Chacun se renvoyait la balle. L'important consistait à ne pas faire scandale. Même dans les ménages les plus honnêtes, attentifs à la fidélité conjugale, la critique gardait sur un tel sujet une certaine modération.

Quant aux mœurs dites 'inavouables', on les ignorait, ou bien, plus précisément, on feignait de les ignorer, ce qui était la meilleure manière de les taire.

Un grand souci du qu'en dira-t-on prédominait en d'autres domaines encore.

Il fallait paraître, et ne pas déchoir. Ce respect humain s'attachait aussi bien aux futilités qu'à des questions sérieuses. L'on était toisé d'après son train de vie et son genre de vie, mais aussi selon les normes d'un conformisme étroit. Il n'était pas moins critiqué de vouloir s'élever au-dessus de son rang; les *Monsieur Jourdain* étaient raillés comme du temps de Molière.

Trop d'apparat nuisait autant que trop de modestie. Des distinctions oiseuses s'imposaient. Il y avait des bons faiseurs, des spectacles sains, de la musique mélodieuse, des plaisirs licites, des plages décentes et, au contraire, des endroits ou des distractions à l'index. On n'aurait osé s'y fourvoyer. Sans cesse revenait dans la conversation, les mots clés : 'Comme il faut; pas comme il faut', avec toutes les nuances possibles. Cela conviendrait à l'esprit sinueux et compliqué de Marcel.

Un autre élément est à prendre en considération : la 'facilité'. L'éducation des jeunes bourgeois d'alors ne les préparait guère à se défendre contre les assauts de l'extérieur. Un certain nombre d'entre eux trouvait plus agréable de se laisser bercer par la douceur de vivre sans s'aguerrir, sans affronter leur destin. « L'infantilisme irréductible » qu'on a stigmatisé chez Proust, vient en partie de là.

Tels étaient donc les principaux traits du formalisme qui guidait les gens dits du monde, aux environs des années 80-90, et auquel les Proust se ralliaient. Sur deux points, toutefois, leur position était quelque peu différente de celle de leurs semblables.

Alors que la croyance en Dieu, qu'elle fût de confession catholique (de beaucoup la plus répandue), de confession protestante (pour une bien moindre part), de formule juive (pour quelques petits groupes), était un dogme peu discuté, alors qu'on considérait avec réprobation les athées, qu'on se signalait les francs-maçons comme des mauvais esprits et de douteux personnages, la question religieuse fut, au foyer du professeur Proust, délibérément mise en sourdine. Les rites essentiels accomplis, on n'en parla plus guère. A tel point que la lutte anti-religieuse qui vint (surtout après 1900, il est vrai, c'est-à-dire dans les dernières années des parents) au premier plan de l'actualité politique, ne paraît avoir soulevé ni à la table du boulevard Malesherbes (sous Jules Grévy), ni à celle de la rue de Courcelles (sous Waldeck-Rousseau et sous Combes), ni dans les échanges épistolaires, grande passion ou controverse. Marcel, pourtant, par besoin d'équité, plaidera pour les *Églises assassinées*.

Autre particularité : celle de la culture intellectuelle et de la qualité de cette culture. Le rôle de la mère fut ici prépondérant. Son érudition, son goût, son bon goût pour les lettres, qui trouvèrent un écho immédiat et profond chez son enfant prédestiné, jouèrent à plein. Et ce sera trente ans durant, un dialogue inlassable, un duo enchanté. Le père très instruit, mais orienté vers la science, le second fils, lui aussi, vite neutralisé par des études exigeantes, n'y assistèrent qu'en comparses.

Cette instante préoccupation servie par une telle distinction d'esprit sans pédanterie, était assez peu courante. Que ce fût pour les livres, au théâtre, en peinture, en musique, la bourgeoisie se complaisait dans une assez médiocre et monotone information et, sauf engouement inattendu, refusait ses faveurs à tout ce qui, hors du tracé conventionnel, prenait figure d'originalité ou de hardiesse.

De ce point de vue, Marcel Proust eut la chance de naître dans un « milieu civilisé », sans vulgarité : « sorte d'aristocratie spontanée et sans titres » a écrit A. Maurois.

Il reste à marquer que, dans ce milieu économe auquel le confort matériel était assuré, le luxe ne dépassait jamais des bornes raisonnables. Et aussi que, dans un cadre aisé, plein d'agréments, la discipline familiale s'imposait à tous : horaires respectés, petites astreintes, habitudes et manières communes, attentions mutelles contribuaient à une certaine douceur de vivre qui, pour beaucoup, était l'image du bonheur, était une sorte de bonheur. Chez les Proust aussi, les jours auraient coulé sans surprise, dans l'entente, la cohésion, l'harmonie, si deux éléments de trouble n'étaient survenus : la maladie avec ses conséquences; une incorrigible oisiveté où couvait la future vocation, mais qui ne fut ni comprise ni admise sans luttes.

L'ESPRIT DE FAMILLE CHEZ MARCEL

En effet, malgré ce qu'il porte en lui de personnalité et d'originalité latentes, Proust se montre fidèle au code, imite les modèles qu'il a sous les yeux, épouse les idées qu'il entend exprimer tout au long de son enfance — enfance prolongée [1], on ne saurait trop y revenir — jusque passé l'âge adulte. Ce n'est que sur la fin de la cohabitation familiale qu'il se met à contrevenir à certaines règles. Ce n'est que plus tard encore qu'il violera gravement certaines traditions sacro-saintes du passé. Du moins ne le fera-t-il pas sans arrière-pensées, sans cruels combats intérieurs, sans remords, sans retours désespérés aux souvenirs. Mais jusque-là, pendant trente ans, Proust fut et resta fils de bourgeois aux coutumes admises. Soumission aux conventions dont il n'a aucune fausse honte, puisqu'il les approuve et les loue.

En matière de sentiments filiaux, il se montre exemplaire. Son père, sa mère (bien davantage), le reste de ses parents occupent de droit dans son cœur une place privilégiée. Chaque fois que l'un d'eux est souffrant ou en danger, son affection de s'inquiéter, de s'alarmer aussitôt; et, volontiers, en dépit de sa santé, il se déplace. Si quelqu'un parmi ses relations

1. A seize ans, on l'envoyait encore jouer (ou prendre l'air) aux Champs-Elysées.

tombe malade, il ne cesse de lui prodiguer, 'comme il se doit', marques d'attention et témoignages de sympathie. Il ne se dérobe à aucun devoir de ce genre, quoiqu'il lui en puisse coûter. À Antoine Bibesco qu'il voudrait tant rejoindre : « *Mon frère va sans doute se marier, il faut que j'aille voir la jeune fille que je ne connais encore pas.* » Visites de courtoisie, cérémonies : garçon d'honneur au mariage de son frère; garçon d'honneur au mariage de son arrière-cousin Bergson; visites de condoléances, veillées funèbres, enterrements, deuils strictement observés; autant d'obligations qu'il juge normales et respectables. A Bibesco de nouveau : ... « *le 2 et le 5, il y a des anniversaires* ». [de la mort et des obsèques de la grand-mère décédée *six ans* auparavant, Mme Proust n'ayant pas quitté ses vêtements noirs]. Pris de scrupule, il va jusqu'à s'excuser auprès de sa mère : « *Peut-être t'est-il désagréable qu'il paraisse* en ce moment q. q. chose de moi et à cause de cela cela me fâche beaucoup. » Apprenant la mort de Daniel Mayer, cousin de Mme Proust, il accourt, toutes affaires cessantes, aux lieu et place de sa mère absente, présenter ses condoléances.

Avec la complicité maternelle, il prend prétexte de la mort du grand-père Weil pour éconduire Montesquiou, et éluder la cérémonie à Douai à la mémoire de Marceline Desbordes-Valmore. « *Si par hasard (c'est sûr que non mais il faut toujours prévoir) tu rencontrais Yturri ou Montesquiou demain* [dis leur] *que tu ne veux absolument pas que j'aille en ce moment à ces fêtes* » (il a 25 ans). Du même coup et pour la même raison, il se prive d'assister au mémorable gala Boni de Castellane au Bois de Boulogne.

Tout gamin, on lui avait appris à 'faire des frais' et il s'y complaisait. Ses baise-mains, ses affabilités extrêmes pour de vieilles dames, relations de sa mère, rencontrées dans les salons, aux Champs-Elysées, en omnibus, proviennent, sous leur aspect extravagant, de la bonne éducation de rigueur. A vingt ans, solennel et cérémonieux, il fait aux visiteurs les honneurs du jardin d'Auteuil.

Il faut être correct dans le langage, au moins en société. Dans sa correspondance il se montre rarement grossier. Je détache au hasard deux traits exceptionnels. À Laure Haymann, la courtisane (lui a vingt et un ans) : « ... *je serais assez gêné d'aller dans le foutoir de vos Saxe.* » A Mme Strauss, en l'entretenant d'un co-locataire trop bruyant (lui a trente-six ans) : « *Sa vache de mère hélas! n'a pas cessé de construire... je ne sais quoi!* » Peut-être dans l'intimité et dans la conversation avait-il effectivement moins de retenue. Toujours est-il qu'il s'en tient à la doctrine des bonnes manières.

Il en va de même dans son souci extrême de l'étiquette et de la civilité : pour les anniversaires, mariages de ses amis, vingt autres circonstances, autant de formalités rituelles où se dépenser en générosité et raffinement de cadeaux, de fleurs, de bonbons; pour les invitations qu'il envoie ou reçoit; dans le placement des invités autour d'une table; pour les titres; pour vingt autres détails souvent futiles, ce qui l'a fait qualifier de *snob*. Le mot ne convient absolument pas. C'est mal interpréter le caractère de Proust. Il a un sens aigu du ridicule. Ni snob, ni même à proprement parler esthète : « imprégnation inconsciemment subie du décor bourgeois (rien n'étant plus opposé, c'est un point de dogme, à l'esthète que le bourgeois) dans lequel le jeune collégien a passé ses années d'enfance » (A. Ferré).

Sa psychologie aux multiples méandres, l'incitait à une sorte de préciosité, dictait le dandysme de ses manières. Mais, dans plus de la première moitié de son existence, la plupart de ses choix, de ses attitudes sociales n'ont d'autre cause et d'autre explication que les principes conformistes de son éducation.

Esprit de convenance, amour de la famille l'habiteront toujours.

Vers 1907, il se déchaînera avec une violence très inhabituelle chez lui, contre le cynisme d'un Léautaud, bafouant les sentiments familiaux!

En 1908, il écrira à E. Bibesco : « ... *Si vous m'avez trouvé un peu nerveux au téléphone, c'est que ma nièce venait d'être opérée fort gravement de l'appendicite et que j'attendais un téléphone de mon frère...* »

Dix ans plus tard, son affection vigilante ne s'est pas atténuée. Tout comme sa mère, jadis outrée du maquillage d'une de ses nièces, il s'offusquera d'apprendre que sa nièce à lui, devenue jeune fille, va dans le monde sans chaperon, fait telle ou telle lecture. Et quand, pour les dix-huit ans de la chère petite Suzy, on donne une grande soirée dansante, il passera une fois de plus son habit, et, quoique à bout de forces, il s'y rendra pour se réjouir du succès de la jeune reine du bal.

Jamais il ne reniera sa naissance, sa famille, ni dans la lettre, ni dans l'esprit. Néanmoins, les parents disparus, les voix d'outre-tombe ne suffiront plus à retarder l'émancipation de l'étonnant génie longtemps réduit au silence.

Au terme d'une pénétrante étude, L. Jones écrit : « La mort de son père en 1903 et celle de sa mère en 1905 vont rendre possible l'œuvre terrible et magnifique dont l'audace croît de livre en livre, mais que Marcel Proust n'aurait peut-être jamais osé écrire si ses parents avaient vécu. » C'est bien possible.

Peut-on lire sans émotion, dans une lettre écrite vers la fin de sa vie, adressée au prince Bibesco, la déclaration de principe que voici? « *Tâche de rester comme tu es, revivifiant perpétuellement tes actes et tes paroles d'une pensée créatrice, ne laissant aucune place à la convention, car ce qu'on croit un ridicule mondain ou une simple méchanceté est la mort de l'esprit. Mais continue à vivre ainsi, sincèrement, irrespectueusement* (sic)... »

Ces lignes dévoilent le grandiose sacrifice de son éducation auquel il fut amené finalement, après qu'il eût compris et accepté les conditions tyranniques et inéluctables imposées par sa création artistique.

LE SENS SOCIAL CHEZ MARCEL

Parmi les sentiments qui, durant sa jeunesse, ornaient le cœur de Proust, l'un doit être mis en évidence, c'est un fond de bonté. Bonté incarnée par sa grand-mère, que sa mère exalta constamment devant lui; mouvement d'ailleurs naturel à son âme. On ne saurait, en l'occurrence, parler de charité vraie, d'intention de charité, comme l'enseigne le catéchisme. Au foyer des Proust, on ne s'inspirait guère d'orthodoxie chrétienne; la morale y était de style plus laïc que religieux.

La bonté de Marcel était plutôt de la commisération, de la pitié, de l'entraide aux faibles, et non pas un Amour inconditionnel et indifférencié pour le prochain. Il aimait à rendre service, c'est évident; autrement dit, à faire le bien dans des circonstances données qui l'émouvaient : soit par plaisir gratuit, soit pour mettre en jeu ses relations, soit pour les faire valoir, soit encore pour dédommager de moins favorisées que lui, voire avec une arrière-pensée de rédemption. Car il existait aussi en lui un désir inné de justice, une instinctive aversion pour l'injustice. Et, se sachant jouir égoïstement de la vie, du siècle, du monde, de ses pompes et de ses œuvres, il se penchait occasionnellement sur les infortunés, s'y donnant avec l'exagération incontrôlée des émotifs.

Exagérée, quoique venant d'un cœur d'enfant, sa première manifestation de cet ordre. Telle l'apprécièrent M. et Mme Proust. C'est la fameuse anecdote du petit cireur de bottes, relatée par Painter. Marcel, âgée de six ou huit ans, mettant dans la main de l'enfant grelottant au coin d'une rue, une pièce de cinq francs destinée aux étrennes de la cuisinière de leur cousine. Mme Proust, quand elle l'apprit, tança si vertement son fils, que celui-ci en reparlait quarante ans plus tard.

Deux ou trois autres faits aideront à camper le personnage au milieu de ses élans affectifs.

Il y avait, chez Daudet où Proust fréquentait, un vieux valet de chambre italien, Pietro, qui un jour succombait sous la charge d'un paquet trop lourd. Proust voulut l'aider et, se fâchant parce que le jeune Lucien l'en dissuadait, le traita de « violent et de sans cœur ». Il s'entretenait de Dante avec le vieil Italien, lui donnait des poignées de main. Il y avait une servante âgée, qui aimait le théâtre et que Proust y conviait. Comme dit le commentateur, c'était d'une « gentillesse touchante » — mais jugée déplacée. Lui, tellement sur les formes, laissait alors son cœur prendre l'avantage.

Une autre fois, il alla avec Albert Flament, raconte celui-ci, rendre visite à un couple de vieux serviteurs retraités, à l'hospice des Petits ménages d'Issy-les-Moulineaux (aujourd'hui hôpital Corentin Celton). Il s'enquit de leur sort, de leurs besoins, « referma la main de la vieille femme sur une poignée de billets chiffonnés et promit, tout en sautillant d'un pied sur l'autre, de revenir bientôt et de rester plus longtemps ».

Le même Flament raconte encore que, dans une file de fiacres en station, son ami apitoyé choisissait le cocher le plus vieux et le cheval le plus décrépit, se faisant suivre pendant qu'il cheminait, et le payant princièrement.

Beaucoup d'années plus tard, sortant de chez des amis vers deux heures du matin, il trouva, assise sur le palier, une toute jeune bonne, arrivée de Pau à Paris le jour même, et qui n'osait pas monter seule à la chambre du sixième étage. « Ma pauvre enfant, murmura Proust, en l'apercevant blottie sur une marche, venez avec moi... Vous n'allez pas coucher seule sous le toit, vous vous sentiriez trop abandonnée. Ma petite malheureuse, montez dans ma voiture qui attend. Céleste vous préparera chez moi un lit et vous soignera... » et, ajoute judicieusement L. P. Quint dans son récit, « toutes les souffrances que son esprit compliqué avait inventées, il les sentait chez les autres autant qu'en lui ».

Plus édifiantes peut-être, parce que relevant d'une sympathie purement morale, sont ses réactions en présence de situations comme celle de Dreyfus en faveur duquel il fit ouvertement campagne, sans souci du tort que son attitude courageuse lui causerait dans ses relations (auxquelles il tenait tant cependant!).

En 1889, quand Anatole France fut outrageusement critiqué dans une chronique du *Temps*, le jeune Marcel (il a alors à peine dix-huit ans) prend sa plume et adresse une lettre enflammée : « *Monsieur, j'ai pensé que vous veniez de lire l'article de M. Chantavoine et qu'un témoignage de sympathie passionnée* (sic) *pourrait peut-être vous consoler, si toutefois ces pages inintelligentes ont pu vous attrister.* » Suit un long panégyrique, puis : « *Je vous ai acquis de solides amitiés, Monsieur! Et même j'ai catéchisé mes professeurs en retard qui ne vous connaissaient pas...* », et enfin : « *J'ai tant souffert de vous voir publiquement rapetissé dans cet article que j'ai pris la liberté de vous écrire quelle peine cruelle j'en ressentais.* » Signé : *Un élève de philosophie.*

A l'autre pôle de sa vie, en mars 1922 (il va mourir six mois plus tard), une réaction tout à fait comparable. Il s'agira cette fois de Philippe Berthelot, ambassadeur de France, frappé par une sanction disciplinaire. Bien que le connaissant très peu et ne nourrissant à son endroit aucun préjugé favorable, le malade reclus, si revenu de l'amour, de l'amitié, et des affaires du monde, trouvera encore la force de protester. « *Monsieur, C'est une étrange entreprise que de vous écrire. Mon état de santé ne me permet pas de répondre à une seule lettre. Le caractère de celle-ci ne me permet guère de vous faire écrire à la machine sans manque de délicatesse, et je me donne une mortelle fatigue* [c'était à peine exagéré] *pour quelqu'un à qui cela sera absolument indifférent... J'ai le sentiment qu'envers un*

*homme de haute valeur comme vous, une grande injustice a été
commise. Cette idée m'est insupportable... j'ai seulement voulu
donner, simple inconnu, le sentiment de la fraternité humaine...
mes sentiments de sympathie émue les plus distingués. Marcel
Proust.* »

Mélange de tolstoïsme et de don-quichotisme, ont dit certains; soit. Mais, somme toute, — et cela doit être compté à
son actif — grande noblesse intime qui le faisait déjà, à un
âge tendre, sangloter en apprenant qu'un de ses camarades de
collège avait tant honte de sa mère que, « *lorsquelle lui rendait visite au parloir, il prétendait que c'était une femme de
charge* ».

J'aime beaucoup et je fais mienne cette interprétation de
Lucien Daudet : « Il possédait cette imagination douloureuse,
qui fait voir en un instant toutes les formes de misère, et
qui conseille de donner le plus possible, afin de brouiller les
images dont elle se sert pour torturer. »

C'est sur un tout autre registre que s'inscrivent ses attentions et presque ses prévenances pour les subordonnés, les
employés, les domestiques. Si, en pleine période de dérèglements et aussi d'accidents de santé, il se démène obstinément auprès de ses relations les plus huppées, en faveur d'un
Auguste, ancien valet de chambre de feu son grand-oncle, s'il
écrit quatre grandes pages pour recommander un Antoine
Bermond, qu'il n'a pas même eu à son propre service, si, vis-à-
vis de Céleste, il fut — compte tenu de ses exigences de
maniaque — d'une affabilité dont elle se souvient toujours
avec émotion, on croit pouvoir démêler que ses entretiens
prolongés, sa familiarité (en dehors de ses pourboires fabu-
leux) avec les maîtres d'hôtel, les liftiers, les concierges, tout
cela doit être interprété différemment. Je laisse à d'autres
l'opinion que, déjà dans les années d'adolescence qui m'occupent, il s'agissait de troubles prises de contact. La mienne est
qu'il ne lui déplaisait pas de jouer au grand seigneur, et les

quelques secondes d'éblouissement devant les courbettes de celui qu'il comblait, le remplissaient d'aise, et pesaient beaucoup plus que les remontrances dont ensuite, tôt ou tard, il serait affligé chez lui. « Le conducteur de l'omnibus de l'hôtel Splendide à Évian, lit-on dans Painter, vient lui serrer la main d'une façon chaleureuse qui le touche d'autant plus qu'il lui avait déjà donné son pourboire », ajoutant que, depuis qu'il allait dans les hôtels « *il n'avait jamais connu quelqu'un d'aussi bon pour les employés. Nous vous adorons tous.* » Proust se souvenait de la scène.

Au-delà de la griserie qu'il goûtait dans une surenchère de générosité, dans une 'générosité imaginative', comme par exemple, dans cette étonnante séquence rapportée par L. P. Quint à propos d'un commissionnaire : « Vous vous êtes dérangé pour me porter cette lettre. Voici 50 francs. Mais je vous ai retenu à parler jusqu'à une heure du matin. Vous n'avez plus de moyen de communication pour rentrer. Voici encore 200 francs. Et puis, vous ne m'aviez pas dit que votre mère est de passage à Paris. Vous allez vouloir sortir avec elle. Cela vous entraînera à des dépenses... », au-delà de cette griserie, de ce flux de gentillesses, de cette logorrhée, n'y a-t-il pas recherche de popularité facile, besoin de « mains qui se tendent » (soit dit sans jeu de mots)?

Voilà ce qui me semble la motivation probable.

L. P. Quint suppose, quant à lui, que Proust « éprouvait une sorte de joie sadique à se considérer comme si misérable qu'il devait, beaucoup plus largement que personne, récompenser la moindre chose faite pour lui, le plus petit dérangement qu'il avait occasionné ». Sorte d'humilité? Peut-être. Gentillesse naturelle? Probablement oui. Satisfaction d'un plaisir? A coup sûr.

En revanche, pour ce qui est du sens social, entendu comme l'intérêt porté au perfectionnement de la société et à l'amélioration du sort du peuple, Proust ne le possédait à aucun

degré. Comment l'aurait-il pu? Avant de lui en tenir rigueur,
qu'on se reporte en pensée aux mœurs et aux vues de cette
époque tant critiquée depuis, principalement pour sa fermeture
d'esprit au 'social'. Dans ma propre enfance, postérieure de
vingt ans à celle de Proust, je pourrais puiser cent exemples.
La division en classes était extrêmement tranchée et, qui plus
est, admise comme une formule intangible. L'égoïsme des pos-
sédants, qu'on décrit comme un vice bourgeois (nullement spécifique en réalité, puisqu'il contamine automatiquement ceux
qui, acquérant du bien, souhaitent le conserver) n'avait d'égal
que la résignation apparente des masses populaires.

Quant à Proust, il est évident que, sans que cela lui posât
de problèmes, il lui arrivait de méditer sur l'inégalité des
conditions. On trouve dans son roman, une trentaine de références à ce sujet. En voici trois de ton péremptoire : « *La
distinction de manière est indépendante de la classe.* » « *Un
homme est autant qu'un autre.* » « *Les classes d'esprit n'ont
pas égard à la naissance.* »

Proust pouvait-il, avec l'intuition qu'on lui reconnaît, pres-
sentir les changements à venir? Il eût fallu d'abord qu'il en
ressentît l'intérêt. Or, dans son champ d'exploration, tout le
monde, autour de lui, à son propre foyer, se trouvait d'accord
pour entériner un état de choses conventionnel; il fut éduqué
avec soin, avec insistance, par d'honnêtes parents bien inten-
tionnés qui, aveugles sur ce point, l'aveuglèrent. S'il lui arrive
de contester sur le fond le conservatisme familial, il ne se
choque pas du luxe, souvent insolent, des cercles où il évolue.

L'objet des préoccupations et des discussions de l'*intelli-
gentsia,* le programme politique, c'est alors, avant tout, sur le
plan intérieur, la promotion industrielle, la séparation des
églises et de l'État, la réforme de l'armée; et la grande puissance parlementaire montante, c'est le radicalisme qui n'a
de socialiste que le suffixe qu'il s'arroge. De mesures sociales,
il est à peine question.

L'évolution continue des idées, les changements profonds des structures, qui auront marqué le XXᵉ siècle, étaient quasi imprévisibles pour l'immense majorité des gens. Au reste, la vocation du romancier moraliste l'entraînait vers d'autres horizons. Et le véritable artiste — si généreux que soit son tempérament — n'a pas à se jeter dans la mêlée. Sa mission est ailleurs.

SES CONVICTIONS

Le point d'honneur.

La pratique du duel pour venger (ou réparer) les offenses, qui, à soixante ans de distance, nous paraît si vaine et presque ridicule, s'imposait du temps de Proust, dans le cercle où l'on mettait le point d'honneur à sauvegarder sa réputation. On allait au pré de sang-froid et avec un procès-verbal, au lieu de se boxer séance tenante sur le trottoir. Chaque âge a ses façons.

Proust sur ce chapitre, était très sourcilleux. Son 'cran' le servait. Le désir de se montrer 'mâle' et un rien arrogant, l'y poussait. Enfin, dans le choix alambiqué des témoins, dans les palabres préalables, dans le cérémonial de la rencontre, il voyait une recherche de raffinement, voire d'élégance. Cela flattait ses goûts.

Voici les affaires ayant trait au duel, où il se trouva mêlé. Si, en fait, il ne se battit véritablement qu'une fois, cela ne dépendit pas de lui. Car, chaque fois, ce fut lui qui envoya le cartel.

Painter, sans détails, nous conte qu'en 1896 déjà (Proust avait alors vingt-cinq ans et se trouvait en séjour au Mont-Dore en compagnie de sa mère) il provoqua un pensionnaire de l'hôtel, sans qu'il y eût de suites. De qui s'agissait-il? A quel propos l'incident? On l'ignore.

Le 6 février 1897, l'affaire alla jusqu'au bout. Jean Lorrain, le romancier homosexuel, avait fait paraître dans le *Journal* un écho plein d'insinuations à peine voilées, sur des relations équivoques entre Marcel et son jeune ami, Lucien Daudet. Il fallait relever le défi. Proust choisit, comme seconds, le peintre Jean Béraud et Gustave de Borda, bretteur de haute réputation et « garantie de distinction sociale ». La rencontre eut lieu dans le bois de Meudon, à la tour de Villebon, par une froide et pluvieuse après-midi (une heure matinale n'aurait pas convenu à Proust). Deux balles furent échangées sans résultat. L'honneur était sauf. Selon toutes probabilités, le jeune homme inquiet et irrité des médisances naissantes, ne fut pas fâché de saisir l'occasion, si opportune, pour ramasser le gant, et, eu égard à son père et à sa mère, pour chercher à faire taire les mauvaises langues.

En 1902, approximativement, c'est l'incident du restaurant Weber sur lequel on est assez bien renseigné. Léon Daudet en a fait le récit imagé (dans son *Salons et Journaux,* paru du temps de Proust, en 1917). « Un soir, en entrant au restaurant, Marcel crut entendre un vieux et élégant diplomate, M. de Lagrené, murmurer à son endroit une phrase désobligeante [peut-être « Va donc Dreyfusard!... »?]. Il vint me trouver : « Monsieur je ne puis supporter cela. Je déteste les histoires (!), néanmoins je vous serais très reconnaissant, Monsieur, de demander à M. de Lagrené s'il a eu l'intention de m'offenser, et, s'il ne l'a pas eue, de me faire des excuses. » Robert de Flers, homme plein de tact et de nuances, me fut adjoint pour cette mission. Nous étions fort ennuyés, car l'offenseur, ou supposé tel, bien qu'assez âgé, était de première force à l'épée et au pistolet et Marcel n'a rien d'un spadassin. Mais tout se passa le mieux du monde. » Le lendemain [et non le soir même, comme Daudet le relate par erreur], M. de

Lagrené déclara, sur l'honneur, aux intercesseurs, « qu'il n'avait jamais eu la moindre intention d'offenser ce Monsieur que, d'ailleurs, il ne connaissait pas, ajoutant qu'il ne lui déplaisait pas du tout qu'un jeune homme ait la tête près du bonnet et que cette susceptibilité le lui rendait sympathique. » Il faut aussi prendre connaissance de la lettre de Proust où il demande conseil à Jean Béraud qui l'avait assisté dans l'affaire précédente : « *Cher Monsieur... Si Léon Daudet vient à onze heures chez Larue et que je n'aie pas pu vous parler hors de sa présence, vous serez bien gentil, puisque c'est aussi votre avis,* [de dire] *que vous estimez que le procès verbal (ou la lettre, je suis si peu au courant de ces choses-là que je ne sais pas), doit paraître dans les journaux. Sans cela ma démarche aurait été tout à fait inutile. Je vous remercie de votre bonté qui ne se lasse pas et qui me touche bien plus que je ne peux vous l'exprimer. Votre M. P.* »

Dans l'avant-dernière phrase il laisse passer le bout de l'oreille. Il fallait tirer de l'incident un avantage mondain, une espèce de publicité de bon aloi. D'autres auraient craint de faire rebondir la chose. Lui, au mépris du risque, préféra l'ébruiter.

En 1903, il intervient dans une affaire d'honneur entre A. Picard et J. Bizet, et réussit à leur éviter la rencontre.

En 1907, on relève dans une longue missive à Léo Larguier, d'une aigreur inhabituelle, concernant « *l'innommable M. Léautaud* », cette phrase qui prouve qu'il n'a pas renoncé à son procédé pour vider les querelles : « *Ne donnez pas sous cette forme trop de publicité (parlée, bien entendu) à cette lettre, car M. Léautaud est une des seules personnes avec qui cela me ferait très peur d'avoir un duel. Il me semble que j'aurais à me battre avec l'ange des ténèbres. Et je ne suis pas assez pur pour espérer en triompher.* »

Enfin, Marcel Plantevignes fait une longue relation d'une brouille qu'en 1910, à Cabourg, lui infligera son ami Proust,

à propos de perfides ragots qu'il n'avait pas assez vertement
relevés sur la digue. Celui-ci délégua deux amis, MM. d'Al-
ton et Pontchara, auprès du père de Plantevignes pour exiger
de lui, à la place du fils trop jeune, réparation par les armes!
« Votre fils est mineur, et vous vous substituez à lui, ce qui est
votre droit. Et tout ce que je puis faire pour l'estime que j'ai
pour vous, Monsieur, et pour l'amitié que j'avais pour monsieur votre fils, c'est, bien qu'étant offensé, de vous laisser le
choix des armes, de la date et du lieu de la rencontre. Quant
à monsieur votre fils je désire ne plus entendre parler de lui,
il est assez grand garçon en effet pour se rendre compte de
ce qu'il fait et de ce qu'il dit. La parole est dès lors à vos
témoins. »

Cette scène au fond d'une chambre, tous volets clos, du
Grand Hôtel, prend allure de tragi-comédie. Mais, là encore,
il s'agissait de se défendre contre la néfaste montée des
colportages dès lors trop justifiés. La maladie cruelle, la
faiblesse physique, les péripéties d'un duel, alors que le
moindre dérangement dans ses habitudes le faisait gémir, rien
ne l'aurait arrêté. On devine une conscience alarmée, une
susceptibilité à vif, une volonté crispée pour lutter contre
le scandale, alors que tant d'autres artistes exhibent leur
vice.

Son éducation le tenait aux aguets. Grâce au duel, raison-
nait-il, se rassurait-il, tout peut être perdu fors l'honneur.

La patrie et l'armée.

A la fin du XIXᵉ siècle, la bourgeoisie était franchement
militariste. Ni la défaite de 1870, ni le *fiasco* du boulangisme
n'avaient entamé le respect pour la 'grande muette', basé sur
un profond nationalisme. Les mots 'Honneur et Patrie' jouis-
saient d'un prestige que personne ne songeait à contester,

qu'on enseignait aux enfants, à la maison, à l'école, comme une prière.

Ainsi en était-il chez Marcel. Ainsi demeureront-ils — son frère Robert et lui — jusqu'à leur mort, imbus du culte et du sacrifice patriotiques, curieux de stratégie guerrière, épris de panache, et parfois chauvins.

Une première constatation est que, le moment venu pour Marcel de faire son service militaire, pas un instant l'un des siens, ni lui-même, n'envisagèrent de tirer argument de son état physique pour le faire exempter. Pourtant sa santé, déjà sérieusement atteinte par un asthme invétéré quoique intermittent, aurait aisément suffi à obtenir la réforme, au moins à le faire verser dans le service auxiliaire, d'autant que son père avait, comme on dit, le bras long. Ni le père influent, ni la mère anxieuse, ni leur fils ne se posèrent apparemment la question. Pas davantage quant au choix de l'arme et du lieu. Orléans, 76ᵉ régiment d'infanterie, étaient une des garnisons et une des unités où l'on affectait beaucoup des recrues de la région parisienne [1].

Il est vrai que, devançant à dix-huit ans l'appel de sa classe, il évitait deux ans de service. Mais, ne pas profiter de l'avantage offert, aurait été inexplicable : l'accomplissement du devoir civique n'en demande pas tant.

Il est vrai aussi que les recommandations en faveur du jeune volontaire (15 novembre 1889) ne tardèrent pas à affluer à son corps. « Malgré la précarité de sa santé, écrira Robert Proust dans l'hommage à son frère, Marcel put faire son volontariat grâce à la paternelle bonté du colonel Arvers. » Exemption de corvées, 'tampon', chambre en ville, invitation du préfet, fréquentation des officiers de son unité, visites de sa mère et de son frère, permissions presque hebdomadaires, ce n'était pas là des conditions bien rigoureuses.

---

1. Sur son livret militaire, il est porté comme étudiant et le signalement indique : cheveux châtains, front bas, visage ovale. Taille 1,68.

Les faveurs et les prérogatives ne semblent pas avoir attiré sur lui les brimades de chambrée, ou des chicaneries de sous-officiers jaloux des fils à papa. Bien au contraire. Selon le récit très spontané et transparent de *Jean Santeuil,* les souve-nirs, encore tout frais, donnent une impression de franche et heureuse camaraderie de caserne : « *Jean était heureux de lui dire mon vieux, d'être l'un d'eux.* » Il ne souffrait pas du spec-tacle de la discipline et de la hiérarchie en exercice, obéissance et autorité relevant d'un ordre de choses qu'il approuvait. Bref, il y a de grande chance pour que, comme l'avance Painter, la période en question ait été l'une des plus heureuses de sa vie.

Quant aux troubles de santé, ils portèrent cette année-là sur le tube digestif surtout. Lui-même écrit : « *Mon cher petit papa... je ne suis pas mal portant du tout (à part l'estomac) et n'ai même pas cette mélancolie générale... mais j'ai une extrême difficulté à fixer mon attention, à lire, à apprendre par cœur, à écrire... »*

Les biographes ont tous noté que sa santé résista, en défi-nitive, très bien à ces quelques épreuves, et qu'il ne fut, plu-sieurs mois consécutifs, pour ainsi dire pas question de son asthme, ce qu'on a évidemment tendance à expliquer par le changement de climat ou, plus exactement, d'atmosphère.

Inutile de préciser que sa mère et lui correspondaient chaque jour, mais on ne possède que les lettres de sa mère à lui, et non celles de lui à elle. Ce n'est donc qu'indirectement, par les réponses qui lui sont faites, qu'on connaît ses plaintes, ses privations, son *spleen;* en terme d'aujourd'hui : son cafard (intermittent). La maman se prodigue en conseils de patience.

Il y eut le 2 janvier 1890, la mort de la grand-mère mater-nelle (l'autre grand-mère était décédée l'année précédente), et toute l'affliction que ce deuil provoqua dans le cœur de la fille et dans celui du petit-fils.

Au fond, pendant toute la durée du service, il garde ce qu'on pourrait appeler ses 'tics' mentaux et sentimentaux. S'il cueillit et recueillit des impressions inconnues, occasions d'enrichissement et sujet de bien-être, si « cette étonnante transplantation de vie qu'est le service militaire, lui avait donné tout un renouveau de son champ d'observation qu'il a ressenti de manière infiniment curieuse », de temps à autre, l'enfant gâté, capricieux, geignard, réapparaissait. Et aussi le fantaisiste, content de faire sourire, d'attirer sur soi l'attention; témoins ces quatre photographies aux poses grotesques, prises sous l'uniforme.

On a dit qu'à l'approche de sa libération, il aurait, pour un peu, prolongé de quelques mois une existence quasi insouciante qu'il menait avec un certain plaisir, dont il éprouvait incontestablement un certain charme. Avait-il quelque raison précise? Ou bien ne souhaitait-il pas tout simplement retarder la reprise des confrontations familiales, l'heure des décisions pour son avenir et des mille embarras de la vie dont la vie des armes affranchit? N'était-ce pas — en un mot qu'il aima et plaça dans la bouche de son Saint-Loup — *procrastination?*

Plus tard, à vingt-cinq vingt-huit ans, on le retrouve avec toujours ses mêmes convictions. Les déchirements de l'affaire Dreyfus lui donnent l'occasion de mesurer et de manifester hautement son attachement à l'armée dont il ne se privait pas de blâmer pour autant, et, dans la personne de tels officiers, l'esprit réactionnaire et les iniquités qui s'en suivirent.

Pendant la guerre russo-japonaise, même nationalisme : il condamnait ceux de ses amis qui semblaient enchantés de voir les Russes battus : « *En diminuant à plaisir notre alliée, nous risquons de voir se dresser contre nous notre voisine.* »

Qui ne se souvient des considérations stratégiques qu'avec une prolixité prouvant l'intérêt qu'il y portait, il développera dans le roman par le truchement de Norpois et celui de Saint-Loup?

Son mal ayant empiré, pour éviter d'être réformé, il avait obtenu d'être nommé officier d'administration. Il ne fut rayé définitivement des cadres que le 6 septembre 1911.

Il avait le courage naturel et facile. S'il en fit un usage héroïque contre la maladie, son ennemi le plus implacable, en de moindres occasions il se trouvait toujours disposé à combattre pour les justes causes, ou à la moindre blessure d'amour-propre. La crainte du danger ne l'effleurait pas, contrairement à ce qu'on eût pu attendre d'un tempérament tellement nerveux et inquiet. En 1917, il se promènera à travers les rues de Paris sous les bombes des *Gothas,* tout à l'éblouissement du jeu des pinceaux lumineux des projecteurs, dans le fracas des explosions.

Pendant cette première guerre mondiale, il souffrira sincèrement et cruellement, (sa servante Céleste y insiste) de ne pouvoir faire son devoir, partager le sort commun.

« Il aurait voulu, témoigne L. P. Quint, participer à cette activité dont la pensée, dans sa chambre close, le torturait. » — Dans une lettre à Albufera (1915) : « *J'ai de terribles crises dont je suis heureux du reste car en pensant à tout ce qu'endurent les soldats, mon repos me cause une moins grande souffrance morale, de n'être pas un repos véritable mais une dure vie aussi, seulement qui ne sert à personne.* » Sa correspondance des années de guerre, est pleine d'allusions à sa fausse situation, de commisération pour ceux qui se battent, de son anxiété pour le sort du pays, comme aussi de commentaires sagaces sur le libellé du communiqué. Il suit 'stratégiquement' les opérations militaires sur une carte d'État-Major, « ce qui est assez touchant et ridicule », ne cesse de penser à ses amis au front, dénombre ceux qui tombent, pour les célébrer tendrement, écoute avec une émotion invincible le récit d'une visite aux champs de bataille de la Marne.

Il se réjouira des belles citations de son frère, médecin major aux Armées, et vantera sa bravoure au feu.

Enfin, lorsque sonnera pour lui l'heure de sa promotion dans l'ordre de la légion d'honneur, après son prix Goncourt, ce sera une vraie fête dans son cœur cependant blasé, déçu de tout. Il apprendra la nouvelle « avec une satisfaction enfantine », et recevra de son frère dans une joie profonde — peut-être la dernière — la croix de chevalier et l'accolade.

En ce domaine comme en beaucoup d'autres, les vieilles traditions, héritées des siens, avaient subsisté inchangées.

La politique.

Marcel se mêla activement aux débats d'opinion; sa tournure d'esprit, reçue de ses ascendants, ne l'empêcha pas parfois de de penser et de réagir de façon personnelle.

La France se proclamait républicaine et laïque, jouait brillamment sa partie dans le concert européen, non sans souffrir d'assez graves dissensions intestines.

De la souche 'islérienne', provinciale, on sait seulement que, sur le tard, l'oncle Amiot, à la mairie de son bourg, devint une espèce de M. Homais, et que, radical bon teint, il faisait interdire au curé la moindre place d'honneur lors de la distribution des prix. Comment son beau-frère, l'éminent professeur, fidèle aux convictions de ses jeunes années, prit-il la chose? Il était débonnaire. Ils ne se fâchèrent pas.

Marcel, lui, s'en émut et, dans une envolée presque lyrique, s'en ouvrit à son ami G. de Lauris. « ... *il me semble que ce n'est pas bien que le vieux curé ne soit plus invité à la distribution des prix, comme représentant dans le village quelque chose de plus difficile à définir que l'Ordre social symbolisé par le pharmacien, l'ingénieur des tabacs retiré et l'opticien, mais qui est tout de même assez respectable, ne fût-ce que pour l'intelligence du clocher spiritualisé...* »

A Paris, l'agitation plus d'une fois gagna l'opinion. Vingt ans plus tôt, tout gamin, Marcel avait entendu les échos éphémères mais passionnés du boulangisme. Un soir de

14 juillet, à Auteuil, il est témoin de manifestations populaires et, gagné par l'enthousiasme, il rédige ces lignes destinées à sa petite compagne de jeux des Champs-Élysées, Antoinette Félix Faure : « *Croiriez-vous que maman m'a déchiré une lettre pour vous. L'écriture était trop mauvaise. Au fond je crois qu'un grand éloge de notre brave général, du soldat* « *simple et sublime* » *comme dit* le Petit Boulanger, *a excité les vieux sentiments, orléanistes-républicains de Mme Jeanne Proust...* »

Le grand-père Weil était, lui, un réactionnaire endurci de même que son frère, l'oncle Louis. Tour à tour, à propos d'un métier pour leur petit-fils et petit-neveu, à propos de l'orientation des jeunes, à propos des élections municipales, de la couleur politique des fournisseurs (« *ton grand-père désolé parce que son marchand d'oranges — très brave homme — 40 ans de service, etc., a voté pour un anarchiste. Voilà le travail de ces canailles de journaux* ») de la tenue des domestiques, ils donnent libre cours à leur rancœur, à leur humeur conservatrice.

Adrien Proust et sa femme, de la génération suivante, ont déjà des idées plus libérales, qu'ils s'expriment au sujet des cabinets ministériels, des campagnes électorales ou des scandales financiers. Neutres ou neutralisés en ce qui concerne la religion, favorables à l'ordre établi, ils accordaient leurs sympathies aux défenseurs du régime et du prestige national, se déclaraient républicains indépendants (étiquette qui désignait alors le centre de l'éventail politique). En fait, ils blâmaient les excès, ceux de la réaction aussi bien que ceux d'un progressisme aventureux. Hormis le krach de Panama et — sur la fin de leur vie — l'escroquerie Humbert [1], qui ruinèrent beaucoup d'épargnants, la bourgeoisie bien tranquille et jouisseuse, ne fut tirée de sa semi-léthargie que dans deux circonstances où

1. Simples allusions dans les lettres du 12 et du 24 août 1903, entre Mme P. et Marcel.

les passions éclatèrent chez tous les Français, sans exception :
l'affaire Dreyfus, la loi sur les Congrégations. Mais la politique combiste ne battit son plein qu'après 1903, et Waldeck-
Rousseau qui l'avait préparée, était lié avec les Proust, et avait,
à ce qu'il semble, leur estime.

A l'époque de l'affaire Dreyfus, la scission fut très nette
entre le père antidreyfusard comme une importante fraction
du corps médical, et les deux fils ouvertement dreyfusards
(pétition dans les journaux, propagande en faveur du manifeste des intellectuels). Par sa sensibilité et sa générosité de
cœur, Marcel fut, comme d'instinct, entraîné vers « l'innocence que l'on accuse injustement ». Il avait l'âge des flambées
idéologiques : vingt-cinq, vingt-huit ans. Toutefois, il prend
parti avec sagesse et réflexion, sans l'ombre de ce sectarisme
dont font preuve un Lauris et un Fénelon, ou un Albufera entre qui les empoignades sont sévères et les explications
sans ambages. Dans la narration toute vibrante qu'il fait dans
Jean Santeuil, certes, on le sent exaspéré. Il s'indigne des posi-
tions adverses de mauvaise foi, mais il s'attriste aussi de voir
tel homme, éminent et admiré, se fourvoyer : « ... *Le Barrès
du verdict aussi médiocre que celui que je t'avais donné était
beau, mais d'une apparente sincérité, d'une conviction qui me
désole.* » Dès que la révision fut acquise, il s'employa à faire
le point, non sur les données de l'Affaire, mais sur les profondes et malencontreuses répercussions qu'elle risquait d'avoir, à
montrer combien les dreyfusards (dont il était) faisaient mala-
droitement abus de leur victoire. Il juge sereinement. A propos
de Barrès encore, mais sept ans plus tard et pour l'applaudir :
« ...*je trouve que Barrès a été bien courageux et noble l'autre
jour à la Chambre. Dites-le lui, et que je ne lui écris pas, parce
qu'il faudrait que j'ajoute immédiatement que Dreyfus est tout
de même innocent et que malgré ma grande pitié pour le
général Mercier...* »

Ils avaient vidé leur différend idéologique quelques années

avant : « *... Une solennelle réconciliation ce soir chez les
Noailles entre moi et Barrès, à qui je n'ai pas mâché de dures
vérités, politiques et morales. Mais il les a fort bien prises et
a été très gentil.* »

On sait qu'avant que Barrès n'ouvrît sa campagne « *La
grande pitié des églises de France* », Proust avait plaidé cha-
leureusement pour les *Églises Assassinées.*

La mésentente n'atteignit pas chez les Proust, le ton qu'elle
prit dans tant de familles. Une fois encore, l'équilibre, la santé
de ce foyer inspiré par une femme aussi fine que bonne, leur
évita tout éclat grave. De moins graves, il y en eut néanmoins.
Et un souvenir plein de remords, peinera quelque temps
Marcel : celui d'une dispute qu'il eut avec son père, trois jours
avant la mort de celui-ci : « *Nous avions eu une discussion
politique, j'ai dit des choses que je n'aurais pas dû dire... il me
semble que c'est comme si j'avais été dur avec quelqu'un qui
ne pouvait déjà plus se défendre. Je ne sais pas ce que je
donnerais pour n'avoir été que douceur et tendresse ce soir-
là.* »

Dans l'ensemble, Marcel Proust, acquis aux vues politiques
de ses parents, épousa longtemps la plupart d'entre elles. Il
appartenait, par sa naissance et ses mœurs à la classe possé-
dante, dite « modérée ». Mais il n'y fit jamais figure de 'parti-
san'. Et pas davantage quand il inclina quelque peu vers la
« gauche ».

S'il n'est que trop vrai que l'individu a certains traits déplai-
sants, il faut lui reconnaître des qualités primordiales.

En première ligne, un franc-parler dès qu'il s'agit d'engage-
ment important. « Franc-parler » peut prêter à sourire, alors
que les jeux de la dissimulation n'avaient pas de secret pour
lui. La sincérité de conscience n'exclut pas le goût du mari-
vaudage.

Voici deux citations qui éclairent (chez Mme Proust comme
chez son fils) ce typique aspect de leur caractère. Sur

Mme Daudet qui revenait de Lourdes (1904) : « *Tant que Julia de Sacré-Cœur ira dans le monde je refuse d'admettre sa conversion. Il faut au retour du pèlerinage cilice et retraite définitive.* » (J.P.) Et de même, après la mort de Waldeck Rousseau (1904) : « *Je suis désolé de la mort de Waldeck Rousseau... ses derniers mois ont dû être si silencieusement cruels, si amers, encore plus déçus et désenchantés de la vie finie qu'anxieux de la mort. J'aurais préféré peut-être un peu moins d'éclat dans la conversion... on peut être sévère au clergé et pieux tout de même. Seulement je crois qu'il ne l'était pas.* » (M. P.).

A côté de cette droiture de jugement, de sa lucidité en présence des événements, de sa pénétration des individus, il convient de mettre en relief une remarquable impartialité en toute circonstance.

Il tient la balance égale dans sa désapprobation des uns et des autres. Concernant Arthur Meyer, directeur du Gaulois, antidreyfusard : « *Meyer dit dans le Gaulois qu'il ne reste plus à la France qu'à retrouver son Dieu (lequel?).* » D'autre part, sur Mme Crémieux, israélite, alliée des Weil, traductrice de Ruskin : « *Elle a supprimé pour me faire plaisir les critiques sur le mysticisme de Ruskin. Mais elle n'a pu se priver du plaisir de laisser passer le bout de l'oreille blocarde.* » Juifs tous deux, l'un de droite l'autre de gauche, aussi criticables à ses yeux pour leurs opinions partisanes.

En effet, la réaction anticléricale lui paraît déplorable, aussi déplorable que le supernationalisme déchaîné cinq ans auparavant. Son sentiment est d'autant plus frappant et méritoire qu'aucune croyance religieuse ne le stimule. Sa lettre à Lauris du 29 juillet 1903, traduit l'essentiel de sa pensée. Quelle mesure et quel désir d'équité!

On le verra bien lors de la nouvelle grande épreuve infligée à la France, en 1914.

Avec maturité, avec autorité cette fois, il se penchera sur

la tragédie mondiale, trouvant les mêmes accents de pondération que jadis. Son patriotisme, si vivace, n'a pourtant rien de borné. « *Je crois qu'on généralise trop les crimes allemands et j'ai à cet égard des témoignages peu suspects, celui d'une dame de la Croix-Rouge française qui a été prisonnière en Allemagne, celui d'une dame dont le château a été envahi, elle présente, par l'armée allemande, etc... etc... Mais à côté de cela j'ai par exemple l'impression qu'eux qui connaissaient si bien la cathédrale de Reims, ... ils l'ont « vitriolée » par rage hideuse.* »

Qu'on ne le suspecte pas de germanophilie! Au moment des négociations pour le traité de paix, Proust sera partagé entre ses tendances humanitaires et les intérêts de la France. « *Pourtant moi qui suis si ami de la Paix parce que je ressens trop la souffrance des hommes, je crois tout de même que, puisqu'on a voulu une victoire totale et une Paix dure, il eût été mieux qu'elle fût un peu plus dure encore...* »

On objectera qu'il avait écrit en 1905 : « *La politique au fond m'est égale. A quoi bon perdre notre temps pour des choses dont le démon de la perversité seul peut faire que nous nous occupions, car elles ne sont pas dans notre tempérament réel?* »

Minutes d'apathie? Affectation de dilettantisme? Sentiment de la vanité de nos soucis pour les problèmes du monde, que chacun d'entre nous ressent de temps à autre?

La phrase est ambiguë, et l'on veut croire que son 'tempérament réel' est en effet celui de l'artiste voué à son art. Mais on ne peut prendre sa déclaration au pied de la lettre. Proust, au contraire, possédait un grand sens politique.

La religion

Quoiqu'elle n'ait tenu que fort peu de place au sein de cette famille, la question religieuse ne peut être laissée de côté. Si, de prime abord, les conjonctures prêtaient aux dissentiments, de par la vertu des caractères, et grâce aux dispositions sagement prises, il n'en fut rien.

Le père était de confession et de formation catholiques; peu s'en fallut qu'il n'entrât au séminaire. Son option toute spontanée pour la médecine ne signifie nullement un renoncement à sa foi, car il resta toujours croyant et, dit-on, pratiquant (jusqu'à quel point?). Il n'empêche qu'il fit montre d'une rare largeur d'esprit.

Et tout d'abord en épousant une jeune fille juive. L'amour dut parler plus fort que les probables objections des parents islériens. D'ailleurs, son père qui seul eût pu s'y opposer, était mort depuis quinze ans.

Après le mariage civil, eut lieu le mariage à l'église.

Si les ancêtres Proust, roturiers et petits-bourgeois, se montraient fidèles à leur culte, il n'en était pas de même du côté des Weil, qu'on pourrait qualifier 'd'*Israélites émancipés*'.

A la fin du XIXe siècle, il y avait en France, à Paris surtout, des groupes sémites que les gens de bonne éducation appelaient précisément : 'israélites' pour les distinguer des coréligionnaires moins évolués. Dans certaines familles catholiques, un potache qui s'avisait de les traiter de juifs, se faisait sévèrement reprendre. Les relations mondaines avec eux étaient admises et même appréciées. Or ces Israélites — en vérité, peu nombreux — généralement très fortunés, appartenant à la banque, à la bourse, au négoce, ou encore au notariat, au palais et à la médecine, avaient renoncé, pour beaucoup, aux pratiques et à la plupart des traditions de leurs ancêtres. Tout au moins l'affectaient-ils. Ils se mariaient à la synagogue, faisaient généralement circoncire leurs nouveau-nés, et, bien souvent, s'en tenaient là.

Chez les Weil, l'athéisme était catégorique et avoué. Le grand-père Nathé, pour toute pratique religieuse, se contentait, sur ses vieux jours, d'aller quelquefois entendre prêcher à l'église, et s'en revenait disant : « *Ils nous sont tout de même supérieurs* [à nous juifs] ». Et aussi, « *suivant un rite qu'il n'avait jamais compris, il allait tous les ans poser un caillou sur la tombe de ses parents, au petit cimetière de la rue du Repos* ». C'était peu de chose en effet.

De sa grand-mère, Adèle, qu'il célébra tant pour sa bonté, son abnégation et sa délicatesse, Proust dit (dans son *Contre Sainte Beuve*) : « *elle qui ne croyait pas.* » Comme telles de ces femmes qu'on rencontrait dans les cercles éclairés d'alors et qu'on appelait 'voltairiennes'.

L'oncle Louis menait une vie dissolue, aussi peu conforme que possible à la *Loi*.

Jeanne Weil, elle-même affranchie, convint avec son fiancé (offre ou soumission?) que les enfants à venir seraient chrétiens. Par contre, elle obtint — et c'est tout à l'honneur du couple — de ne pas se renier en reniant son ascendance. « Toute sa vie durant, fait observer A. Maurois, elle demeura attachée avec obstination et fierté, sinon à la religion du moins à la tradition juive ». Certes, elle connaissait *l'Ecriture* et s'en inspirait, et son allusion, quand elle écrivit à Marcel après la scène où, de colère, il avait brisé un vase de sa chambre, montre combien la liturgie hébraïque restait présente en sa mémoire : « *Le verre cassé ne sera plus que ce qu'il est au temple, le symbole de l'indissoluble union.* » On doit relever, en dernier lieu, son culte fervent et constant pour ses morts.

Mais elle montre, en toutes circonstances, une parfaite indifférence et un doux scepticisme. Sacrifiant aux usages locaux, elle assiste à la grand-messe le dimanche à Illiers. Elle ironise lorsqu'à propos d'une dame qu'elle va recevoir à dîner un vendredi, et qui observe la règle d'abstinence, elle doit commander à sa cuisinière, un menu approprié : « *Angélique va croire que je me convertis!* ». Scepticisme encore quand, en 1900-1901 (après, il est vrai, l'affaire Dreyfus qui venait de tant ébranler les esprits que peu gardaient leur libre-arbitre), le ménage Proust, en villégiature à Evian, évite la fréquentation de « *l'élément sémite dont nous sommes affligés* (sic) », ou quand, dans leur *Correspondance,* ni Marcel, ni sa mère ne se font scrupule de plaisanter, d'un air détaché, des travers de la société juive et des exclusives qui en résultent.

Mais n'est-ce pas faire fausse route que de donner trop d'importance à des propos légers? En définitive, chez les Proust, on fit preuve de part et d'autre d'une remarquable tolérance.

Pas le moindre conflit racial. Le pacte conclu fut loyalement observé à base de concessions réciproques, et parce que, aussi, les consciences étaient loyales.

Marcel (et Robert) fut donc baptisé (à Saint-Louis d'Antin), fit sa première communion, reçut la confirmation, après quoi ni l'instruction, ni la pratique catholique, ne furent poursuivies. « *Il n'avait pas été élevé dans la religion* », écrit le jeune Proust-*Jean Santeuil.*

Tout en se reconnaissant et se déclarant catholique, il ne céla jamais, si peu que ce fût, sa filiation maternelle. Sa fameuse lettre à Montesquiou en est un exemple entre autres. « *Si je suis catholique comme mon père et mon frère, par contre ma mère est juive. Vous comprenez que c'est une raison assez forte pour que je m'abstienne de ce genre de discussion... je serai toujours intéressé par vos idées de politique sociale... même si une raison de suprême convenance m'empêche d'y adhérer!* »

Ouvert aux théories radicales de certains de ses amis, il resta tout à fait respectueux des conventions et traditions des siens. Tant que sa santé le lui permit, il allait chaque anniversaire sur la tombe des disparus. Il prenait la plus grande part aux deuils (non pas seulement en affliction), s'inclinait devant certains devoirs religieux dus à ses proches, ne se dérobait pas aux cérémonies. Quand Robert se maria en grande pompe à l'église Saint-Augustin, en 1903, Marcel, malgré ses trente-deux ans, accepta — bien à son corps défendant, il est vrai — d'être garçon d'honneur (et fit la quête grotesquement emmitouflé).

On ne peut contester que baptême, catéchisme, première communion ne lui laissèrent aucune religiosité. « Il ne retenait de la religion que son aspect esthétique » : attachement aux cathédrales, à la beauté de leurs pierres.

Faut-il avec Maurois découvrir dans son œuvre une tendance mystique, du fait qu'il se complaît à évoquer les scènes d'enfance où, accompagné de son frère, il portait, au mois de Marie, des branches d'aubépines fleuries sur l'autel de Saint-Jacques? Peut-on tirer argument du fait qu'au seuil de sa vie d'homme (en 1892 ou 1893), il va entendre l'abbé Vignot prêcher le carême? Que toujours il aima les églises, les clochers, les vitraux, où il trouvait des motifs poétiques?

Il est certain que ses allusions, ses métaphores, son vocabulaire sont souvent d'inspiration chrétienne (« *souvenirs...* *qui anoblissent son âme de leur couronne d'épines* »), qu'il cite l'*Imitation,* qu'il est travaillé par le scrupule de l'enfance catholique. « Incroyant, Proust ne fut jamais un laïque. » (A. Ferré.) Tout alla s'atténuant avec l'âge. Son absence de sectarisme idéologique (en réalité absence de conviction en ce domaine) lui permit de se lier intimement avec de jeunes protestants ou d'autres camarades de tendances confessionnelles diverses.

Il est par ailleurs très peu probable qu'il ait été « tourmenté au cours de son enfance et de sa jeunesse par sa double appartenance raciale ». Et on ne peut réellement pas suivre ici

Painter qui le voudrait « tentant de pallier la tare imaginaire de son sang juif ». Malgré ceux de ses écrits où, à propos de *Charles Haas* ou de tels autres, il s'étend sur la « *race maudite* », rien ne donne à penser qu'il se soit senti concerné. Se considérant hors de cause, il fut d'autant moins gêné de disserter de 'leur' cas, que ce n'était pas le sien. Pratiquement, il abordait tous les sujets religieux avec la plus grande aisance, sans marquer de distinction, sans montrer de partialité.

Le voici à vingt-quatre ans écrivant à R. Hahn, après un dîner chez les Daudet, en 1895. « *Et les juifs ont aussi cela, par un autre bout, une sorte de charité de l'amour-propre, de cordialité sans fierté qui a son grand prix.* »

Puis, le voici, écrivant à G. de Lauris en 1903, après la terrible dispute entre ses amis, où il s'était courageusement interposé. « *L'esprit chrétien et même le dogme catholique n'a rien à voir avec l'esprit de parti que nous voulons détruire (et que nous copions) etc..* »

En résumé, ni le sens mystique, ni l'inquiétude métaphysique n'avaient, chez les Proust, la place qu'on leur accordait dans la majorité des familles bourgeoises similaires, et l'athéisme de Marcel, jamais contredit chez lui, va de soi.

En novembre 1908; il écrira à Mme Strauss : « *Au nom du ciel... auquel nous ne croyons hélas ni l'un ni l'autre* », et en août 1914, à Lionel Hauser, au moment de la déclaration de guerre : « *Moi qui ne suis pas croyant...* »

L'écrivain, dans l'immense univers où il tourne en rond, laisse de côté, comme si elle ne se posait pas, la grande interrogation fondamentale : Dieu? « Dieu qu'on chercherait en vain dans les seize volumes du *Temps perdu et retrouvé* ». (H. Massis.)

Questions d'argent

Malgré son élévation d'âme et sa distinction d'esprit, Mme Proust ne se désintéressa jamais de ses tâches matérielles, et, parmi elles, d'une sage gestion domestique. Elevée par un père financier et méticuleux, sans doute lui avait-on inculqué la valeur et le sens de l'argent. De fait, elle ne cessa de veiller aux dépenses des siens, et fit fonction de comptable dans son intérieur. Elle avait probablement une cassette personnelle dont elle usait à part le budget familial.

Son mari, de son côté, comme tous ceux qui ont fait leur situation à force de travail, savait ce qu'il en coûte, et conservait le goût de l'épargne. En voici un exemple puisé dans *Jean Santeuil* : « *Une barque ainsi louée coûte trois francs, et il est à peine besoin de dire que M. Santeuil n'en avait jamais prise, lui qui trouvait criminel de prendre une voiture quand on n'était pas trop pressé... Ses habitudes d'économie auxquelles jusque-là* [la vieillesse] *il n'avait jamais manqué...* »

Les revenus allèrent augmentant jusqu'à devenir importants, d'où le confort dans lequel vécurent bientôt parents et enfants. Et pourtant point de faste.

Marcel, comme son frère Robert, furent donc élevés sans connaître pratiquement aucune privation. Tandis que le cadet s'adonnera aux sports (vélocipède, équitation, voile, et, bientôt, automobile), qu'il entretiendra de petites amies, l'aîné fera son entrée dans le monde avec les ressources d'un fils de famille (fleurs, cadeaux, voitures, réceptions de plus en plus brillantes).

Mais les choses se gâtent bientôt, car Marcel dépasse les bornes. Les parents aussitôt solidaires, vont réagir de concert. Jamais le professeur Proust ne fut contrecarré par sa femme, ni elle par lui. Ils discutèrent entre eux, c'est évident, des décisions à adopter, s'inspirant du même souci. Lorsque le père fut lassé de lutter, la mère s'interposa, prit en main les rênes pour réfréner une prodigalité aussi déraisonnable que peu convenable.

Il faut renoncer à reproduire dans leur intégralité, les passages de lettres où les deux correspondants font leurs comptes ou échangent leurs récriminations. Cela lasserait vite. Le lecteur amateur de pittoresque n'aura qu'à parcourir le volume de la Correspondance réunie par Ph. Kolb.

Au cours des douze dernières années au moins, on ne trouve guère de missives, de billets où ne soit abordée l'épineuse question. Cela tourne parfois littéralement *au compte de blanchisseuse.* L'importance en paraît démesurée. Il en fut ainsi cependant : tracas continuel allant par périodes jusqu'à troubler la bonne humeur des réunions familiales.

A vrai dire, la mère était regardante et, en certains détails, passerait aujourd'hui pour ladre (elle laisse à l'hôtel de Dieppe, le gaz brûler toute la nuit; « *c'est te dire que l'éclairage est compris* »). Marcel raconte quelque part à un ami que le Dr. Cazalis ayant envoyé un télégramme « *dont l'enthousiasme était excessif et l'affranchissement insuffisant* », Mme Proust dut payer trois francs de surtaxe, « *ce qui exaspéra ses instincts, également lésés, de la concision et de l'économie.* »

A cette économie, Marcel va se trouver sans cesse en butte; on le verra tantôt désireux de bien faire, rallié à la doctrine maternelle, s'efforçant d'épargner, coupant un sou en quatre, et tantôt dépenser sans raison, jetant positivement l'argent par les fenêtres, tour à tour parcimonieux, scrupuleux, raisonnable, retors (la poche de pantalon percée), dramatisant, tourmenté, rangé, incohérent, chicanier, quémandeur, repentant, agressif.

Il y avait eu très tôt des incidents assez graves qui s'aggravèrent encore quand l'enfant dépensier devint un homme refusant de se restreindre.

Une première fois, en 1889, (il n'a que dix-huit ans) quand
Laure Hayman, consultant le professeur, lui raconte les prodigalités de Marcel à son égard. En 1892-93, une autre fois,
lorsque les manières fastueuses de leur fils exaspèrent les sentiments de bienséance des parents qui, quant à eux, se
privent de tout superflu. Et ainsi de suite.

Proust, toujours au foyer paternel, et toujours le même,
atteint la trentaine, et la crise éclate. De longues homélies
sont relatives aux scènes — violentes parfois — qui se
déroulèrent alors (« *luttes qui laissent ensuite des traces profondes dans l'esprit de Papa et fortifient des préjugés contre
lesquels toute l'évidence du monde ne pourrait lutter.* »)

Dans la dernière année de la vie de son père, en 1903, on
s'était arrêté à la formule d'une pension. On espérait ainsi
obliger Marcel, 'à son compte', à établir un budget. Il se plaint
amèrement de dispositions financières qui ne lui conviennent
pas. Ne gagnant rien par lui-même, ayant de grands et imprévisibles besoins, il ne pouvait s'en tirer. La situation devenait
intenable.

Pendant les deux ans qu'il vécut avec sa mère veuve, les
désaccords s'étaient quelque peu atténués. Sans doute dispo-
sait-il désormais de plus de moyens personnels.

Que serait-il advenu, s'il était demeuré sous la dépendance
de ses parents? Mais ses parents moururent vers ce temps-là.

Il a trente-quatre ans; il hérite d'une grosse fortune en même
temps qu'il devient libre.

La question pécuniaire — si mesquin que cela semble —
fut la 'pomme de discorde' entre Proust et son entourage.
Tandis qu'on se résigna progressivement à sa frivolité, à son
désœuvrement, à des excentricités tant soit peu choquantes,
jusqu'au bout père et mère luttèrent pied à pied pour lui
inculquer le sens de la valeur de l'argent. Et quant à Marcel,
tandis qu'il adopta la plupart des idées et des coutumes affi-

chées par les siens, il se montra inaccessible aux principes familiaux concernant l'épargne et l'économie.

Il n'empêche que quelque chose lui en restera. Il ne pourra s'affranchir du souci monétaire.

Dans la *Recherche,* on en recueille de fréquents échos (commérages de Françoise, plaintes de la mère du *Narrateur* touchant les dépenses pour Albertine). Mais, dans la vie vécue, c'est plus notable encore.

De même qu'au cours de sa jeunesse, on le voit quelquefois chipotant sur la taxe d'un pneumatique destiné à la comtesse de Noailles, faisant porter à Mme Strauss des fleurs ayant servi la veille au soir à un grand dîner, marchandant le prix d'un abonnement, se tracassant pour un mandat perdu, de même, le dernier tiers de son existence, le retrouvera-t-on inquiet, parfois pour des vétilles.

Il a peur de manquer, ou il fait semblant. Il gémit, se croit, se dit, veut se faire croire ruiné; c'est à n'y rien comprendre. De plus, et c'est pitoyable, le voilà, lui si incompétent dans l'ordre pratique, qui se mêle et s'embarrasse de spéculations financières, assaille ses banquiers, fait expertiser ses meubles, s'insurge contre sa propriétaire, défend âprement ses intérêts auprès de ses éditeurs.

Et, cependant, jusqu'au bout, il voudra faire le généreux, aura le geste facile, ne recevra plus qu'au Ritz, ne regardera pas à ce que d'autres considéraient comme des extravagances.

Il ne put ou ne sut ni se soustraire à la sujétion de l'argent, ni réprimer ses gaspillages et ses libéralités : deux propensions contradictoires et également invincibles, dont l'une venait de sa nature, l'autre d'un réflexe d'éducation.

LES RELATIONS DE FAMILLE

MONSIEUR ET MADAME PROUST

Le couple que formèrent le professeur et Mme Adrien Proust, pourrait sans doute être offert en exemple. L'harmonie qui régna entre eux, était remarquable. Les épreuves ne leur manquèrent pas, cependant : la première année de mariage, vécue de bout en bout dans leur solitude à deux au milieu d'événements tragiques, ultérieurement la maladie, le désœuvrement et les bizarreries de leur fils; des deuils répétés.

Les sentiments qui les avaient unis étaient solides, et se maintinrent. Les caractères s'accordèrent. Les principes de vie leur étaient communs. Il n'y avait aucun sujet de mésentente. La belle-famille d'Illiers vivait à l'écart et, durant les périodes de vacances, se montrait fort accueillante et cordiale. Les beaux-parents Weil, qui prônaient beaucoup leur gendre, avaient chez lui table ouverte, et réciproquement.

Si, au début, on regardait à la dépense, l'aisance vint vite, puis un certain luxe, jamais excessif, et il n'y eut, à aucun moment, de soucis d'ordre pécuniaire.

Quant à la carrière du professeur, sans cesse ascendante, elle fut sans heurt.

Au XIXᵉ siècle, les coutumes voulaient que la femme soit passive et subordonnée à son mari; les opinions de celui-ci prévalaient; sa volonté décidait. Quelques-uns en abusaient. Ce ne fut absolument pas le cas d'Adrien Proust qui aimait et admirait trop sa femme pour ne pas lui marquer une déférence qu'elle méritait. Elle, aussi réservée que fine et sage, tint son rôle avec un tact et une sûreté rares.

Intellectuellement, les époux ne se ressemblaient pas. Elle inclinait vers les lettres et les arts. Lui n'y entendait rien et n'était féru que de sciences (on était en plein engouement scientifique). Sans discuter, elle convint de la supériorité maritale.

Le grand problème pour eux fut leur fils aîné. Il se posa très tôt; et il faut admirer comme ils s'y appliquèrent en parfaite intelligence. Quoique leurs réactions ne concordassent pas toujours, ils se firent les concessions voulues pour le bien de la cause commune. En aucune circonstance ils ne se désolidarisèrent.

Le climat des relations fut donc d'une sérénité sans nuages. On sait qu'Adrien Proust était bel homme et le resta longtemps : carrure imposante, vite un peu plantureuse, port avantageux, barbe soignée, brune avec une touffe blanche. Beau causeur sans doute, son prestige professionnel aidant, il connut des succès mondains et même féminins. Cela n'est guère douteux. Profondément blessée dès la quarantaine par la perte de ses parents, Mme Proust s'enferma avec son chagrin, se confina chez elle, laissant, sans l'accompagner, son mari dîner en ville, se rendre aux galas et aux spectacles. De Marcel à sa mère en octobre 1896 (elle est à Dieppe, et il est question qu'il l'y rejoigne) : « *Papa serait bien plus libre ici sans toi pour les fêtes russes.* » Par une phrase incidente d'une autre lettre, en 1899, on apprend que son mari part pour une grande fête à l'Opéra en la laissant à la maison. Il était médecin-chef de l'*Opéra-Comique* dont il goûtait beaucoup le répertoire. On a colporté qu'il papillonnait avec des demoiselles de vertu facile, et qu'un jour, plaisantant avec un de ses collègues, il protesta : « Elles deviennent terribles. Bientôt, il va falloir les payer. » On lui prêta aussi quelques bonnes fortunes auprès des dames du monde. Cela n'alla pas loin. On n'a écho d'aucun incident conjugal. Mme Proust, épouse sensée, ne s'aperçut ou voulut ne s'apercevoir de rien. Bien plus tard, Marcel racontait dans l'intimité : « *Maman n'a jamais rien su.* » Mais, lui s'était bien rendu compte.

Au surplus, par ses fonctions ou pour sa santé, le professeur devait s'absenter seul assez souvent, ou, au contraire, se trouvait retenu à Paris quand les siens étaient en vacances.

En août 1890, il revient de mission à la frontière espagnole. De Mme P. : « *Quant à ton père enchanté — a supporté admir*[ablement] *une chaleur de feu... Tout dépoussiéré et à neuf aujourd'hui. Le voyage, dit-il, est une chose charmante, puisqu'on est enchanté de partir et enchanté de revenir.* » Il repart en septembre, seul, en villégiature à Aix-les-Bains, chez ses amis Cazalis. En août 1892, il fait une tournée d'inspection sanitaire au Havre, puis se rend à Vichy pour une cure en compagnie de M. de Montholon. En septembre 1894, seul encore à Vichy. De Mme P. : « *ton père très ému à Vichy par la nouvelle de la chute de son fils* [Robert] — *a pris le train — et nous est arrivé hier soir tout tranquillement! comme dit ton grand-père.* » Durant l'été 1895, on trouve Mme Proust seule à Paris, son mari absent, Marcel en Normandie, Robert faisant son service militaire, à Reims. En 1896, de Mme P. : « *Ton père est (je crois aujourd'hui encore) à Carlsbad... il arrivera 1 7 bre — matin ou soir — et le 4 partira à Vichy.* » Elle part pour une cure au Mont-d'Or, puis à Dieppe. En 1900 elle quitte Evian, laissant son mari prolonger sa saison, et va surveiller son emménagement rue de Courcelles.

Mais, à l'inverse, on les voit ensemble à Trouville, à Zermatt, à St-Moritz, à Interlaken (faisant excursion au Righi), et, plusieurs années de suite, à Evian.

Sur l'existence à Paris, on a forcément moins de renseignements : la famille rassemblée, la correspondance se raréfie. Tout ce qu'on en sait confirme l'entente affectueuse et paisible.

On se conforme à l'horaire des repas (sauf Marcel, ce qui n'a pas dû être accepté d'emblée), horaire souvent perturbé par les obligations du praticien. Mme Proust accompagne parfois son mari chez ses patients, le conduit à l'hôtel Dieu. « Elle était, écrit Le Masle qui, pour sa thèse, tint ses informations de Robert Proust en personne, elle était la secrétaire, la collaboratrice, la zélatrice de son mari. »

A la belle saison, ils font à pied le grand tour « *réglementaire* » à travers les chemins de Passy et d'Auteuil, alors pleins de verdure. Rentrés chez eux, elle lui joue des airs de piano, elle lui fait la lecture. En octobre 1896 : « *Ton père m'a fait lire hier huit colonnes de Parville qui m'ont appris que toutes les fois qu'il fait mauvais temps, ce n'est pas sans raisons.* » Enfin on trouve, sous la plume de Marcel, en ce même an 1896, ce passage allusif : « *Je suis curieux de votre dîner conjugal et champêtre.* » La légère gouaille de ces deux dernières citations dénote, entre la mère et le fils, une connivence un peu espiègle.

Mais, si le chef de famille est ainsi quelquefois, doucement blagué, cela n'ôte rien à sa souveraineté de fait, à son rôle reconnu de chef de famille, d'homme écouté, d'homme pratique. C'est toujours : *ton père* : « *J'espère que tu attendras le passage de ton père* » — « *tantôt j'ai eu une lettre de ton père cette fois adressée ici* » — « *ton père m'a d'ailleurs offert de ne rentrer que le 1* ». Le père ne se prive pas de gourmander sa femme et son fils, pour leurs embrassades d'adieu trop prolongées sur la terrasse de l'hôtel, à Evian. Et l'exercice de son autorité n'est pas moins manifeste, quand il s'agit de discussions graves avec le récalcitrant, où l'épouse s'incline, quitte, une fois seule à seul avec son mari, à le calmer en lui disant gentiment : « *Allons, mon petit docteur, ça s'arrangera!* »

A son égard, elle avait les puériles illusions de la femme aimante, allant jusqu'à s'émerveiller de son sens de l'orientation (« *tu es extraordinaire!* »), et même, estime Marcel, une véritable humilité. A coup sûr elle tenait en haute considération la situation honorifique qu'avait atteinte le grand hygiéniste, dorénavant un des grands prêtres de la médecine officielle.

Son amour conjugal s'exprime noblement quand elle devient veuve. Elle exhorte Marcel à continuer ses travaux ruskiniens, à la mémoire du disparu. Proust l'a décrit dans son affliction (lettre à la comtesse de Noailles — déc. 1903) : « *Mais c'est ma pauvre Maman dont je n'ai même pas le courage de penser sincèrement quelle pourra être la vie, quand je me dis que la seule personne pour qui elle vivait* [1] *(je ne peux même pas dire qu'elle aimait, depuis la mort de ses parents, car toute autre affection était si loin de celle-là) elle ne le verra plus jamais. Elle lui avait donné à un point qui serait à peine croyable à qui ne l'a pas vu, toutes les minutes de sa vie. Toutes maintenant vidées de ce qui faisait leur raison d'être et leur douceur viennent lui représenter chacune sous une autre forme et comme autant de mauvaises fées ingénieuses à torturer, le malheur qui ne la quittera plus... moi qui sais avec quelle profondeur et avec quelle violence, et pour quelle durée le drame se joue, je ne peux pas ne pas avoir peur.* » N'y a-t-il pas là quelque emphase?

Dans l'ordre de ses affections, Jeanne Proust, femme de devoir s'il en fût, plaçait-elle d'abord son fils ou son mari? La réponse claire et nette se trouve dans *J. S.* : « *Jamais Mme Santeuil n'avait permis à Jean d'entrer dans sa chambre le soir, de peur de réveiller son mari. Jamais, attentive aux seules préférences de son mari, elle ne consultait son fils pour le menu des repas.* » Ainsi témoigne Proust, proche de la trentaine.

---

1. Quand on sait ce qu'elle donnait d'elle à son fils!

Veuve, elle retournera, par piété, coucher dans la chambre auparavant réservée à feu son époux. Elle entretiendra dévotement, chaque mois, chaque semaine, « *le culte du cher défunt* ».

Bien entendu, selon la loi commune, les rapports avaient évolué avec l'âge. Rien n'en rend mieux compte et ne donne la note plus juste sur ce que fut à la longue la vie privée du couple que — dans *Jean Santeuil* — les passages rédigés par Marcel déjà homme mûr, aux alentours de 1900. Tout y respire la spontanéité, en dépit d'insignifiants camouflages. « C'est l'essence de sa vie recueillie sans y rien mêler... »

En se fiant à ces sortes de confidences (qu'il n'envisageait pas de publier telles quelles), on a certainement plus de chance d'approcher la réalité qu'en les tenant pour suspectes d'inexactitudes. Les voici donc.

Une touche bien typique concernant le père : « *Je ne sais trop, répondit M. Santeuil. Je n'aime guère les tableaux, et ma femme m'endort bien vite en me lisant les vers d'Alfred de Vigny.* »

Dans la bouche de la mère : « *Nous ne voulons pas qu'il garde ses habitudes de petite fille... Nous voulons, mon mari et moi, l'élever virilement... Nous avons sur son avenir des idées très arrêtées...* » Ces déclarations, il les avait entendues à la cantonnade, ou bien, déduites par recoupements de conversations.

Encore un tableau si vivant : « *... Je crois que Jean aimera la poésie, dit Mme Santeuil à son mari avec cette expression timide que donnait au début de toutes ses phrases la crainte que sa tendresse humble et passionnée éprouvait d'ennuyer son mari, de troubler ses pensées, sa digestion et son repos. — Vraiment, dit M. Santeuil avec indifférence, en laissant retomber ses bras sur son gilet blanc il se mit à regarder l'appui de la fenêtre avec une majesté qu'il avait contractée au cours de sa vie publique,... et qu'il tempérait seulement dans le* *domestique avec une rondeur familière. Puis il alluma une cigarette. Les cigarettes de son mari avaient emprunté à ses rapports... une importance qu'il lui semblait de son devoir de femme intelligente et dévouée de respecter et au besoin de défendre. Si M. Santeuil n'avait pas été le mari excellent, plein d'admiration pour l'intelligence supérieure et le tact de sa femme, plein de reconnaissance pour sa déférence et son dévouement passionnés, et qu'il eût semblé vouloir goûter hors de chez lui des plaisirs contestables, il est probable que Mme Santeuil se fût immolée à cette condition nouvelle du bonheur de son mari... La liberté d'esprit qu'il gardait... au milieu de tant d'occupations en imposait à tout le monde mais émerveillait Mme Santeuil... Elle était persuadée que ses dons étaient peu de chose, puisque un homme de la supériorité de son mari en était dépourvu. Elle plaisantait son incompétence en présence d'une œuvre d'art ou d'une circonstance difficile de la vie, son manque de tact ou sa dureté même envers un interlocuteur, avec une douceur affectueuse, comme la femme d'un artiste le plaisante sur sa distraction ou son inexactitude. Et, quant [à ses] travaux..., elle pensait qu'elle et toutes les natures comme la sienne étaient incapables... M. Santeuil jeta sa cigarette et sa femme lui fit le même accueil joyeux et flatteur qui l'attendait quand, finissant de travailler, il fermait son encrier et venait près d'elle. Elle l'embrassa et le regarda avec ce sourire où l'honnêteté brillait à côté de l'insouciance. Il ouvrit la fenêtre. »*

Une autre scène prise sur le vif : « *Je sais maintenant quel est l'écueil, dit un soir Mme Santeuil à son mari, qui, les pieds contre les chenêts, considérait les flammes avec bienveillance... Cette force dont l'absence est un terrible écueil, c'est la volonté. — Pas de volonté, mauvaise affaire, répondit M. Santeuil en éloignant vivement du feu ses chaussettes qui commençaient à brûler. J'ai manqué me brûler, mais aussi pourquoi me parles-tu toujours pendant que je me chauffe les pieds? Mme Santeuil... unit mélodieusement son silence à celui de son mari. »*

Quelques lignes ironiques : « *Et Mme Santeuil pleine de goût en littérature, de bon sens dans la vie, de drôlerie quand il s'agissait de raconter la plus simple histoire, de cœur, de tact, d'habileté pour tenir le ménage, mais ignorant la météorologie, la géographie et autres sciences, était émerveillée que M. Santeuil sût que Pâques serait de bonne heure cette année et trouvait dans cette preuve évidente de supériorité, une occasion de lui renouveler intérieurement, sa louange d'admiration et son vœu de docile sujétion... »*

Un incident bien significatif : « *Je ne vois pas ton père, un homme occupé, allant mettre une carte à un petit jeune homme de dix-sept ans... Enfin Mme Santeuil céda devant les instances de son mari et Jean embrassa son père avec reconnaissance... Il fut clément à l'ennemi et sur le front de sa mère qui n'avait battu en retraite que quand M. Santeuil s'était trouvé du côté de son fils, Jean mit un baiser magnanime... »*

Combien le petit roué y voyait clair! « *Elle avait été trouver son mari et lui avait demandé d'agir, ce que M. Santeuil ne faisait qu'à toute extrémité car il n'y excellait pas, mais faisait alors avec une violence immodérée... »*

Cette esquisse : « *M. Santeuil s'étant assis, se taisant, regardait avec douceur sa femme, reporté par ces mots :* « *Quand nous ne serons plus de ce monde »*, *au temps où sa femme était fraîche et belle, et aux longues années qui avaient suivi. La tête en arrière renversée sur le dossier de sa chaise-longue, Mme Santeuil voyait le ciel innombrable... »*

Quant à lui, vers la fin de sa vie, il eut pour sa femme des « *délicatesses qu'on ne lui connaissait pas.* »

Pour terminer, ce récit émouvant, qu'inspire au jeune homme l'apitoiement de son cœur envers ses parents bien-aimés et sénescents.

« *M. et Mme Santeuil s'acheminaient vers le port où l'on*

loue une barque. Ils mettaient longtemps pour arriver là, car maintenant ils marchaient bien lentement tous deux, Mme Santeuil ayant les jambes faibles, M. Santeuil la respiration courte. Les mouvements de chacun, tous ceux du moins qui étaient volontaires, car sans le vouloir Mme Santeuil boitait un peu, M. Santeuil courbait un peu ses épaules, étaient une série de précautions prises à tous moments renouvelés contre la faiblesse de l'autre. Si le chemin devenait difficile, M. Santeuil prenait plus fort le bras de sa femme; si le vent soufflait, Mme Santeuil se mettait devant son mari pour qu'il ne lui coupât pas la respiration. Car la pitié pour les chagrins de sa femme, la sollicitude pour ses infirmités, leur même tendresse pour Jean et la désillusion des bonheurs où elle n'avait pas part, avait conduit M. Santeuil à une tendresse aussi attentive pour sa femme que celle que naturellement elle avait eue toujours pour lui. Et maintenant il était beau de les voir ainsi rapprochés, mêlés, confondus, tordus ensemble et s'étayant l'un sur l'autre comme deux arbres enlacés. Ils appelaient le passeur... »

Tout *Jean Santeuil,* il faut le répéter, est à lire, en tant que documentaire.

Une des dernières confidences du vieillard, au déclin de sa longue carrière, fut recueillie par son collègue et doyen, le professeur Debove, et transmise dans l'oraison funèbre que celui-ci prononça lors des obsèques : « *J'ai été heureux toute ma vie, je n'ai qu'un souhait à formuler, m'en aller doucement et sans souffrance.* » Quel plus beau témoignage pouvait-il rendre à celle qui s'était vouée à son bonheur?

MARCEL ET SON PÈRE

Il est peu d'exemples de rapports entre père et fils, exempts de tout malaise. Il serait donc surprenant qu'entre Marcel Proust

et son père ait régné une harmonie si rare. Les motifs de
mésentente ne leur manquèrent pas. Et, pourtant, grâce aux
règles morales, grâce aux usages, et malgré les différences de
tempérament, les divergences d'idées, les sautes d'humeur,
l'union ne fut pas menacée, ni, plus tard, le souvenir terni.

En dehors d'incidents toujours possibles mais ignorés,
et mise à part l'opposition entre le père et les deux fils au
sujet de l'affaire Dreyfus (ils ne se parlèrent pas pendant
toute une semaine), les points de friction principaux portèrent sur l'hygiène et les soins de santé, sur le choix d'une
carrière, sur l'esprit d'économie, sur les conceptions du mode
de vie.

On doit mettre à part les troubles du premier et du second
âge, puisque les mesures requises par l'hypersusceptibilité de
l'enfant relevaient avant tout de la mère et que, s'il y eut
conflit (conflit indéniable — qui a servi de base à certaines
thèses psychanalytiques — mais, somme toute, assez banal)
le père n'y prenait part que de loin. Les études — sauf
par brèves intermittences — méritaient plutôt des éloges;
l'incident évoqué dans le récit où *Jean* (*Santeuil*) est menacé
d'être envoyé au redoutable lycée Henri IV, paraît être une
fiction.

Tant qu'il fut jeune collégien et relativement docile, il se
soumit, se conforma aux indications paternelles. C'est sans
trop d'impatience qu'il fermait son livre quand il s'entendait répéter : « *Tiens-toi droit!* » Au régiment, on l'observe
accueillant les conseils diététiques par le truchement de sa
mère (ration de vin, de lait, de fromage blanc), exposant lui-
même par écrit à son père, ses symptômes. D'Orléans,
sept. 1889 : « *Mon cher petit papa, si je n'ai pas commencé
ma correspondance avec toi c'est que ma permission s'est
passée surtout au lit... Je ne suis pas mal portant du tout (à
part l'estomac) et n'ai même pas cette mélancolie générale dont
cette année l'absence est sinon la cause — tout au moins le*

prétexte — par conséquent l'excuse... A demain, mon cher petit papa... ton fils M. P. [1]. »

Par la suite, ayant mieux pris conscience de son mal, appliqué à l'analyser, rebuté par l'inefficacité des avis autant que par leur diversité, assez vite sceptique quant à la médecine et aux médecins, récoltant de droite et de gauche des recettes empiriques, le voilà qui se met à se traiter à sa guise, choisit son régime, ses remèdes, ses horaires de repas et de sorties, prend des manies (en vérité, il se débat avec une maladie aussi capricieuse que lui-même). Il n'hésite pas à déranger les sacro-saintes habitudes familiales. Le chef de famille, rigoureux sur l'obéissance et la règle, ne l'entend pas de cette oreille; le professeur d'hygiène à l'autorité indiscutée dans le monde entier, est froissé de tant de caprices qui paraissent défier, à son propre foyer, les dogmes qu'il enseigne et impose partout ailleurs.

Qu'il y ait eu des discussions, on n'en saurait douter. On imagine aisément quelques dialogues du genre de celui de Créon défendant la doctrine et Antigone l'hérésie, avec les arguments péremptoires de l'un, les réfutations sacrilèges de l'autre. Le père avait pour lui sa science et son ascendant professoral, mais le fils, tout en respectant la toge, regimbait contre les articles du code. L'irritation d'abord vive, devint sourde. Pour continuer à combattre, Adrien Proust aimait trop sa tranquillité. Impuissant à se faire obéir et à court de moyens efficaces, il finit, dans un haussement d'épaules, par s'en désintéresser, quitte à formuler à l'occasion quelque sanction doctorale.

Constantin Brancovan racontait que le professeur lui aurait dit que l'asthme de Marcel était imaginaire. Le mot est équi-

---

1. Rien ne prouve qu'il n'écrivait pas souvent à son père; mais celui-ci, à l'inverse de Mme Proust, ne devait pas conserver les lettres? Cela peut induire en erreur sur leurs rapports respectifs.

voque. Trois hypothèses : ou il n'y croyait vraiment pas, c'est fort improbable; ou il tâchait de minimiser devant le monde, cette tare physique de son fils; ou il ne voulait pas, vis-à-vis de Marcel, avoir l'air d'y attacher trop d'importance.

Vint l'époque où Marcel, revenu de son volontariat, commença à flâner sans manifester la moindre envie de choisir une carrière. C'était affronter l'une des plus solides traditions d'un milieu où un métier, laborieux, lucratif et honorifique à la fois, représentait (avec le mariage de raison) le moyen d'assurer son avenir et son bonheur. Il parle de littérature. Un artiste! Là le père ne comprend pas et n'entend pas se prêter à de vagues velléités, tellement peu conformes à son propre exemple (son autre fils Robert comblera ses vœux). La mère, offusquée aussi dans ses préférences, n'ose souffler mot; même si l'instinct lui laisse entrevoir les dons de son enfant : « *... je ne souhaite pas à mon fils d'être un artiste de génie. Je préférerais avec son intelligence réelle et toutes les relations de son père, le voir parvenir un jour dans les ambassades ou dans la haute administration à une situation importante, rémunératrice et considérée.* » (in *Jean Santeuil.*)

Mais surtout elle est « *éperonnée fougueusement* » par son propre père, Nathé Weil, intraitable, qu'il faut entendre, tel que Jean Santeuil l'entendit. « *Ce sera bien agréable si ce petit monsieur, au lieu de suivre les traces de son père, fait un jour partie de la clique de tous ces coquins.* » — « *Nous avons le temps, ne vous inquiétez pas, dit M. Santeuil en souriant avec un calme naturel qui prenait volontiers le ton de la philosophie.* » — « *Le temps, le temps, pas tant de temps que ça! C'est ce que l'on dit toujours, le temps, et pendant ce fameux temps les années passent et on ne corrige rien et on voit un jeune homme, fils d'un grand homme intelligent, riche, et qui pouvait prétendre à tout, dissiper la fortune bien acquise, déshonorer le nom universellement considéré de son père et finir par crever de faim, si ce n'est pire, dans un ramassis de scélérats d'hommes de lettres... Vous feriez mieux de lui apprendre le calcul, l'histoire contemporaine et à faire son lit...* » Mme Santeuil s'ingéniait à éviter entre son père et son mari tout dissentiment.

Les difficultés s'aggravèrent et Marcel fut mis en demeure de prendre une décision. A son père, septembre 1893 (il a vingt-deux ans) : « *Mon cher petit papa, j'espérais toujours finir par obtenir la continuation des études littéraires et philosophiques pour lesquelles je me crois fait. Mais puisque je vois que chaque année ne fait que m'apporter une discipline de plus en plus pratique, je préfère choisir tout de suite une des carrières pratiques que tu m'offrais... entre plusieurs maux il y en a de meilleurs et de pires...* » A R. de Billy : « *Que reste-t-il, décidé que je suis à n'être ni avocat, ni médecin, ni prêtre, ni...?* » Tentatives aux Sciences politiques, au Droit, essai d'un poste à la bibliothèque Mazarine, il perd du temps, mais c'est aussi du temps gagné. Il élude et finalement il gagne la partie. De guerre lasse, les parents vieillissants se fatiguent. Ils se contentent maintenant de le voir publier quelques chroniques littéraires et, plus tard, s'attaquer à la traduction de Ruskin. Bien mieux, ils ont accepté qu'il organise chez eux des dîners littéraires, en leur présence, à leurs frais. Ce n'est que quand il abuse, que sa mère est priée de sévir. Plusieurs auteurs attestent que le pauvre vieux Monsieur, comme pour excuser le désœuvrement de son fils, et peut-être aussi pour s'accorder quelque *satisfecit,* répétait autour de lui : « *Marcel sera de l'Académie française.* » En était-il venu à le croire vraiment? Etait-il euphorique à ce point? C'est bien douteux.

Les discussions eurent aussi et presque sans cesse pour objet les dépenses de Marcel, non pas qu'elles fussent très considérables, mais plutôt parce qu'elles étaient inconsidérées. M. et Mme Adrien Proust ne pouvaient concevoir ni, donc, admettre qu'on ignorât le prix de l'argent, et c'est tout à fait l'impression que leur donnait Marcel avec son goût immodéré du faste, ses générosités de nabab.

Le père s'enquérait (auprès de Laure Heyman, par exemple). La mère, sans doute, réglait, sur sa propre cassette, des factures en retard, tout en continuant de lutter. Mais l'orage éclatait parfois : comme le soir où Antoine Bibesco, trahissant la parole donnée quelques minutes avant à Marcel, raconte pendant un dîner chez les Proust, sans se douter des conséquences, les excentricités de son ami, en matière de pourboires. Le professeur ne put se contenir devant tant de prodigalité incongrue. Il entra dans une grande fureur. Tout le monde était consterné, la soirée fut gâchée. Juillet 1903; de Marcel à sa mère : « *...absurde sortie de Bibesco... répartie si injuste de Papa... combien la fausse interprétation que vous avez acceptée de ma manière de prendre l'existence empoisonne ma vie, etc.* ».

Ce n'était pas la première fois. Ce ne fut pas la dernière.

Enfin, le 'mondain' ne trouvait pas chez lui moins d'incompréhension que le désœuvré ou le prodigue. Comment à un homme, d'une condition modeste, parvenu par lui-même à force de labeur et de sacrifices, constamment appuyé sur des principes selon lui salutaires et donc irréfutables, de méthode, d'application, de sobriété, eût-il été possible de condescendre à l'abdication de la volonté, aux excès de la frivolité? Les fous-rires dont Marcel était coutumier, le crispaient. D'ailleurs tous les autres reproches, manque d'hygiène, paresse, dépenses, se trouvaient remis en question à propos des sorties du salonnard et du noctambule qui ne prenait plus qu'exceptionnellement ses repas en famille et vivait à contretemps des siens.

La question se pose, insistante, de l'attitude des parents concernant les inclinations puis les déviations sexuelles de leur fils. La lecture des récits, *Les Plaisirs et les Jours,* aurait dû suffire à les alerter. Comment supposer qu'ils eussent supporté passivement de tels outrages à leur morale conventionnelle? Et la mort survint pour leur épargner l'inévitable et le pire.

Voilà dans leur réalisme les différends ayant fâcheusement troublé l'atmosphère familiale. Quant aux contraintes que, pratiquement, eut à subir le jeune homme 'prolongé', elles n'eurent, en fin de compte, rien de despotique. Tutelle paternelle, mais non point férule paternelle.

Sur le plan intellectuel et moral, il est à première vue difficile de trouver beaucoup de ressemblance entre le père et le fils. On a pourtant fait remarquer avec justesse quelques 'correspondances'. Mondor leur reconnaît en commun la puissance analytique, l'objectivité, en même temps que la méthode de savant. « Il précise l'étiologie, fixe le diagnostic différentiel et on le voit décrire au snobisme, à la jalousie, aux erreurs sexuelles, autant de signes et de causes que son père aux aphasies, au ramollissement du cerveau. » (Le Masle.) Mimétisme ou hérédité?

Physiquement, sans qu'ils se ressemblassent guère, les amis intimes leur trouvaient et leur dépeignaient des traits communs. Plus tard, à Céleste qui sourira de ses tics, de lui voir lécher, en le rabattant entre ses dents, un pan de sa moustache, arquer le buste quand il s'apprête à sortir, Marcel répondra : « *Je tiens cela de Papa.* »

Comme lui enfin, il travailla jour et nuit, s'acharna à sa tâche. Marie Gineste, sœur de Céleste décrétera devant ce spectacle : « Ce sont des vies données. »

Quel jugement portait en son for intérieur le docteur Proust sur son fils aîné?

Pour s'en faire une idée plausible, il faut bien se souvenir que le tête à tête dura plus de trente ans.

Au début, le jeune père en pleine verdeur, imbu de préceptes, tente, quoique le fond de son caractère ne soit pas combattif, de combattre ce qu'il considère comme de mauvaises tendances, d'orienter son fils selon ses préférences.

Dans une seconde phase, au sommet de sa puissance, tout entier à ses charges publiques, il préfère passer les rênes du gouvernement domestique à la sûre Mme Proust, se bornant à intervenir quand cela s'impose.

Sur le tard, enfin, déconcerté et, qui sait? à demi-convaincu, blasé aussi, lassé surtout, il se borne à quelques remontrances. Le vieil homme a devant lui un homme fait, non certes selon son idéal, mais avec lequel il finit par composer.

Il lui demande même de lui préparer le canevas de certaines allocutions. Il le fait asseoir devant son bureau et l'écoute silencieusement, en suçant sa moustache, concluant laconiquement : « *C'est bien.* » Dans son discours pour l'inauguration du monument Pasteur, en 1903, à Chartres, on décèle sans difficulté l'inspiration de Marcel, son style, ses futurs leitmotivs : « *Au portail de Chartres, vous verrez un personnage nommé Magas, le magicien de l'Encyclopédie de Chartres, Magas symbolise l'alchimie; c'est le maître de la science qui fait sortir du domaine mystérieux pour les faire entrer dans la réalité tant de rêves singuliers.* » Et dans celui prononcé six semaines plus tard à la distribution des prix de son Illiers natal : « *Cette émotion que j'éprouve en venant ici après soixante ans, vous ne pouvez peut-être pas bien la comprendre, non que je croie qu'on est moins intelligent à quinze ans qu'à soixante et qu'on soit apte à comprendre moins de choses... Mais il y a une chose à laquelle la jeunesse est fermée, ou à laquelle elle ne peut s'ouvrir que par une sorte de pressentiment, c'est la poésie, c'est la mélancolie du souvenir.* »

Préféra-t-il Robert? Tout l'y portait et celui dont on disait déjà « qu'étaient légitimes pour lui les plus hautes ambitions », le consolait de ses mécomptes paternels. Néanmoins, la meilleure entente avec son fils cadet, qu'accentua la communauté de leurs carrières, n'alla point jusqu'à scinder le noyau familial en deux clans opposés dont a parlé Mme de Gramont. Rien ne l'indique. C'est une vue trop superficielle.

Du côté de Marcel, l'opinion qu'il se fit de l'auteur de ses jours, a donné lieu à bien des commentaires qui ne serrent pas toujours les faits d'assez près. Les témoins, même s'il en vit encore, ne pourraient plus communiquer qu'une impression incertaine. Force est de s'en remettre aux lettres et aux écrits antérieurs à l'œuvre finale.

Voici une série de ses appréciations (presque toutes relevées dans *Jean Santeuil*), aussi nuancées que pertinentes, parce que rédigées sur le moment et sans détour.

(Peu importe qu'il y travestisse son père en haut-fonctionnaire des Affaires Étrangères, introduit dans les cercles politiques — ce dernier point correspondant à la réalité.)

— « *Une majesté qu'il avait contractée dans la vie publique, dans l'accomplissement de tant de fonctions honorifiques, et qu'il tempérait seulement dans le domestique par une rondeur familière.* »

— *Mme S., beaucoup plus intelligente que son mari, douée d'un sens artistique, d'un tact, d'une sensibilité qui faisait à peu près défaut à son mari...* »

— ... « *manque de tact ou dureté même envers un interlocuteur...* »

— ... « *travaux qu'il rédigeait avec tant de clarté, avec une connaissance approfondie* [de la médecine] *unie à tant d'élégance.* »

— ... « *souriant avec un calme naturel qui prenait volontiers le ton de la philosophie.* »

— « *... qui était porté à n'attacher d'importance qu'aux faits particuliers et aux gens du gouvernement.* »

— « *... son indolence lui rendait pénible et par conséquent impossible une décision contraire.* »

— « *... Quel homme grossier! — pensa Jean.* »

— « *M. S. dans le cœur faible duquel l'amour de son fils vivait en bonne intelligence avec l'amour de son repos...* »

— « *M. S. qui restait doux tant qu'il pouvait défendre son repos, mais qui, s'il était attaqué, devenait d'autant plus furieux, arriva.* »

— « *M. S. dont nous avons vu l'amour-propre inoffensif.* »

— « *Son père qui, déjà ennuyé d'écouter tous les soirs les doléances de Mme S...* »

— « *M. S. avec l'indifférence de son sexe pour les illusions et la sensibilité...* »

— « *... le poète adolescent maudit les qualités positives quand il ne les connaît que par un père qui...* »

— « *... il aimait à donner les raisons de ses actes.* »

— « *Il avait gardé l'habitude qui venait chez lui de la précision de son esprit, de la vulgarité de son observation et de l'autorité de son caractère, de nommer à sa femme les choses qui apparaissaient.* »

— « *Soit par amour-propre vis-à-vis des autres, soit par pitié à l'égard de son père, Jean jetait rapidement un voile sur les faiblesses de sa conversation.* »

Il faut lire tout au long le passage de la rencontre avec *Duroc*. Et puis :

— « *Ce que M. S. ne faisait qu'à toute extrémité, car il n'y excellait pas, mais faisait alors avec une violence immodérée, persuadé dès les premiers mots de reproche qu'il adressait,... que son interlocuteur avait besoin d'être réduit en poudre.* »

— « *Jean alla à son père qui avait repris en l'apercevant de son expression farouche et bornée... Lui, plus faible que sa femme, plus violent et plus mou, ne résista pas, et, triomphant d'une légère répulsion, il posa sur ce front encore chaud de colère et de méchanceté pour lui un baiser repentant.* »

On trouve encore, à l'adresse du père, ces tournures plus

que désobligeantes : « — *brutalité paysanne dont une longue vie d'honneur n'avait pu le dépouiller — dureté ironique — préjugés orgueilleux — sèches et fières illusions de sa vie.* » Cela fleure le ressentiment, celui du fils gêné, contrarié, et qui ronge son frein, puisqu'il va jusqu'à parler de : « *l'enfance prisonnière qui ne connaît de la famille que son esclavage.* » Expression manifestement outrée. Quel adolescent n'a, un jour ou l'autre, senti gronder la révolte?

Rien de tel dans le cas présent.

D'abord Marcel a bon cœur. Deuxièmement, il est bien élevé et respectueux. Enfin, il est beaucoup trop lucide pour ne pas discerner ce que, sous ses travers, son père possède de qualités de toutes sortes et de bons sentiments.

Et en effet lors du scandale « Marie » (calqué sur celui de Panama), le père dut être compromis par fidélité à un ami, et l'on voit le jeune homme faire des démarches auprès d'un de ses anciens camarades, journaliste politicien. Scène qui ne peut pas avoir été entièrement inventée; et Marcel pourrait fort bien être intervenu, grâce à ses relations, en faveur d'un père dont il se sent solidaire.

Et voici maintenant des critiques atténuées et plus équitables qui deviennent presque des justifications : « *Il se contentait de rire et de hausser les épaules... rire qui irritait souvent parce qu'il paraissait de la force brutale... ce rire la seule arme que son père opposait à des folies, à des nouveautés, à une façon de comprendre la vie qu'il ne comprenait pas... rire où il y avait au fond de la bonté, un étonnement sans orgueil, de la pitié pour ce qui lui semblait une folie sans qu'il fût sûr que ce n'était pas une supériorité.* »

— « *Il savait bien qu'il devenait vieux, mais il travaillait toujours pour laisser de l'argent à Jean, beaucoup d'argent, car Jean était dépensier et M. S. était inquiet de ce qu'il deviendrait quand il ne serait plus là.* »

— « *M. S... se demandait parfois si après sa mort, sa for-*

tune, l'honneur réputé de son nom bourgeois, loin d'être accrus par son fils, ne tomberaient pas en déchéance. »

Dans *Contre Sainte-Beuve,* rédigé quelques années après la disparition de son père, Proust (est-ce superstition ou piété?) ne l'évoque qu'à peine.

Au moment de la mort soudaine du Pr. Proust, le 26 novembre 1903, Marcel eut une peine extrême, bien évidemment mêlée de soulagement, mais où les remords dominaient .

A la comtesse de Noailles (décembre 1903) : « ... *Vous qui aviez vu papa seulement deux ou trois fois, vous ne pouvez savoir ce qu'il avait de gentillesse et de simplicité. Je tâchais non de le satisfaire — car je me rends bien compte que j'ai été le point noir de sa vie — mais de lui témoigner ma tendresse. Et tout de même il y avait des jours où je me révoltais devant ce qu'il avait de trop certain, de trop assuré dans ses affirmations, et l'autre dimanche... Je ne sais ce que je donnerais pour n'avoir été que tendresse et douceur, ce soir-là, mais enfin je l'étais presque toujours. Papa quand il était malade, n'avait qu'une pensée qui était que nous ne le sachions pas!!!* » Ces lignes à relire attentivement, se passent de commentaires.

A Mme Laure Hayman (décembre 1903) : « ... *Ma mauvaise santé que je ne cesse de bénir en cela, avait eu ce résultat depuis des années de me faire vivre beaucoup plus avec lui, puisque je ne sortais plus jamais* (sic). *Dans cette vie de tous les instants j'avais dû atténuer — et il y a bien des moments où j'ai l'illusion rétrospective de me dire : supprimer — des traits de caractère ou d'esprit qui pouvaient ne pas lui plaire. De sorte que je crois qu'il était assez satisfait de moi...* »

A Robert de Montesquiou (un peu plus tard) : « *Depuis quelques années, ne sortant plus jamais* (resic) *je vivais tant avec lui. Je bénis maintenant ces heures* [de maladie] *passées à la maison qui m'ont fait profiter de l'affection de papa ces dernières années.* » (in Le Masle.) Et de conclure : « *Il avait pour mon intelligence un mépris suffisamment corrigé par sa tendresse pour qu'au total son sentiment sur tout ce que je faisais fût une indulgence aveugle. »*

Comme quoi on peut être à la fois aimé et jugé par son enfant!

Il ressentait même dans ses dernières années une légère vanité à ce qu'une rue d'Illiers portât le nom du docteur Proust.

A tant de sentiments, d'arrières-pensées, l'orphelin voulut donner un gage, en rendant un hommage public dans la dédicace qu'il rédigea en tête de la traduction de la Bible d'Amiens.

« A la mémoire de mon père frappé en travaillant le 24 novembre 1903, mort le 26 novembre, cette traduction est tendrement dédiée. M. P. »

Quant à savoir si la place insignifiante réservée par Proust à son père dans son roman, équivaut à une revanche, consciente ou non, ou si, bien plutôt, il se serait tu délibérément, par décence et par respect, il est difficile d'en décider.

MARCEL ET SA MÈRE

Si l'on projetait d'épuiser le sujet, il y aurait un gros volume à écrire sur les relations de Mme Proust et de son fils. Je n'étudierai que quelques points, laissant délibérément de côté beaucoup de choses cent fois dites.

Dans le domaine culturel, témoignages, documents, confidences, tout est concordant à propos de la confiante intimité qui, de très bonne heure, se créa entre la mère et le fils. C'est un fait établi, et la publication de leur *Correspondance* en apporte encore la confirmation. Toutefois, Ph. Kolb a raison d'insister sur ce qu'elle découvre certains aspects neufs. Et, en effet, une lecture attentive suscite bien des réflexions.

Une première surprise tout d'abord est causée par la ponctuation incorrecte ou fantaisiste. De l'absence extraordinaire

des signes : virgule, point et virgule, deux points (souvent rem-
placés par un tiret ou des guillemets), il résulte que des
phrases entières où les propositions ne se détachent pas, sont
obscures ou gênantes à interpréter (chez lui bien plus que
chez elle, mais chez elle aussi).

« *Mon dîner dans l'île avec Noufflard m'a si bien réussi que
depuis ce moment j'ai bonne mine ce qui n'était pas arrivé
depuis longtemps et quoique mes réceptions d'hier chez moi
aient mal réussi et fait très mal à l'estomac ma bonne mine
dure relativement.* » (M. P.). — « *Je prends le train de
3 heures pour rejoindre Maugny à qui je me consacre comme
il part et m'arrête ici en t'embrassant.* » (M. P.) — « *Ne parle
pas aux Roches Noires de rester jusqu'au 1ᵉʳ parce qu'au
contraire ils ne nous serviront que pour le jour de l'arrivée et
forcés de prendre une maison plus tard nous la prendrons le
plus vite possible.* » (J. P.).

Des parenthèses ne sont pas fermées, des majuscules manquent, des abréviations de mots surgissent à l'improviste.

« *... de pain de lég de from. et de pruneaux —* » — « *M. N...
qui lui est en corresp avec le capitaine* » — « *car cela m'avt
ft bien* » — « *Mille ten bai* » — « *A deux heures du matin,
pendant des pensées fort mélancols, sonnette :.* »

Il y a dans le style quantité d'éllipses, anacoluthes ou asyn-
dètes :

« *En un dimanche passé sans te voir combien vont de
dimanches avec toi...* » (J. P.) — « *(Surveiller les entrailles
de Monsieur & pas de 90 e mille de* la Débâcle!) » (J. P.) —
« *(Je lui avais dit que tu l'invitais mais chambre et hospitalité
à lui offrir)* » (J. P.) — « *... Devant ma mauvaise mine je lui
ai envoyé un petit bleu que non* » (M. P.) — « *Si tu désap-
prouves lacs italiens et Venise (les deux) je préfère Venise* »
(M. P.).

Les deux correspondants datent fort irrégulièrement ou
inexactement leurs lettres. Autant de négligences assez banales,

dira-t-on, mais qui, à ce point, étonnent de la part de personnes instruites et dans la vie desquelles les échanges épistolaires tiennent tant de place; non moins étonnantes du fait de leur analogie chez l'un et chez l'autre. Simple trait de ressemblance? Adaptation puis exagération par l'enfant d'un tic maternel? Entente délibérée concernant certains signes d'écriture?

Chez l'un comme chez l'autre, également, abondance des citations (quelque fois erronées ou volontairement paraphrasées). Ils jouaient avec les réminiscences qui, pour un oui ou pour un non, surgissaient de leur cerveau, tombaient sous leurs plumes. Dans les 148 lettres retrouvées de la *Correspondance,* entre 1889 et 1905 (un assez grand nombre ne sont que d'insignifiants billets), on ne relève pas moins de 30 citations.

1888 « *Dans l'étincellement et le charme de l'heure* » (Marcel).

1890 « *Comme Gœthe qui dit en regardant le 4ᵉ étage « J'aime au-dessus de moi.* » (Mme P.).

1890 « *Elle devint femme de ménage, comme elle était devenue poète par un élan vers les sommets.* » (Mme P.).

1890 « *Ah! Que ce temps est long à mon impatience.* » (Mme P.).

1890 « *Philo sum et nihil philo mihi...* » (Mme P.).

1890 « *Pour avoir dédaigné les fleurs de ses seins nus.* » (Marcel).

1890 « *On aurait vu comme dans* Macbeth *la forêt d'Auteuil marcher vers la forêt d'Orléans.* » (Mme P.).

1894 « *Holà l'hôte, de votre vin et du meilleur...* » (Mme P.).

1895 « *Mère dit l'enfant grec*
       Dit l'enfant aux yeux bleus,
       Je veux de la poudre et des balles. » (Mme P.).

1896 « *Monsieur ne pourriez-vous pas la rendre muette?* »
       (Mme P.).

       « *... de te faire un cœur moins facile et moins tendre.* »
       (Mme P.).

       « *Cet hallo est admirable et j'aime mieux avoir fait cet
       hallo qu'un poème épique.* » (Mme P.).

       « *C'est comme le renoncement aux femmes de Lélio
       dans Marivaux à cause de la trahison de la Marquise.* »
       (Mme P.).

1899 « *Guenille si l'on veut, ma guenille m'est chère.* » (Mar-
       cel).

       « *Un vent avait causé, un vent calma l'orage.* » (Marcel).

       « *Ah! Pour l'amour du chic souffrez qu'on vous ren-
       verse.* » (Marcel).

       « *Salve senescentem.* » (Marcel).

       « *Je reconnus son sang à cette ardeur si prompte.* »
       (Marcel).

       Une longue paraphrase de Chateaubriand. (Marcel).

       « *Voici nos gens rejoints.* » (Marcel).

       « *A ce nom seul je tremble.* » (Marcel).

1901 « *Misère des misères, ou mystère des mystères.* » (Mar-
       cel).

1902 « *Quand par tant d'autres nœuds tu tiens à la douleur.* »
       (Marcel).

       « *Et le moins que j'en pourrais dire
       Si je l'essayais sur ma lyre
       La briserait comme un roseau.* » (Marcel).

1903 « *Vous m'êtes en dormant un peu triste apparu.* »
       (Mme P.).

1904 « *Les sentiments chrétiens, mon frère que voilà.* »
       (Marcel).

       « *La consolation des martyrs est que Dieu pour qui ils
       souffrent voit leurs plaies.* » (Marcel).

« *Nous l'avons en dormant Madame échappé belle.* »
(Marcel).

« *Car que faire en un gîte à moins que l'on ne conte.* »
(Marcel).

« *A cette voix du cœur qui seule au cœur arrive.* »
(Marcel).

Dans le *Contre Sainte-Beuve*, il y a deux pages où la mère
ne s'exprime qu'au moyen de vers cités de mémoire.

Enfin, l'héroïque femme, sur le point de mourir, sentant
qu'elle allait quitter ce fils en désarroi, puisa, dans ses dernières minutes, la force de lui citer du Molière et du Labiche,
comme pour plaisanter, et, pour l'armer de courage, du Cor-
neille en expirant.

Outre les citations, à tout bout de champ, les sous-entendus
relatifs à leurs lectures communes, aux actualités de tous
ordres (souvent politiques), qui prouveraient, s'il le fallait,
combien ils s'entendaient à demi-mot.

« *Mme du Deffand est la seule relation que je ne dédaigne
pas et que je cultive. Elle m'amuse mais jamais nous ne nous
lierons d'une intimité cordiale comme avec Mme de Rému-
sat...* » (Mme P.).

« *Je viens de lire dans le* Figaro *d'hier une platitude inouïe
— de Faguet. Je ne sais où est caché son talent — mais jamais
nous ne nous sommes rencontrés.* » (Mme P.).

« *J'ai commencé* Wilhelm Meister *et te prie de me dire si
les idées doivent représenter celles de Gœthe.* » (Mme P.).

« *Ce soir, courant comme le père Grandet après mon
argent...* » (Marcel).

« *Je trouve le Kipling du* Figaro *comme je le pensais très
médiocre.* » (Marcel).

« *Si tu as lu* le Temps... *tu as dû lire la lettre de Mirbeau
sur Mme de Noailles. Quels éloges!* » (Marcel).

« *Forain très drôle, Tristan Bernard — très spirituel et se détachant sur toutes les inepties prétentieuses — telles que Jules Renard!* » (Mme P.).

Leur goût semblable pour la culture, leur culture poursuivie de concert, ont été partout et constamment soulignés; on répète que Mme Proust 'possédait' le grec et le latin, l'allemand et l'anglais. Ce qu'on signale moins, c'est qu'elle avait de qui tenir.

D'abord sa mère, Adèle Weil, la fervente de la Marquise de Sévigné, mais aussi son père Nathé et son oncle Louis, grands liseurs de Saint-Simon, et encore son frère Georges, l'avoué-magistrat, qui lui conseillait et lui prêtait des livres. Robert Proust également avait beaucoup de lecture.

Tout naturellement, la conversation prenait entre eux tous un tour littéraire. Et pourtant, Proust-*Santeuil* met dans la bouche du vieux Weil-*Sandré* une réplique insolite : « *Hélas! disait M. Santeuil..., la légèreté, la frivolité, l'amour du monde, saurons-nous l'en préserver?... j'aimais mieux l'amour, j'aimais mieux la mauvaise santé, j'aimais mieux la poésie. — Non, dit M. Sandré, je n'aimais pas mieux la poésie. Un gommeux est peut-être plus nul encore qu'un bohême. Mais c'est moins déshonorant pour la famille. Je suis honteux de voir son nom traîner dans ces infâmes journaux, aux nouvelles mondaines, mais j'aime encore mieux cela que de le lire au bas d'un article.* »

Jeanne Proust dut employer bien de la diplomatie entre son père, censeur inflexible, et son fils qui déjà brûlait d'écrire.

Aux premières lectures faites par elle à haute voix, succédèrent celle d'auteurs aussi disparates que nombreux, tour à tour suscitant l'enthousiasme de l'enfant. Les choix furent-ils orientés? Ils étaient, en tout cas, du plus parfait éclectisme.

Quelques brèves remarques sont à faire à ce propos. 1) L'histoire ancienne et ses auteurs classiques n'eurent bientôt plus de secret pour le néophyte. 2) Les poètes occupèrent une place de prédilection; Marcel sut vite un grand nombre de vers par cœur. 3) Le xviiie siècle ne lui plaisait guère. 4) Il ne connaissait assez bien, de l'étranger, que la littérature anglaise, ne fréquentant que peu Dante, Gœthe ou Cervantès. 5) A mesure qu'il se cultiva, la mère, pourtant érudite et studieuse, eut de la peine à le suivre. Le génie donne des ailes.

Mais ils continuèrent le jeu délicieux, les assauts d'esprit. Il n'est donc pas étonnant, que, atavisme ou mimétisme, « le don remarquable qu'avait Mme Proust, de narrer, avec verve et humour, les petites scènes de famille, ainsi que ses observations sur le monde » (Kolb), se soit retrouvé chez le dialoguiste, le peintre, le moraliste de *la Recherche*.

Le rôle de la mère alla-t-il plus loin?

Pratiquement, dans les premières années, elle le guide plus qu'elle ne le pousse. A l'enfant, encore innocent, elle proscrit certaines lectures. Plus tard, elle envoie des colis de livres accompagnés de commentaires pittoresques et pertinents. Vers 1896, elle reçoit, de l'écrivain débutant, quelques confidences, quoique fort vagues : « ... *si je ne peux pas dire que j'aie encore travaillé à mon roman...* » — « ... *je n'y vois « que du feu » et sens que ce sera détestable.* »

Puis ce sont les premiers articles du *Figaro* : le récit des émotions, des doutes, des joies de se voir imprimé, la participation de la mère; tout cela forme un chapitre entier du *Contre Sainte-Beuve*.

Faut-il en inférer que Mme Proust ait sciemment favorisé les goûts littéraires de son fils? L'analyse mérite d'être nuancée. Qu'elle ait pressenti, avant les autres, le destin de l'enfant, c'est probable et c'est normal. Mais n'oublions pas sa prévention (comme celle du reste de la famille) contre la carrière dans les lettres.

En 1895-1900, sans que rien de positif soit encore déclaré d'une part, concédé de l'autre, ce n'était tout de même plus l'ostracisme de 1890-1895. Du temps avait passé. Du temps passe encore. Arrive la phase ruskinienne, travail apparemment moins frivole et donc moins mal accueilli des parents.

Cependant 'elle' se rend compte de l'irrésistible attirance du jeune homme, et après 1900, sans prendre toutefois aucune initiative personnelle, elle tente d'influencer le père, lassé de faire obstruction. Proust, trop inexpert en langue anglaise, trouve alors en elle une traductrice. Veuve, se sentant seule vis-à-vis de Marcel de plus en plus anormal, hésitant, inquiétant pour tout dire, elle l'encourage dans la seule voie du salut, et, plus encore, exige de lui qu'il achève le labeur entrepris, invoque les sacro-saints principes, plaide l'observance aux volontés du défunt.

On pourrait avancer sans trop d'invraisemblance que, si l'adolescent s'engagea obstinément dans la voie où l'attiraient ses goûts, ce ne fut pas seulement par une pente naturelle, tant soit peu favorisée par la mère; et qu'une influence s'exerça, comme à rebours celle-là : à voir un père si dogmatique, si positif, si féru de science, fermé aux nuances et aux sentiments, l'adolescent, froissé, heurté, ne se jeta-t-il pas, comme par contradiction, vers l'autre bord?

Enfin l'on s'est naturellement demandé si Proust aurait jamais écrit — osé écrire — son immortel roman, au cas où sa mère, à laquelle il ne pouvait que mentir, aurait vécu plus longtemps. Question sans réponse. Bernard de Fallois suggère pour sa part, que la mort, délivrant l'homme de l'emprise maternelle, lui permit des expériences et lui ouvrit l'avenir. Notons, à toutes fins utiles, que cette mort survint fin 1905, et que, selon les plus autorisés, les premières ébauches de 'l'œuvre' remontent aux environs de 1908.

Mme Adrien Proust, d'une intelligence très féminine, c'est-à-dire pleine de finesse intuitive, assura au mieux la tâche très scabreuse qui lui échut.

Dès l'abord, elle couva l'oisillon fragile avec l'instinct le plus sûr. A bien méditer sur tant de risques qu'elle lui évita, on est en droit de se demander si, privé d'elle, son petit

Marcel, vulnérable au possible, serait parvenu à l'âge voulu pour mettre à profit le trésor qu'il recélait, et, par voie de conséquence, pour devenir celui qu'honore l'univers des lettres.

Devant la faiblesse du nouveau-né, venu au monde dans les très défectueuses conditions que l'on sait, et paraissant le payer de sa chétive complexion, la première mesure prise fut de le choyer plus qu'il n'est de coutume, de le choyer à l'excès. Excès fort pardonnable. Seulement l'habitude se prit; l'enfant voulut qu'on s'y tînt. Son nervosisme, ses singularités, non moins que son étrange précocité, étaient autant de prétextes pour continuer. Les parents se figuraient avoir, comme on dit communément, couvé un canard.

Quand était né le second (et dernier) fils, la comparaison avait été tout en sa faveur. Et, par un réflexe naturel, le cœur de la mère se donna davantage au moins bien 'venu', au plus souffrant. C'est là un mouvement banal, parce que la mère voudrait apaiser un remords, ce qu'elle ressent comme une responsabilité. Il n'est pas nécessaire d'appeler 'complexe' une réaction humaine si simple et si touchante à la fois, puisque, dans un certain sens, elle fait échec à la loi du plus fort. Cependant, de là à devenir une mère abusive, il n'y a pas loin. Mme Proust sut s'en défendre. Elle se confina plutôt dans un rôle de divinité protectrice ou de fée bienfaisante, prévenant les écueils, écartant les mauvais éléments, aplanissant la route.

Avec quelle inlassable attention n'observe-t-elle pas les péripéties de la santé, demandant à être informée par le menu, donnant des conseils, transmettant des consignes! C'est elle qui, le père se récusant peu à peu, s'entremet pour réclamer un minimum d'hygiène, écoute les doléances du malade, lit les comptes-rendus interminables des malaises, de lecture si fastidieuse.

Elle acceptera des caprices inouïs : la vie nocturne, le sommeil diurne avec les perturbations de service que cela comporte, et le silence que cela exige. Presque à chaque page, le névrosé revient sur sa hantise des bruits (portes, sonnettes, voix des domestiques, pas dans le couloir, travaux d'ouvriers), des odeurs, des températures. Ce qui est piquant, c'est qu'il est pleinement conscient de ses manies, et il se décrit avec humour dans d'inénarrables pages du *Contre Sainte-Beuve*.

Mieux encore : toutes ces fantaisies, elle les fait supporter par son mari qui d'ailleurs ne rencontre plus très souvent 'l'excentrique', par la domesticité, par les relations. Puis, à la première accalmie, elle essaie de le reprendre en mains, de le normaliser, quitte à lâcher à nouveau la bride lors de nouveaux accès. « *Tu sais que je suis plutôt trop geignard* », lui écrit Marcel. Et elle de répondre : « *moi qui n'aime pas les secs, me voici réduite à te souhaiter plutôt tel que...; toi qui a besoin de te faire un cœur moins facile et moins tendre...* ».

Sa mission fut plus délicate, s'il se peut, à l'encontre des dispositions frivoles de Marcel. Elle eut probablement quelque joie à le voir fêté, reçu dans un milieu qu'elle considérait comme au-dessus du sien (« *souffre que son nom roturier... que la profession d'agent de change ou de notaire* [ou de médecin] *de leur père, etc.* »). Petits triomphes mondains qui ne lui firent pas trop illusion, et ne l'empêchèrent pas de s'alarmer en le voyant louvoyer, puis se dérober, quand il s'agit de décider d'une carrière. Partageant les opinions formelles du grand-père et du père, elle n'en dut pas moins s'attrister à voir le jeune homme malmené par l'un et par l'autre. Alors, sans le heurter, alternativement bercée par la crainte et par l'espoir, usant de manières affectueuses et douces, elle s'efforce dans une lutte de tous les jours, elle ne manque pas une occasion de le mettre ou de le remettre dans la bonne voie. Comme elle a dû souffrir en son for intérieur!

Le vieux Weil mourut aux vingt-cinq ans de son petit-fils et sa critique acariâtre cessa de se faire entendre. Puis le jour vint où le professeur Proust abdiqua. Mais jusque-là, dans les réunions de famille, il avait toujours fallu qu'elle servît d'écran entre les tenants des principes rigoureux, et le garçon en proie à ses extravagances.

En ce qui concerne le gaspillage d'argent, si contraire aux règles du foyer, elle eut à s'employer davantage encore. Dans les différends qui en résultèrent, elle se rangea toujours du parti de son mari, mais elle se faisait la mandataire de leurs décisions. On devine qu'elle y mettait toute la patience et le tact dont elle était capable. Condescendante autant que possible, mais irritée pourtant de temps à autre, en définitive elle resta ferme, même quand elle eut essuyé, du fils chéri, de dures incartades.

Quand on relit ses lettres, on reste charmé par l'ingéniosité de son cœur, l'élévation de son âme, et aussi par la constante aménité de son humeur et de son ton. Les deux mots : « *cher petit* » par quoi débutent presque constamment les billets, expriment bien la tendresse immense et sérieuse pour l'enfant bien-aimé; mais elle l'appelle aussi tendrement : *crétin, petit crétin, crétinosse, mon loup, pauvre loup, mon petit jaunet, mon petit serin.*

Quelques extraits de ses lettres : « *Et il m'est doux aussi de te suivre dans nos lettres comme je te suivrais ici, — et que tu t'y montres toi, tout entier. Donc mon chéri ne prends pas pour système de ne pas m'écrire pour ne pas m'attrister car c'est l'inverse qui se produit.* » — « *... j'ai arrêté mes presses* [lettres] *hier. Mal m'en a pris puisque te voilà aujourd'hui dénué de tout, pauvre chéri!* » — « *Cher petit Tu es très gentil, et moyennant l'exécution de tes promesses, j'espère qu'il n'apparaîtra plus* « *une nébuleuse dans notre firmament* ». » — « *Je t'embrasse mille fois avec toute la tendresse accumulée de la semaine. Gouverne-toi bien cher petit.* » — « *Je te ferais la concession de ne t'écrire qu'une fois par jour.* » — « *Mais je suis outrée! que tu oses* (sic) *dire que je ne lis pas tes lettres quand je les lis, relis, regrignote tous les petits coins et puis le soir tâte encore s'il reste q.q. chose de bon à savourer.* » —

« *Mon chéri tes lettres sont toutes charmantes toutes appréciées de moi comme j'apprécie mon loup type sous tous ses
aspects.* »

Le père est souvent absent de leurs entretiens épistolaires.
Quand il est cité, c'est toujours sous la forme tant soit peu
conventionnelle qui sied à un chef de famille respecté : « *Ton
père enchanté — a supporté admir une chaleur de feu — les
levers à 4 et 5 hs chaque jour et des journées où il n'avait
pas 3 minutes de repos.* » — « *Tout à l'heure quand ton père
se reposait après déjeuner je lui ai lu plusieurs de tes lettres
venues en son absence. Il était très content.* » — « *Je pense
que tu étreins ton papa aujourd'hui et je cherche à me représenter le scénario.* » — « *Ta lettre me fait du bien — ton père
et moi étions restés sous une impression bien pénible.* » —
« *Ta lettre a été bien gentille mon chéri ce matin — ton père
n'en a pas perdu une syllabe — quant à ta maman elle la
relit.* » — « *Je pense tant à Papa que je crois que je lui écrirai
directement pour épancher mes sentiments. Du moins comme
dit Mme de Beaumont « ma tête lui écrit ».* » — « *Ton père
va on ne peut mieux — les soirs où nous n'allons pas au
théâtre nous jouons au domino avec les Duplay qui s'amusent
beaucoup de son feu, et de sa joie quand il a gagné... Nous
ne sommes d'ailleurs avec ton père inféodés jusqu'ici à aucun
groupe et formons avec les Duplay — le parti républicain indépendant.* »

Il ne faut pas laisser dans l'ombre la soi-disant rivalité entre
les deux frères, et il sied de réfuter la thèse sans fondement
selon laquelle la mère aurait eu une préférence marquée.
Qu'elle l'éprouvât au fond d'elle-même, c'est bien possible pour
les raisons indiquées plus haut. Toutefois, jamais elle ne le
laissa voir; son caractère ne le lui aurait pas permis. Ce qui est
certain, c'est qu'elle traita Robert 'autrement'; non pas moins
bien.

Sa méthode se conforma à la nature de chacun. Robert ne

se serait pas accommodé de trop de cajoleries, ni Marcel de trop de brusquerie. On ne doit pas se laisser abuser par l'innocente connivence des deux correspondants dans certaines de leurs lettres, au sujet de : *mon autre loup, Dick, Sa Majesté, Proustowitch, Ferdinand-le-noceur.* « *Robert est arrivé rêvant cheval — et n'en trouvant aucun assez pur sang.* » — « *Proustowitch doit ramener à 3 hs ses deux petits copains comme il les appelle pour ostéologiser ensemble. Il est gentil — quand il n'est pas grincheux... Par contre hier... il était tellement insupportable qu'à la seconde décharge — j'ai fait face en arrière — je suis repartie de mon côté.* » — « *...une heure d'exercices* [de piano] *consciencieusement faits, — tandis que Robert lisait sa physique auprès de moi. Après ... J'ai cessé puis j'ai dicté à Robert les problèmes d'algèbre qu'il écrivait au tableau noir.* » — « *A 8 hs ce matin Robert en complet irréprochable partait pour le Bois de Boulogne où il rejoignait Sirot avec lequel il a canoté etc... Rentré à midi grignoté une demi livre de viande, de pain de lég. de from et de pruneaux — reperfectionné le complet puis reparti — avec Clément — récemment exhumé — pour des lieux inconnus.* » — « *Robert doit être ravi... avant de se donner à son concours de ph. D'ailleurs il prétend qu'il n'y allait que pour la forme — n'a rien lu, rien préparé; etc. — et a prévenu Darlu qu'il ne ferait rien... A la vérité, il n'y est plus.* » — « *Robert est avec Desjardins — à la revue? — non — mais à la foire de Montmartre! (quelle tenue pour un augure!).* » — « *Reçu tout à l'heure une Philippique de Robert contre Saint-Gervais où il est sûr... de prendre tous les maux du monde.* »

Quelques boutades en passant ne peuvent signifier le moindre détachement affectif à l'égard de Robert : « *Le pauvre Dick* [accidenté] *dit que — sa première journée exceptée — il passe là les heures les plus charmantes qu'il ait jamais passées...* » — « *Je t'ai dit que je comptais ce matin sur une longue lettre de ton frère...* » — « *Je veux de la poudre et des*

balles. » *Ce n'est que pour la fin des vers qu'il m'a écrit —*
mais ma réponse n'est chargée que de mon mécontentement.
Je ne comprends rien à sa vie de là-bas! Quand il fera moins
torride j'irai. » — « *Dick par son impardonnable négligence*
a écrire m'a tracassée depuis Dimanche, enfin ce matin est
arrivée la lettre réparatrice. Il était temps! » — « *Dick est*
dans des dispositions et effectuation de travail qui lui ouvrent
à deux battants le cœur de son père. Dick était présent à l'ar-
rivée de ta dépêche hier soir. Il est bien tendre pour toi. »
— « *Demande à Dick si trop de viande rouge pourrait être*
cause de mon oppression. » — « *Dick est vraiment une perle*
morale autant qu'intellectuelle et physique. » — « *Mais si*
Robert croit que c'est possible, qu'il fasse un choix entre
calomel, lavements d'eau sucrée ou glycérinée et dans ce cas
m'envoie une dépêche... »

Au reste, Robert, après une jeunesse assez dissipée, donna
bientôt des motifs de satisfaction tangibles : flatteurs et précoces succès de carrière, beau mariage, plaisirs d'amour-
propre.

Il n'y eut donc aucune prédilection manifestée. Une impression superficielle pourrait seule donner à le penser. De même
que les parents coalisés contre l'inaptitude de Marcel à l'ordre
pratique, furent toujours d'accord, de même Mme Proust,
sans aucun doute, se refusa à marquer aucune différence entre
ses deux fils. L'étude attentive des documents disponibles ne
permet pas de conclure autrement. On ne note aucune fis-
sure, aucun ébranlement dans le bloc familial (malgré le problème de Marcel), aucune désunion dans le quatuor. Seidmann
et d'autres critiques s'avancent beaucoup dans leurs démonstra-
tions. Tout *Jean Santeuil* suffirait à les réfuter.

Enfin, dans une égale mesure, Mme Proust déversa sur ses
fils l'essence la plus précieuse de ses croyances, sous forme
de préceptes traditionnels — parfois conventionnels — concernant la patrie, l'honneur, le goût du sacrifice, les vertus

de bonté, de loyauté, de civilité, l'attachement au passé, en même temps qu'aux bonnes manières, aux doctrines bourgeoises. L'un et l'autre en restèrent imprégnés.

Certainement, elle subit peu à peu dans ses dix dernières années, l'ascendant de l'ancien enfant, dont la personnalité était allée s'affirmant. « *Jean Santeuil* » le constate avec sagacité et non sans une secrète malice : « *Peu à peu, ce fils dont elle avait voulu former l'intelligence, les mœurs, la vie, avait peu à peu insinué en elle son intelligence, ses mœurs, sa vie même et avait altéré celle de sa mère... La vertu de Mme Santeuil n'en était sans doute pas changée, mais son sentiment sur la vertu des autres. — En même temps que cet élément essentiellement mondain, l'affaiblissement de la répulsion pour le vice, l'indulgence, les autres éléments mondains s'insinuaient en Mme Santeuil... Elle ne s'étonnait plus, depuis que le vice ne lui semblait plus épouvantable comme le crime, qu'on pût le supposer chez telle ou telle personne... Avec les vieilles idées sur la vertu des femmes, sur la bienveillance, les vieux préjugés contre les artistes, contre les journalistes tombaient... *»
Elle avait d'abord fait la part du feu, puis se laissa gagner. Elle resta vertueuse, mais elle fut vaincue.

Marcel Proust adora sa mère autant qu'il fut adoré d'elle.
Qualitativement, on ne peut comparer leurs sentiments.
Chez elle, l'amour maternel se fit passion : passion noble, pure, généreuse, saine en un mot. Sa passion à lui était ondoyante : tantôt câline et tendre comme celle d'un enfant, tantôt exclusive et véhémente comme celle d'un amant, tantôt égoïste, ombrageuse, exacerbée, pitoyable comme celle d'un malade. On ne peut même pas nier qu'il cherchât parfois, plus ou moins ouvertement, à exploiter les ressources d'un cœur si riche, si valeureux, qu'il sentait tout à sa dévotion. C'était son refuge, son hâvre. Dans le cahier (*keepsake*) d'Antoinette Félix Faure, à la question : « Quel est pour vous le comble de

la misère? », il répond peureusement : « *Être séparé de
Maman.* » A dix-sept ans il se fera gourmander par son grand-
père parce qu'il a les yeux rouges et larmoyants à cause du
départ de sa mère à Salies.

La règle commune veut que les parents donnent aux enfants
plus qu'ils ne reçoivent d'eux. En raison des caractères et des
circonstances, le phénomène eut dans le cas présent, une
ampleur inusitée. Pendant les deux tiers de son existence,
Proust se complaira dans le rôle d'enfant despote, mais aussi
'coiffé par Maman'. Qu'on en juge.

En septembre 1899 : « *J'ai oublié de te dire que je n'avais
pas d'éponges. Faut-il en acheter?* » Il a vingt-huit ans! En
septembre 1904 : « *Décide ce que tu veux je vois des avantages à tout et ferai ce que tu voudras... Tâche qu'à mon réveil
je sois en présence d'une solution.* » Il a trente-trois ans! Elle
fait chorus, 1903 : « *Toutes tes affaires de la tête exclusiv.
aux pieds inclusiv. sont-elles en parfait état? Ce qui était à
laver — à nettoyer — à visiter — à ressemeler — à marquer — à repriser — à broder — à changer les cols — boutonnières etc. — Tâche que toute chose se passe avec un peu
d'ordre.* »

Il fait de sa mère sa complice. Pour ses moindres manigances, elle est de mèche : « *Serais-tu une femme... à écrire...
pour moi à de Flers et de Billy* « Marcel souffrant depuis longtemps me charge de vous demander où vous êtes pour envoyer
son livre à votre femme mais n'en parlez pas car il ne l'a
envoyé à personne* » (1896). — « *Tu serais bien gentille dans
la lettre de me mettre quelque chose comme ceci : « Ton père
était furieux que tu fusses allé en automobile. Tu sais combien
peu de choses te sont mauvaises mais rien n'est pire que l'air
trop vif pour ton ashme.* » (1899). — « *Je n'ai plus l'ombre
de mal au poignet. Mais ne le dites pas car j'en profiterai pour
les lettres embêtantes.* » (1899). — « *Reynaldo m'a déclaré que
non seulement il ne chanterait pas mais que... Je voudrais que*

*tu lui envoies un mot de toi que je n'aie pas l'air de t'avoir
inspiré ainsi conçu : ... Tu peux ajouter des mots d'esprit pour
qu'il voit bien que c'est de toi, mais pas d'argumentations. »*
(1904).

Proust n'était évidemment responsable ni de sa nature ni
de son cœur; les conditions physiologiques de sa vie fœtale si
perturbée, furent telles qu'on est en droit de penser qu'elles se
répercutèrent sur sa structure mentale autant qu'organique.
Tant d'anomalies de ce type, ou pires encore, n'ont pas d'autre
étiologie. Et le génie lui-même...?

Sur l'hérédité proprement dite, on peut épiloguer. Mais on
ne saurait attacher une importance trop grande à 'l'éducation'
à laquelle se consacra Mme Proust. Le jeune enfant l'observe,
l'admire, et, comme il se doit, se met à l'imiter, à adopter ses
manières, et, quand vient l'âge de raison, ses idées et ses principes. Puis, la personnalité de Marcel entre en jeu, qui révèle
un certain antagonisme.

Désormais, ses sentiments le feront lutter alternativement
contre une mère qu'il vénère pourtant, et contre son propre
moi. Elle représente la 'Loi et les Prophètes'. Mais elle est en
même temps la source de toutes les bontés et de toutes les
douceurs. Il se sent des instincts répréhensibles, mais aussi
des facultés extraordinaires. Comment venir à bout de tant
d'oppositions? Ainsi le verra-t-on en proie aux angoisses d'une
situation insoluble, soumis à des réactions désordonnées.

La Correspondance contient des échantillons de tous ces
états d'âme. Certaines lettres sont émouvantes d'abandon,
d'autres choquantes par leur manque de respect. Toutes, de
la première à la dernière débutent invariablement : « *Ma chère
petite Maman.* » — « *A chaque instant je te remercie mentalement de penser ainsi à moi et de me faire la vie si facile et
qui serait si douce si j'étais tout à fait bien.* » — « *Des flots de
santé coulaient en moi et je suis sûr que ce bien-être eût passé
dans ma lettre et de là à ma petite Maman.* » — « *Ta lettre*

m'a empli de reconnaissance pour toute la gentillesse et l'exclusif souci de moi qu'elle respire. » — *« Nos lettres... il vaut mieux ne pas les remplir d'autre chose que de nous mêmes et de nouvelles... »* — *« cette bonne chaleur, que j'appellerai presque maternelle si l'absence de ma Maman ne me faisait trop sentir la différence et l'impropriété du terme. »* — *« je m'arrête ici en t'embrassant de tout mon cœur et en trouvant que cette étreinte à distance commence à devenir bien insuffisante. »* Mais aussi : *« ... je te soupçonne de ne pas lire mes lettres, ce qui serait infect (sic). »* — *Puisque je ne peux pas te parler je t'écris pour te dire que je te trouve bien incompréhensive. »* — *« ... il est triste de ne pouvoir avoir à la fois affection et santé. »* — *« Avec l'inverse prescience des Mères, tu ne pouvais plus intempestivement faire avorter..., depuis quelques années bien des déceptions que tu m'as causées qui pour être rares n'en ont pas moins fait époque pour moi par leur ironie méprisante, et leur dureté... m'avait beaucoup détourné de la culture d'une tendresse incomprise. »* Elle réagit : *« mais je suis outrée, etc. »* Il se reprend (après la mort de son père) : *« Sentir nos sommeils et notre veille répartis sur un même espace de temps aurait, aura pour moi tant de charme. »* — *« Car j'aime mieux avoir des crises et te plaire que te déplaire et n'en pas avoir »* — *« tu t'es penchée sur moi pendant que j'écrivais et la douceur de notre entretien a effacé les derniers vestiges d'oppression. »* — *« Quant à tous les beaux spectacles.. ce sera pour la causerie épanchée, coupée de baisers. Quelque impatience que j'aie à pouvoir t'en donner d'effectif je crois que... la joie que j'ai de te sentir plus près de moi et de penser que bientôt nous ne ferons plus qu'une personne comme nous ne faisons qu'un cœur. »* — *« Il me semble que je pense encore plus tendrement à toi si c'est possible (et pourtant cela ne l'est pas)... »* — *« Je voudrais que tu puisses lire dans mon cœur pour y voir toutes les tendresses heureuses de ton retour que je n'ai pas su te dire. »*

Tout en faisant la part du malade, de l'asthmatique essoufflé, épuisé par une lutte de plus en plus fréquente, qui, par conséquent, a droit à beaucoup d'excuses, son aigreur passe parfois les bornes. Il y a dans son comportement du masochiste et du sadique; comme aussi, dans l'expression outrée de ses sentiments, un certain 'romantisme', bien propre à l'époque. « *Je me souviens d'un soir où méchamment, après une querelle avec Maman, je lui avais dit que je partais. J'étais descendu, j'avais renoncé à partir, mais je voulais faire durer le chagrin de Maman de me croire parti, et je restais en bas sur l'embarcadère où elle ne pouvait me voir... Je sentais le chagrin de Maman se prolonger, l'attente me devenait intolérable et je ne pouvais me décider à me lever pour aller lui dire : je reste.* »

Les psychanalistes ont eu beau jeu pour présenter ces échanges d'amoureux comme trahissant des sentiments anormaux, pathologiques. Où se situe la frontière?

Comme les mères trop tendres, trop alertées (mais, dans le cas présent, il y avait de quoi!), Mme Proust semble dépasser les bornes d'une vigilance normale, entraînée qu'elle est par l'exubérance, l'hypertrophie sentimentale d'un fils toujours enfant à ses yeux, quoique devenu homme.

D'aucuns penseront aussi qu'elle favorisait, par cette faiblesse et cette tolérance, une inclination morbide fâcheuse pour Marcel. Il n'est que trop vrai que les mères sont souvent en partie responsables de tels méfaits, mais sur des êtres d'une personnalité moins affirmée. Marcel ne pouvait pas être la victime d'une mère abusive. Il ne l'a pas été. Tout à l'inverse, il a exploité la sienne.

Cependant, dans le troisième tiers de sa vie, Proust aura d'amers retours sur lui-même et sur son comportement filial. Sans l'avoir « malmenée par ses caprices..., ni fait se consumer (*sic*) d'anxiété et de tristesse », il fut — c'est fréquent — sujet d'inquiétude, voire de tourment. On peut présumer qu'elle eut aussi des élans d'espoir, un pressentiment merveilleux. Lui-même, quelques mois après qu'il fut devenu orphelin, écrivait à Robert de Billy : « *C'est une si grande joie pour moi de penser que Maman a pu garder des illusions sur mon avenir.* »

Malgré ces pensées consolatrices, le maître de l'introspection comprendra, quand il n'en sera plus temps, qu'il a été l'enfant 'profiteur' d'une mère exceptionnelle. Alors, ses scrupules hanteront sa mémoire. A. R. de Montesquiou : « *J'ai pu croire qu'elle a su qu'elle me quittait et qu'elle n'a pu me faire des recommandations qu'il était peut-être angoissant pour elle de taire, j'ai le sentiment que par ma mauvaise santé, j'ai été le chagrin et le souci de sa vie... me quitter pour l'éternité, me sentant si peu capable de lutter dans la vie, a dû être pour elle un bien grand supplice aussi.* » A Lucien Daudet : « *Je n'ai de précis, hélas, que le remords d'avoir trop laisser se fatiguer Maman à me faire ainsi bien souvent « mes courses ». Les mères sont trop sublimes, les fils trop égoïstes, et ne s'en rendent même pas compte.* »

Remords? sont-ce bien des remords? Oui, s'il s'agit d'un besoin de justice rétrospective, de réparation, quand, après s'être jadis insurgé contre la vie de famille qui (comme à tout garçon) lui pesait (du moins le racontera-t-il à Plantevignes dix ans après), il se rend compte un peu tard de l'extrême bonté de sa mère, et de toutes les vertus de son existence.

On peut résumer en quelques lignes.

Si Marcel Proust trouva en sa mère le sein où s'épancher, où puiser le réconfort, en même temps que l'image sur laquelle prendre exemple, il ne se contenta pas de tels bienfaits moraux. Dans la vie pratique, il *l'utilisa*. Elle fut sa copiste et sa coursière, son informatrice et son intermédiaire, sa critique éclairée.

LES GRANDS-PARENTS

Les documents dont l'origine n'est pas mentionnée sont extraits de l'*Album Proust* (*Gallimard éd., Bibliothèque de la Pléiade*) et de *Proust, documents iconographes,* par Georges Cattaui (Pierre Caillier, éd.).

Nathé Weil (1814-1896), le grand-père maternel. ▶

Madame Nathé Weil, née Adèle Berncastel (1824-1890), la grand-mère maternelle. ▼

Madame Adrien Proust.
(portrait par Landelle).

Le professeur Adrien Proust. ▶

Le professeur Adrien Proust.

Madame Adrien Proust.

Madame Adrien Proust, vers 1880.
(Photo Salomon.)

Robert et Marcel Proust vers 1877.

Robert et Marcel Proust vers 1880.

Madame Adrien Proust.

Marcel et Robert Proust vers 1885. *(Snark International.)*

Robert et Marcel Proust vers 1887.

Marcel Proust vers 1885.

Marcel Proust posant sous l'uniforme pendant son volontariat à Orléans.

De haut en bas, à gauche, Marcel Proust, en classe de seconde (1886-1887) et de rhétorique (1887-1888).

Marcel Proust, vers 1889.

... au retour du service militaire en 1891.

Marcel Proust vers 1892.

Marcel Proust vers 1896.

Marcel Proust par Jacques-Émile Blanche.

Madame Adrien Proust et ses deux fils vers 1896. *(Snark International)*.

Marcel Proust sur la terrasse de l'hôtel à Venise vers 1900.

Le professeur Adrien Proust et son fils, le docteur Robert Proust, sur le balcon de la rue de Courcelles vers 1902.

Le professeur Adrien Proust sur la place Saint-Marc à Venise vers 1900.

Le docteur Robert Proust.

Madame Adrien Proust vers la fin
sa vie.

◀

Marcel Proust dans le jardin
Reynaldo Hahn vers 1905.

Ange gardien, génie tutélaire, elle lui permit de s'épanouir. C'est dire qu'il n'aurait pu se passer d'elle. Il lui devait le jour, il lui dut la gloire.

MARCEL ET SON FRÈRE

Ce que furent l'un pour l'autre Marcel et Robert [1]?

Les uns prétendent qu'il y eut entre eux des sentiments affectifs comme on en voit peu. Lucien Daudet tout d'abord : « Un grand ami à lui était aussi son frère; la façon dont il parlait de son frère, la tendresse que les deux frères avaient l'un pour l'autre, faisait comprendre toute la force du terme : amour fraternel. » Robert Proust, personnellement, dans le livre des *Hommages* en 1927, tant soit peu gagné par l'émotion : « Il eut toujours pour moi l'âme fraternelle et bienveillante d'un aîné, mais, en plus, je sentais en lui comme la survivance de nos chers disparus, et, jusqu'à son dernier jour, il est resté plus que le gardien de cette survivance morale; il était tout mon passé; toute ma jeunesse était enfermée dans son individualité. » Ce sont, entre autres, deux témoignages de poids.

La thèse d'une rivalité latente depuis l'enfance et, quand fut venue la maturité, d'un détachement que quelques données suggèrent, a aussi ses adeptes. S'il y a du vrai dans leur argumentation, il s'y mêle beaucoup de théorie.

Ou bien, faut-il adopter le moyen terme de Painter, concluant : « Les rapports entre les deux frères demeurèrent toujours affectueux, jamais intimes »?

Quand Robert vient au monde, Marcel n'a pas deux ans. Ce n'est pas assez pour qu'il éprouve consciemment la suprématie

1. La description comparative, au physique et au moral, des deux frères a fait le sujet de notre article paru dans le *bulletin N° 17 de la Société des amis de Proust* (mai 1967) : Robert Proust, frère de Marcel.

flatteuse d'un aîné. C'est trop pour qu'il ne soit pas sujet au ressentiment confus de l'enfant unique devant l'intrus qui survient, usurpant partie des caresses et des faveurs. De là à diagnostiquer un complexe de frustration et en faire dépendre toute une série de traits caractériels, c'est, me semble-t-il, aller un peu vite en besogne de psychanaliste.

Les premiers souvenirs authentiques dont on dispose, se trouvent dans le *Contre Sainte-Beuve.* C'est 'l'épisode du chevreau', trop long pour être transcrite intégralement, où le petit Robert, âgé de cinq ans et demi, tout frisé et en robe d'apparat, se lamente auprès de son chevreau préféré qu'il va quitter tout à l'heure, puis fait une violente colère contre ses parents persécuteurs, sous les yeux de Marcel le regardant avec « *un sourire où l'on ne sait pas trop s'il y a plus d'admiration, de supériorité ironique ou de tendresse* ».

Ce récit, bien que rédigé en 1908 seulement, est certainement véridique et fort suggestif. Une perception et une mémoire comme celle de Marcel ont enregistré et emmagasiné la scène avec ses moindres nuances en même temps que l'impression éprouvée sur le moment. Un double sentiment s'y révèle : celui de l'enfant raisonnable, fier d'être pris à témoin des caprices dérisoires de son petit frère; et en même temps, malgré sa désapprobation de surface, un fond de solidarité fraternelle.

Les frères furent élevés tout à fait de la même manière. Mêmes leçons, mêmes récréations, mêmes cours, mêmes vacances. On les habillait de costumes jumeaux (cela se faisait beaucoup). Sur les photographies-jalons de leur petite et grande enfance, puis de leur adolescence, ils apparaissent, se faisant pendant, successivement en uniformes d'écossais, en *knickerbokers* et cravates Lavallière, en jaquettes ou redingotes à revers de soie.

Au surplus, rien qui indique quelque opposition entre eux, quelque jalousie refoulée. Ils s'accordaient tout à fait bien.

Un post-scriptum en 1887 de la grand-mère Adèle Weil, rendant compte à sa fille absente, dit textuellement : « *Chère petite, les petits* (ils ont quinze ans environ) *viennent de partir — entente parfaite, ils ne peuvent se passer l'un de l'autre...* » Même si Marcel, comme il n'est pas contestable, était dévoré de tendresse pour sa mère, pourquoi, j'y reviens, faire intervenir, comme certains le font (L. Jones en particulier), un processus subconscient et des motivations morbides?

A mesure qu'ils grandissent, leurs caractères et bientôt leurs santés les différencièrent. Tous deux, ainsi que leur avenir le prouva, étaient exceptionnellement intelligents. Au lycée où les dons de Marcel lui valurent, malgré ses multiples absences, d'assez notables succès, Robert se distingua lui aussi. Mais, tandis que l'un montrait une étonnante inclination pour les lettres, le second avait 'la bosse' des mathématiques et des sciences. Ces frères, à l'esprit éveillé, à la curiosité précoce, avaient (avec ou sans la participation de leur mère) des sujets de conversation enrichissants, s'entre-aidaient pour leurs leçons. On voit ainsi Marcel, liseur impénitent, vantant et conseillant les lectures. Robert, conte-t-on, exhortait Marcel à creuser ses problèmes d'algèbre : « *Mais, Marcel, il faut tout de même essayer de comprendre! — Impossible* » lui fut-il répondu.

Grande amitié fraternelle, même éducation, cela n'empêche pas les natures de s'exprimer. Ainsi, l'aîné, très tôt victime de la maladie, se confine dans ses plaisirs intellectuels, pendant que le cadet, d'une santé presque exubérante, s'adonne aux jeux, aux sports, dépense ses forces en exercices physiques alternés avec ses études. Quelques années plus tard, il se dissipera et ses frasques seront l'objet de la raillerie indulgente de sa mère et de son frère. Petites allusions moqueuses qui parsèment leur correspondance. Ne reproduisons que celles venant de Marcel et qui aident à saisir la note juste. (A dix-sept ans) : « *Dis à Robert que les ouvriers de sa Majesté ont terminé l'ins-*

trument destiné à... On a rendu les pantalons de Robert [de chez le teinturier]... *Mille fois mieux que mes promenades avec Robert.* » (A dix-huit ans) : « *Robert a été charmant au retour avec moi. D'ailleurs* « *il est charmant Léon* »? A vingt-cinq ans) : « *Robichon est passé hier soir et m'a conduit jusqu'à Mme de Br.* [antes]. *Il a été charmant, t' à f' calme, et est rentré à Necker au lieu de coucher ici quand nous avons eu discuté le pour et le contre.* » — « *Si Courteline vient dîner avec Léon Daudet un soir faut-il prévenir Robert...* » (A vingt-huit ans) : « *Ne pas montrer cette lettre à mon ange de frère qui est un ange mais aussi un juge, un juge sévère qui induirait de mes remarques sur le Comte d'Eu un snobisme ou une frivolité bien éloignés de mon cœur au lieu de...* » — « *Tu peux dire à Robert qu'au point de vue littéraire moderne il* [le Dr Cottet d'Evian] *est d'une culture prodigieuse pour un médecin* (sic). » (A trente ans) : « *Remercie Dick de sa tendresse qui lui était rendue par anticipation.* » (A trente et un ans : « *Cela s'applique également à mon petit frère s'il ne trouve pas que sa situation* « *arrivée* » [récemment reçu docteur] *doive le mettre à l'abri de mes intempestives tendresses...* » Et plus tard (il a maintenant trente-trois ans, il a perdu son père) : « *Embrasse tendrement Robert et Marthe* [sa belle-sœur, alors à Étretat]. *Je suis si heureux qu'ils soient pour toi des enfants gentils, plus gentils que moi... Parle bien à Robert de ta fatigue de l'autre jour et des moindres détails de ta santé. Je ne lui en parle pas parce que je ne veux pas faire d'interventions qui t'agaceraient si tu les savais (et quoique tu ne les saurais pas...). Donc donne-moi au moins le repos d'en parler toujours en détail à Robert. Le bonheur et le chagrin ont mûri sa nature comme un fruit qui devient doux après avoir été plutôt un peu acide* (sic). »

Pendant le service militaire de Marcel, c'était parfois Robert qui allait passer son dimanche à Orléans, tenir compagnie au troupier.

Au moment du choix des carrières, tandis que Marcel, hésitant, rétif, paraît aux yeux de tous, perdre son temps, manquer
de volonté, faire preuve de paresse, Robert, renonçant aux
sciences pures, s'engage dans la voie médicale, y apportant sa
fine intelligence, un important bagage scolaire, une résolution
renforcée des vœux et de l'appui de son père. Les premiers
résultats prometteurs (il est nommé interne dès 1894) sont
d'autant plus appréciés qu'ils contrastent avec les stériles
velléités de Marcel. A coup sûr, l'étudiant devait jouir des
satisfactions qu'il donnait aux siens et des compliments qu'il
en recevait. D'autre part, il ne pouvait s'empêcher de comparer en son for intérieur, l'âpreté de ses efforts et de ceux de ses
collègues avec la fainéantise (jugée telle) de son frère. Rien
n'indique que Marcel ait été jaloux; Robert l'emmène à la
salle de garde à la Pitié (d'où le pittoresque récit assez admiratif que l'on peut lire dans *Jean Santeuil*). Et du reste, lors
de ses démêlés avec ses parents (pour sa carrière, pour sa
pension d'argent, pour ses soins), plus d'une fois Robert le
soutient et fait front avec lui.

Par conséquent, malgré les différences de tempérament,
de conduite, qui auraient pu devenir occasions de discorde, on
ne décèle aucun indice de rivalité, encore moins de conflit.
Et cela vaut d'être souligné.

Par la suite, Marcel prend sincèrement part aux succès de
son frère. Il en sait la valeur. Il suit son ascension — (juin
1904) : « *Grande émotion, grande joie, après une si anxieuse
attente dont je ne sais te parler —. Et hier soir Robert m'avait
dit qu'il saurait tout aujourd'hui* [sa nomination à l'agréga-
tion]. » Si la carrière qu'il connaît mieux que bien d'autres,
qu'il admire à beaucoup de points de vue, ne l'intéresse qu'indirectement, il n'éprouve ni dépit ni dédain, ne songe pas à
mettre en parallèle le sort de son frère et le sien.

Dans les conjonctures graves, tout de suite se manifestait
leur fraternité de cœur et d'esprit. Par exemple, durant les

années de l'Affaire Dreyfus, tous deux ayant dépassé leur majorité, ils se solidarisèrent, s'épaulèrent, et c'est Marcel, pourtant fort résolu, qui, s'inquiétant pour son cadet, « *plutôt d'un naturel violent* » (à cette époque-là), ralentit ses ardeurs. « *Conseille le calme à Robert. Qu'il songe que tout encouragement au trouble causerait...* » « *Parle à Robert pour la ligue des droits de l'Homme et dis-moi sa réponse... c'est très pressé.* »

Deux événements, qui se suivirent de près, allaient toutefois marquer le passage d'une intimité sans faille à des relations plus espacées. Le mariage de Robert (1902), et bien davantage encore la mort des parents (1903 et 1905).

Au mariage du chirurgien, mariage brillant, pompeux même, Marcel fait mieux qu'acte de présence; il prête son concours, accepte d'être le cavalier de sa cousine Thomson pour quêter à Saint-Augustin malgré sa frilosité et le grand froid de février. Robert lui fait d'ailleurs à cette occasion cadeau d'une pelisse.

Mais, par la suite, le départ de celui-ci, l'installation de son nouveau foyer, l'organisation de sa vie matrimoniale et professionnelle, les tâches absorbantes imposées par la pratique chirurgicale, pendant que lui, Marcel, célibataire, s'abandonne à ses fantaisies et à ses originalités, eurent pour conséquence de marquer les distances pour la première fois. Tous les frères ont eu à connaître de tels relâchements passagers ou durables. Même entre simples amis, lorsque l'un convole, l'autre en éprouve le contre-coup. Le fait est banal.

Il y a lieu néanmoins de marquer fortement que ces deux frères, en raison des mille liens tissés dans leur premier âge, et grâce à beaucoup d'affinités et à une impulsion commune, traversèrent la vie plus unis que beaucoup d'autres frères, et cela quelles qu'aient été les apparences. Sur les points fondamentaux, ils se rejoignaient dans une similitude d'opinions traditionnelles.

La mort de son père, puis celle de sa mère allaient brusquement livrer Marcel Proust à lui-même, précisément après que son frère n'était plus à même de jouer éventuellement le rôle de guide et de soutien auprès de l'homme-enfant esseulé.

Phase critique où chacun fut de son côté, mais qui ne les désunit pas. Au moment où l'un menait sa trouble existence, l'autre accédait à la notoriété professionnelle; il poursuivait son ascension, quand sonna pour Marcel l'heure de la semi-claustration.

Il serait possible de marquer par vingt anecdotes qu'ils ne se perdront jamais de vue et même garderont contact, se donnant des conseils, se rendant des services.

« Ils avaient, a écrit J. Rostand, tant de points communs, et le sens de l'infini déterminisme des choses, le respect des impondérables, l'attachement anxieux au passé. »

Puisque cette période de sa vie se situe au-delà de notre propos, contentons-nous de rappeler que Marcel se tourmenta beaucoup pour son frère dans les années 1914-18, qu'il fut fier de ses citations, qu'il souhaita que ce fût lui qui vienne le décorer en 1921, et qu'enfin ce fut Robert, veillant auprès de lui sur qui il posa son dernier regard, Robert, arrangeant ses oreillers, avec qui il échangea ces dernières paroles : « *Je te fais du mal, mon chéri? — Oh! oui, mon cher Robert* », Robert qui sacrifia au dépouillement et à la publication de l'œuvre, le soin de sa propre carrière, et, comme dit sa fille, s'y usa.

Marcel, admiratif de l'intelligence de son frère, partageant beaucoup de ses vues, applaudira à sa réussite. Mais, malgré tant de sympathie, il le dissociera de son œuvre, son autre vie.

Ce qui est évidemment très frappant et ce qui, jusqu'à un certain point, déconcerte, c'est le silence de Proust écrivain sur son frère.

De ce mutisme, on a donné des raisons diverses :

— l'enfance n'est pas représentée dans l'humanité proustienne (Jones, Benoist-Méchin). Constatation qui peut en

effet expliquer que celui qui partagea ses promenades et ses
jeux à Illiers, qui figurait obligatoirement dans les fonds les
plus lointains de sa mémoire, ait été, de principe, effacé de
l'évocation du passé.

— Painter invoque des motifs purement esthétiques.

— On peut, semble-t-il, présumer avec quelque raison
que, Robert vivant encore, il eût été, contrairement aux autres
personnages, difficile à camoufler. Le frère du *Narrateur,* cela
n'aurait donné le change à personne.

— D'autres, enfin, avancent une explication psychanalytique. Le docteur Seidmann, par exemple, met l'accent sur
le conflit familial, la séparation en deux clans, d'où l'opposition de Marcel à son frère, qui trouverait sa démonstration dans
le fait « qu'il ne le mentionne jamais dans ses lettres de jeunesse, et que, plus tard, dans sa correspondance, il le cite
rarement ». On a pu voir que ce dernier point est inexact.
Chacun, du reste, connaît des frères encore plus muets sur leur
frère, sans qu'aucun refoulement soit en cause.

L. Jones va plus loin. Dans une étude, bien discutable
quant à ses conclusions, il fait valoir :

1) Que la réaction du tout jeune enfant, frustré du sein
maternel par l'arrivée d'un nouveau-né, était de supprimer celui-ci et, ne pouvant le faire, de le taire.

Mais de quel enfant ne peut-on en dire autant? (C'est, on le
sait, une des thèses freudiennes).

2) Qu'il se résigna en apparence, mais chercha à recon-
quérir sa place et, à cette fin, se rendit malade, vulnérable,
ce qui lui vaut attentions et soins [1].

Admettons qu'il ait tiré parti de ses incidents allergiques.

---

1. Painter, lui aussi : « Peut-être était-ce avec le dessein inconscient (?) de regagner l'amour de sa mère, et en même temps pour la
peiner de son refus, qu'il tomba malade (*sic*). » (On ne crée une
maladie, ni à dessein, ni inconsciemment; tout au plus en favorise-t-on
le développement.)

L'étiologie véritable de ceux-ci résident bien plus probablement dans sa constitution physique défectueuse. Le psychisme n'a joué que secondairement. Des enfants qui gémissent pour se faire plaindre, cela se voit tous les jours.

3) Qu'ayant de la sorte délogé son frère, il se substitua à lui et le contraignit, ainsi que les autres proches, à s'adapter à cette situation inversée où il est devenu le petit.

Rien dans ce que l'on a recueilli de lui, intime, ne confirme ce point de vue. Il est, au contraire, bel et bien resté l'aîné, avec ce que ce mot implique de privilèges et de condescendance envers le plus jeune.

4) Que, grâce à sa robustesse, Robert P. accepta le rôle de protecteur et de conseiller.

Même réfutation. (En tête du présent chapitre, la déclaration du docteur Proust).

5) Qu'après l'époque des souvenirs d'enfance où Robert ne paraît pas, il le réintroduisit dans son roman sous les traits de Saint-Loup (et lui choisit le prénom de Robert), pour en faire un homosexuel (par animosité subconsciente) et lui donner une mort tragique.

Sans commentaires!

6) Qu'il refusa les secours de la médecine parce que le médecin avait été le père ou le frère venant troubler un dernier rendez-vous avec la mère, qui ne pouvait avoir lieu que dans la mort.

C'est une thèse, sans plus — et fort aventurée.

Et Jones de conclure : « Ni Robert, ni Marcel lui-même ne purent jamais deviner à quel point la présence de l'un avait effectivement condamné l'autre à une douleur dont seule la mort pourrait le délivrer. »

Le lecteur appréciera.

ÉTUDES GRAPHOLOGIQUES

Je dois à la grande amabilité et à la compétence toute particulière de Mmes Delamain et Monnot, membres du Conseil
de la Société de graphologie, les analyses graphologiques que
voici, auxquelles je me garderai d'ajouter le moindre commen-
taire, laissant le lecteur juger de l'intérêt de ces textes dont
je précise seulement qu'ils ont été rédigés tout à fait indépen-
damment l'un de l'autre, comme dans l'ignorance de mon
propre texte.

*
* *

Les écritures des trois personnages dérivent toutes d'un
certain mode de calligraphie mondaine à base de convention. Elles sont distinguées, élégantes même; elles donnent une
grande place aux apparences (éducation, manières raffinées).

Écriture de M. P. à seize ans.
Écriture fine, d'époque, féminine, anguleuse et légère, plus
légère, moins décidée que celle de sa mère, mais cependant
du même type scriptural. Très simple et distinguée; sponta-
nément conventionnelle. Des saccades et des reprises. Exa-
minée sans aucune référence aux documents postérieurs, que
dirait cette écriture? Un grand respect des valeurs apprises :
l'écriture ne présente pas d'originalité juvénile, elle ne tend

pas à s'écarter d'un modèle convenu. Elle est fine et très
nuancée. Limpidité et lisibilité. Nature fine, sensible aux
nuances, aux principes reçus. Écriture ne montrant certes pas

Fragment d'une lettre de Marcel, à seize ans (1887).

de tendances à l'affirmation virile de soi. Cependant l'intelligence qui ici est montrée par une extrême délicatesse du trait
et par les nombreuses inégalités, est indépendante du sentiment, et en ceci, elle se différencie de celle de Mme Proust,
avec laquelle elle présente de nombreux autres points de res-

semblance. L'intuition a pu se développer sur un terrain physiologique fragile. Le repli sur soi, le retentissement de toutes émotions, de toutes intentions d'autrui, de tout scrupule par rapport aux autres, donne une nature singulière, mélange de lucidité, d'ironie, de jugement profond, de possibilités de souffrance infinies pour des pipûres d'épingles, et, d'un autre côté, une difficulté à assumer une nature masculine, responsable et intégrée au réel.

On tremble un peu devant ce graphisme distingué et charmant pour l'avenir d'un pareil sujet. Évidemment, la parfaite homogénéité nous permet de dire qu'il s'agit, dans l'actualité de l'écrit, d'un esprit brillant, profond qui doit faire des études supérieures dans lesquelles sa finesse et sa sensibilité, jointes à l'attention et à la précision, doivent apporter une nuance particulière, très loin des originalités à grand tapage. Un respect des traditions de toutes sortes doit lui donner le goût du passé. Les auteurs classiques ont tout son suffrage. Naturellement poète, mais nullement révolutionnaire.

Nature pure par essence, supportant difficilement l'injustice et l'hypocrisie. Caractère ombrageux, parce que trop vulnérable. Difficile à comprendre, parce qu'exigeant, jouant malgré sa sincérité de sa fragilité. Dépendant physiquement, et cependant secret, indépendant par la pensée. Capable de vivacité, d'agressivité, et de profonds repentirs. Soucieux de faire plaisir.

Écriture de M. P. vers la fin de sa vie.

Écriture à base conventionnelle, anguleuse à semi-anguleuse, très inégale et saccadée, d'un rythme très personnel, maigre, en lancée, gladiolée. Homogène, condensée, sans marges : tout l'espace est rempli; tendance filiforme qui va s'accentuant avec le temps, inclinée, chevauchante et descendante, devenant extrêmement rapide, et réduite au substrat. L'écriture deviendra plus fragile encore, comme cassante, fris-

sonnante, avec des liaisons de rapidité, des télescopages, des
allitérations.

Le scripteur est un hyperémotif, un ultra-sensible, un nerveux. Et même un névrosé. La sensibilité à fleur d'âme lui

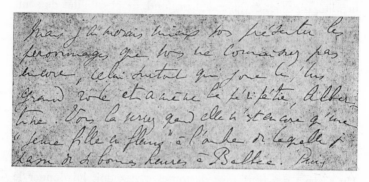

Fragment d'une lettre de Marcel, à quarante-quatre ans (1915).

donne une acuité intellectuelle intense, en fait un écorché
vif qui vibre et ressent toutes les émotions. On dirait que la
fonction de réceptivité s'est développée chez lui au détriment
d'autres fonctions.

L'aspect de l'écriture est désincarné — mais non avec la
détente et l'abandon des spiritualistes. Tracé saccadé, vif,
filiforme, certes le mouvement et la vie y sont, mais une vie
détachée de la chair, qui n'a de communications avec elle que
par de fines antennes, imperceptibles, sorte de radar.

Une pareille sensibilité qu'il est convenu d'appeler féminine, doit lui conférer une susceptibilité extrême. Il peut être
blessé, mais il peut aussi faire souffrir. Cette écriture qui n'a
rien de moderne, pourrait être celle d'une femme, et même
d'une mondaine, toujours fatiguée, délicate, raffinée, occupée
d'elle-même et de problèmes futiles, affamée de compliments,
de tendresse et de jouissance, si l'intelligence n'était si éveil-
lée, et si le dépouillement de l'écriture et l'agilité de l'esprit

qu'il décèle ne venaient contredire le diagnostic de futilité. Qualités de cœur? L'écriture inclinée est signe de passion. Cette passion est-elle sentimentale? Non, les mouvements oblatifs ne dominent pas, l'écriture est dextrogyre, lancée. Il y a des élans passionnés pour autrui, le désir d'aimer et d'être aimé, mais le cœur ne peut se donner tout à fait. Il y a de la richesse, mais pas d'épanouissement. Un terrain stérile. Le côté incarné (sol, terre, richesse sensorielle) manque.

Les sentiments au lieu d'être enracinés profondément dans l'être se transforment en intellectualité. Ce qui n'a pas pu trouver sa pâture en sensations, en affectivité, se métamorphose en pensée.

La sensualité censurée trouve une pâture cachée dans des êtres insolites, qui représentent — pour quelqu'un de fortement marqué par la féminité — un complément masculin, peu raffiné, caricatural. Et le sentiment par poussées inconscientes mène à l'exclusivisme, à la jalousie, à la souffrance, aux tourments de l'inquiétude et de l'insatisfaction, et finalement à la solitude. Donc névrose constitutionnelle, entretenue par un état maladif accepté (refuge); sentiment aigu de l'art et des nuances poétiques. Soumission aux principes du monde, aspiration à une vie pure et idéale, et vie occulte, chercheuse, peut-être dépravée, dilettantisme malgré l'intellectualité, la curiosité et le besoin d'évasion par l'imagination.

Écriture de Mme A. Proust.

Comme Marcel, Mme Proust reproduit dans son écriture une « anglaise » de convention, inclinée, rapide, cadencée; moins anguleuse que celle de son fils, elle est plus souple, plus guirlandée, et malgré l'appris, simple et spontanée. Dans certaines missives l'écriture perd de sa convention, elle se précipite, elle met de l'ardeur à ce qu'elle fait, elle vit et se passionne. Une extraversion sans excès donne une parfaite adaptation à la vie; la scriptrice est une passionnée, avec des

moments de primarité qui la font vibrer et l'apparentent au
type Colérique. Une pensée souple, déliée, tempérée par un
bon équilibre physiologique, une nature à la fois sensible

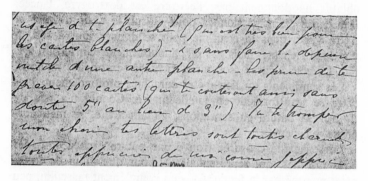

Ecriture de Mme A. Proust veuve... (1904, un an avant sa mort).

et ferme, plutôt autoritaire, particulièrement sur les questions
de loyauté, et de respect des principes qu'on ne discute pas;
de l'indépendance d'esprit, des jugements personnels, à défaut
d'originalité. Une poursuite de vérité dans la vie, une grande
soif de savoir, de l'ardeur à vivre, de la gaîté, de la douceur
et de la vivacité, de la réflexion et de l'impulsivité.

Le diagnostic du graphologue qui se sera imprégné des éléments scripturaux de Marcel Proust, et qui aura mis en
regard l'étude des documents de l'écriture maternelle sera
celui-ci : enfance protégée, parce que tout d'abord physiquement fragile, puis émotif, fortement attaché aux parents, au
milieu ambiant, dont il reçoit ses nourritures, famille unie.
L'adolescence, qui doit le séparer de ce qu'il aime, et les
premières atteintes d'un mal psychosomatique vont s'insérer
dans la vie du jeune homme comme une menace, et à la fois
comme un refuge (si l'on est malade, on est soigné, entouré
d'affection). Et encore, lié à cet état, le respect, l'admiration

pour la mère qui représente toute bonté, toute pureté, par rapport aux troubles de l'adolescence qui seront ressentis comme les armes même du mal : péché et œuvre de chair sont considérés comme appartenant sans recours à l'obscurité et à la perdition.

Ecriture du Pr Adrien Proust sur quelques mots de dédicace.

Ecriture très harmonieuse, élégance de l'époque, mais très vive et spontanée, rapide et rythmée, en guirlande ample, très progressive, légère avec un certain relief, du mouvement et du lancement. La signature est simple, gracieuse, avec un paraphe.

Il s'agit bien là d'une écriture supérieure. La proportion, l'aisance du tracé, les heureuses simplifications et combinaisons sont significatives à cet égard. Sur ces peu de mots, nous pouvons, tant ils ont une allure individuelle, reconstituer un ensemble de personnalité. Une intelligence souple, une organisation de pensée comportant de l'attention, de la finesse, une activité physique bien soutenue par un substrat physiologique robuste, en font un fort. C'est un sanguin, mais qui sait contenir ses élans. Vif, émotif, ardent, il sait discipliner sa volonté, en vue de rester maître de soi. Prudence soutenue par une naturelle autorité.

Cependant, sous ces qualités viriles qui assurent une réussite sociale, nous trouvons une sensibilité et un cœur dévoué. Son écriture présente des signes d'intuition. Le P de la signature, est le même que celui de Marcel. Il a quelque chose de vibrant, d'envolé. Le tout nuancé et presque pudique... Une telle écriture présente moins de spectaculaires parentés avec celle de Marcel, que les écritures de la mère et du fils. La calligraphie conventionnelle qu'a adoptée Marcel, lui vient de sa mère. Dans celle du professeur, le délié de la pensée, l'habitude des cours, le besoin d'écrire plus vite, échappe au modèle appris. L'écriture du professeur reflète bien une moralité supérieure, basée sur des principes humains, mais fait peu de cas des nuances mondaines, des susceptibilités et des impondérables féminins. Le sujet possède un équilibre qui vient d'un

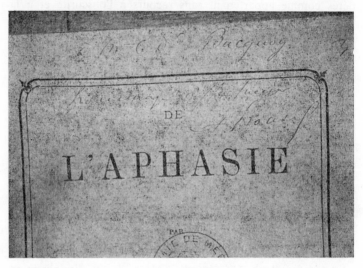

Dédicace de la main du Dr. A. Proust à trente-six ans (1871).

accomplissement : celui de son métier, celui de sa vie personnelle, père et époux.

Le côté rationnel de son écriture est à l'opposé de la rêverie et de l'irrationnel de Marcel, d'où sans doute difficulté de compréhension entre eux.

En un certain sens Mme Proust est beaucoup plus forte et autoritaire que son mari. Cependant, il y a chez les trois scripteurs une même exquise fierté, un même désir de compréhension, un profond attachement au foyer, et le respect pour l'autre. Les sentiments filiaux ne sont pas contestables, pas plus que ne le sont les sentiments paternels.

M. DELAMAIN

*
* *

Si l'on met en présence l'écriture de Proust, jeune homme, et celle de ses parents, on est frappé par l'homogénéité de « climat », de niveau, de tonalité sensible qui se dégage de cette confrontation : haut niveau intellectuel, sensibilité artistique, culture étendue, tenue, distinction, classe. Il y a eu certainement entre ces trois êtres des échanges raffinés et profonds; et la grande curiosité, la réceptivité, la finesse de M. P. ont largement puisé à cette source. Milieu également très conformiste, très conventionnel auquel il s'est complètement identifié et qui l'a protégé.

Le père est fin, scientifique, sensible, planant au-dessus des contingences quotidiennes, mais assez conscient de la place qu'il occupe, et très respectueux des contraintes sociales, un type Pensée, analyste et méticuleux, comme le sera son fils plus tard; un chercheur et un pédagogue.

La mère semble bien avoir gouverné le foyer. Energique et courageuse, économe et pratique, elle est douée d'un esprit évolué, intelligent et artiste, d'une nature sensible et riche, très passionnée, mais sévère aussi, rigoriste dans son jugement sur le Bien et le Mal.

Par certaines ressemblances dans leurs écritures, on peut penser qu'elle a exercé une emprise morale très grande sur son fils, et aussi une domination affective et sensorielle inconsciente, parce qu'elle est vibrante et tendre en même temps qu'intransigeante et volontaire.

L'écriture horizontale et progressive suggère qu'elle a voulu lui imposer une ligne directrice, toute chargée de beauté et de principes, éclairée de sensibilité, et a eu sur lui une influence exaltante, de par sa propre personnalité et en raison de sa propre constitution à lui.

Bien qu'avec de la souplesse, elle est possessive.

L'écriture du *jeune homme* indique une grande sentimen-

talité et une constitution émotive et féminine. C'est une écriture de jeune fille plutôt que d'adolescent, avec beaucoup de
dons, de sens esthétique et littéraire, mais aussi de la passi-
vité, de la soumission, du dilettantisme et un formalisme
conventionnel qui empêche de toucher le fond de la personnalité.

Les gestes dans les quatre directions de l'espace révèlent :
l'ouverture aux éléments divers de la réalité, une grande
réceptivité et en même temps de la complaisance en soi, le
plaisir visuel, auditif et le goût de plaire.

C'est très évolué et intelligent, mais on n'y sent pas le génie
comme dans l'écriture suivante, celle de la maturité. On y voit
pourtant une forte capacité de réflexion et un certain potentiel
de volonté, mais les finales des mots et les mots eux-mêmes
qui descendent indiquent aussi bien la fatigue que la lutte de
la raison contre les sentiments et la tendance à tomber dans
des états dépressifs.

Cependant elle a une unité, elle n'est pas névrotique. *Tout
n'est pas engagé encore.*

Dans la deuxième écriture, une véritable mutation s'est
effectuée. La personnalité, tout en gardant une base conventionnelle, fruit de l'éducation, s'est libérée dans l'élan
créateur.

Il est entré dans un autre monde, un monde où tout est vu
de l'intérieur et a trouvé une communication avec les êtres
par l'intuition qui va au-delà des apparences et du visible.
Tout est livré de lui, y compris l'ombre et le refoulé, à côté de
la vie intérieure frémissante et poétique.

La destinée est inscrite dans cette écriture; celle-ci est
« habitée ».

La vue intérieure des choses ne peut être que le fruit d'une
longue patience, d'un long travail sur soi-même, de la lutte
contre soi à travers la souffrance.

La constitution émotive et anxieuse a augmenté et la

névrose est visible : il y a une véritable dualité, un écartèlement, mais l'individu la dépasse et la fuit dans la création.

Si l'on dresse la croix individuelle de personnalité afin de faire figurer sur un schéma sa structure et ses dynamismes et en utilisant l'apport des typologies de Jung, du Dr Szondi et les tempéraments hippocratiques (méthode Le Noble), on obtient sur la première croix, correspondant à l'écriture de l'adolescent, le schéma suivant :

Il y a unité de l'énergie autour du *Moi* qui est protégé par le milieu familial.

Il n'y a pas encore adaptation à la vie mais soumission à l'ambiance et réceptivité sentimentale au monde extérieur. *Sentiment* à droite.

La *Pensée* est extravertie, évoluée et pénétrante, mais n'a pas encore pris son envol et se nourrit de la culture classique familière à l'entourage, des modes de penser maternels et de toutes les impressions vécues et si subtilement ressenties. Elle est inconsciemment un dialogue avec la mère.

L'*Intuition* reçoit, capte, enregistre, joue avec l'imagination. C'est la fonction dominante de la personnalité. Ici, elle garde encore ses perceptions par devers soi, sans être complètement introvertie.

Seule, la *Sensation,* narcissique, est introvertie et son mode de sentir est féminin, ce qui conditionne son développement futur.

Sur la seconde croix — écriture adulte — la *Pensée* est en avant, à droite. Elle est virile plus que féminine, dynamique, novatrice, portée par l'instinct de puissance spiritualisé, et inspirée par l'*Intuition,* en haut, qui s'est extravertie sous la poussée de l'élan créateur.

Le *Sentiment* s'est replié sur soi et sur le passé — à gauche — sur le souvenir, s'est détourné du réel.

Il y a ainsi une dualité, une scission, entre la pensée et

l'intuition qui s'extériorisent, qui se spiritualisent, et le sentiment et la *Sensation* liés sous la contrainte du passé avec ses nostalgies et de l'inconscient avec ses ombres. Une telle fixation à l'enfance a un aspect magique et destructeur si elle a un côté rêveur et pur.

Mais cette dualité, vécue, est aussi dépassée dans l'œuvre et l'en imprègne.

J. MONNOT

ECRITURE JEUNE HOMME

Le processus d'identification enlève de la force, de
l'indépendance, de l'autonomie et de la solidité au Moi.

     - réceptivité, antennes, radar
     - processus et don d'identification

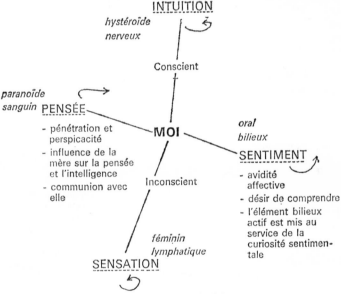

INTUITION

    hystéroïde
    nerveux

Conscient

paranoïde
sanguin PENSÉE

  - pénétration et
    perspicacité
  - influence de la
    mère sur la pensée
    et l'intelligence
  - communion avec
    elle

MOI

Inconscient

oral
bilieux

SENTIMENT

  - avidité
    affective
  - désir de comprendre
  - l'élément bilieux
    actif est mis au
    service de la
    curiosité sentimen-
    tale

féminin
lymphatique

SENSATION

  - manière de sentir, réceptivité
    et sensibilité féminines
  - un certain enlisement dans le
    végétatif
  - participation somatique
    aux émotions
  - dépressions brusques
  - narcissisme

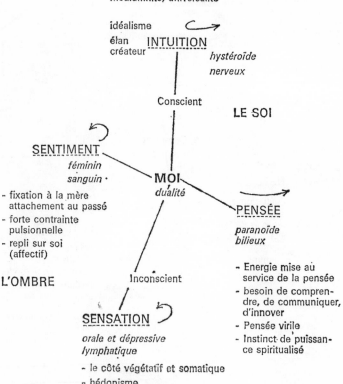

ECRITURE ADULTE

réceptivité, hypersensibilité,
mediumnité, universalité

idéalisme
élan   INTUITION
créateur   *hystéroïde*
                         nerveux

                Conscient

                              LE SOI

SENTIMENT
    féminin
    sanguin
                    MOI
                    dualité
- fixation à la mère
  attachement au passé
- forte contrainte   PENSÉE
  pulsionnelle
- repli sur soi   *paranoïde*
  (affectif)   *bilieux*

L'OMBRE   Inconscient
                              - Energie mise au
                                service de la pensée
                              - besoin de compren-
                                dre, de communiquer,
                                d'innover
SENSATION   - Pensée virile
                              - Instinct de puissan-
orale et dépressive   ce spiritualisé
lymphatique

- le côté végétatif et somatique
- hédonisme
- culpabilité sur la sensation
- curiosité pour
  les arrières-plans
  secrets de la réalité
- inquiétude, anxiété
- obsession

LIVRE II

PROUST, LA SEXUALITE, LA MALADIE, LA MÉDECINE

LA DÉVIATION SEXUELLE

On a parlé, on parle des mœurs de Proust à tort et à travers.

Sur ce point scabreux, les uns, mus par des sentiments divers, s'en tiennent à de discrètes allusions. Or, taire certaines anomalies de comportement parce qu'elles risquent d'être déplaisantes ou indécentes, se voiler la face, n'est-ce pas donner libre cours à toutes les allégations, au-delà même de ce qui fut la réalité?

D'autres chroniqueurs, à l'inverse, par prosélytisme, ou par goût du scandale, ou par pure malignité, prennent pour ainsi dire plaisir à relater, sans caution suffisante, les témoignages les plus outranciers, ce qui ne convient pas davantage à une juste connaissance.

Mais, surtout, la plupart des commentateurs n'ont jamais ouvert un manuel de sexologie et discutent de l'homosexualité dans une profonde ignorance.

Tout cela n'est pas bien objectif.

Il vaut mieux approcher le cas de Proust avec un esprit *clinique*, à l'abri de toute prévention en quelque sens que ce soit, s'étayant sur ce qu'on sait d'indubitable, et utilisant pour l'analyse, les notions qu'enseigne aux spécialistes la science des anomalies et des perversions psychiques et sexuelles.

Les faits d'abord, chronologiquement.

Il n'est pas inutile de revenir encore une fois sur la petite enfance et la fragile santé qui incita la mère à dorloter son petit, plus qu'à le gâter, et le père à assister et à consentir à des élans de tendresse presque excessifs. Caresses, cajoleries deviennent pour un tempérament émotif et nerveux, une prompte habitude et ensuite une seconde nature.

Faut-il rappeler la scène fameuse évoquée par Proust lui-même dans plusieurs de ses premiers écrits, racontée à quelques variantes près tout au long dans *Jean Santeuil* et dans *la Recherche,* du baiser du soir impatiemment attendu, puis réclamé à sa mère jusqu'à la crise de nerfs et de larmes (peu importe qu'elle ait eu lieu à Auteuil — plus probablement — ou à Illiers). Il n'est pas nécessaire de recourir à l'hypothèse d'un complexe d'Œdipe, d'une 'fixation infantile', pour expliquer que, par la suite, il ait eu besoin, n'ait pu se priver de cette tendresse maternelle, plus morale que physique à mesure que les années passent, notons-le. Ce sont, de part et d'autre, des sentiments naturels, sinon logiques, que chacun peut observer autour de soi.

Mal préparé, dès le bas âge, à la lutte pour la vie, il recherchera tout de suite, et longtemps poursuivra sous les formes les plus diverses, jusqu'à être revenu de tous les élans de son cœur, une douceur, un abandon, un don ineffable dans l'amour, dans l'amitié, dans ses rapports avec ses semblables, inévitablement rebuté et froissé par ce que la société a d'âpre et les êtres d'ingrat. Bien d'autres enfants éprouvent de tels mécomptes. Sauf exceptions, ils en tirent vite la leçon et s'endurcissent plus ou moins.

Marcel faisait partie des exceptions. Il ne s'endurcit point.

Voilà un des principaux motifs de sa conduite ultérieure.

Dans ses premières lectures qui furent très précoces, il s'apitoie, il rêve gratuitement, il laisse s'emballer, s'aiguiser sa sensibilité.

De la seconde enfance, du point de vue que nous abordons, que sait-on? Faut-il croire, avec Painter, qu'à Illiers, vers ses sept ou huit ans, il guettait, à travers les trous de la haie, la venue d'une petite fille aux cheveux roux, aux taches de rousseur et à l'air sournois (préfiguration de Gilberte)? Emoi bien anodin! Ou bien qu'il se cachait dans les buissons d'un talus pour apercevoir ce qui n'était pas à voir au rocher de Mirougrin (par analogie avec le passage du roman concernant Mlle Vinteuil)? L'âge de la puberté est propice à ces espionnages furtifs. Ou encore, qu'il fit, solitaire et enfermé, dans le petit cabinet du haut de *la maison familiale,* ses premières expériences voluptueuses? Ce dernier point est fort douteux quant à la précision de l'endroit, si l'on se souvient que sa première et dramatique crise d'asthme qui lui interdit tout séjour à Illiers, éclata quand il avait neuf ans, et que c'est donc antérieurement que lesdites expériences auraient eu lieu. Peu vraisemblable précocité! D'ailleurs, dans le paragraphe pour ainsi dire autobiographique de *Contre Sainte-Beuve,* l'âge est précisé : douze ans. Ce qu'il faut retenir de ces deux pages, c'est non l'indécence ou, du moins, la crudité de la narration, mais l'envolée spirituelle ressentie au cours de l'acte animal et ainsi décrite « ... ma pensée exaltée par le plaisir sentait bien qu'elle était plus vaste, plus puissante que cet univers que j'apercevais au loin... » N'est-ce pas vers une exaltation semblable qu'il alla par la suite, au cours d'expériences moins enfantines, à la recherche de la matière et de la trame de sa création poétique? Loin d'être une secousse vulgaire, le simple assouvissement d'un instinct (au dire des spécialistes, plus de 90 % des garçons pratiquent la masturbation), la secousse qui, pour la plupart, reste localisée à la moelle inférieure, ébranlait son cerveau [1]. Si l'onanisme devint, chez lui (comme il l'a été prétendu), une habitude, un 'vice' (vice si peu exceptionnel que

---

1. Quand à l'idée que la masturbation rend impuissant au coït naturel, et aboutit à l'aversion pour les rapports normaux, ce qu'on n'a pas manqué d'avancer au sujet de Proust, c'est là une croyance sans fondement, malheureusement à l'origine de psychoses chez les anxieux prédisposés.

tout pédiatre est à ce sujet, maintes fois consulté), il s'explique par ce processus, j'en ai la conviction. Chez Marcel, rien ne se passe, ne peut se passer comme chez le vulgaire.

De moindre intérêt sont les rencontres régulières, pendant plusieurs années, aux Champs-Elysées, de garçonnets et de fillettes de son âge. Elles se situent entre 1880 et 1886. Cependant, Marcel, c'est notoire, était plus attiré par ses petites compagnes avec lesquelles il se plaisait à échanger des idées et à briller par la récitation de poèmes, que par la turbulence des jeux de ses jeunes amis en culottes. Ses premières amours remontent à ce moment-là (vers quatorze ans). Il ressentit un penchant assez innocent pour Antoinette Félix Faure et, l'année suivante, une véritable passion pour Marie de Bénardaky. Les pages de *Jean Santeuil* décrivant les orages de ses sentiments, tremblants d'abord, puis déchaînés, puis contrariés par les circonstances et par ses parents effrayés de son exaltation (ne voulut-il pas, rapporte-t-on, se jeter du balcon), sont assez éloquentes et sonnent assez vrai pour qu'on reste convaincu qu'il s'agissait là de flammes ardentes et pures, comme celles que connaissent, à leur orée, les adolescences les mieux orientées.

Un peu plus tard, c'est encore au milieu d'un groupe de jeunes filles qu'il se pavane au tennis du boulevard Bineau, c'est dans leurs familles qu'il est reçu à goûter. On ne peut guère douter du récit transmis par Plantevignes où « *il croit bien devoir avouer à sa honte que, retirée de son porte-manteau — et malgré que deux jeunes filles fussent dans ce même placard mes compagnons de cachette — elle fut, cette robe de mousseline d'été, dans l'ombre, la compagne froissée de mon plaisir.* » Le 'malgré que' ne doit pas être faussement interprété : c'est en raison du respect qu'il devait aux jeunes filles, et non par répugnance de leur sexe, qu'il se fait reproche. Tout cela en somme n'est pas bien grave.

Quant à des caresses entre lycéens, de tels jeux sont trop

peu rares pour qu'on puisse, chez les jeunes mâles qui s'y livrent en attendant la révélation de la femme, conclure à des anomalies ou y relever quelque tendance 'contre-nature'. Sans doute fut-il 'déniaisé', entraîné par quelques camarades d'abord à de « *mauvaises pensées* » sorties de « *l'ombre infernale* », ensuite aux gestes « *immoraux* » dont il eut « *des remords atroces* », et dont il fit « *des aveux* [à son père et à sa mère] *qui ne furent pas compris* ». Crise de conscience que bien d'autres que lui traversèrent, mais qui, dans un cerveau comme le sien, laisse des traces indélébiles.

Donc nous considérons que, jusque-là, l'enfance et la prime jeunesse de Proust — mise à part une sensibilité angoissée — n'offrent rien que de relativement banal, sans laisser clairement présumer quoi que ce soit de l'avenir.

Cela ne durera plus très longtemps. Pourquoi?

Parce que dans sa quête continuelle d'affection, avec son « hypertrophie sentimentale » (Mme de Clermont-Tonnerre), le jeune éphèbe s'adressera aussi bien à un sexe qu'à l'autre et que, lorsqu'on a seize, dix-sept ou dix-huit ans, il est plus aisé de se réunir de longues soirées avec des camarades d'études qu'avec des jeunes filles, d'autant plus que nous sommes en 1888 environ et que la surveillance des demoiselles est très sévère et très effective. Au contraire, il suffisait à Proust, curieux de tout, tendre, tourmenté, maniéré, de se trouver en présence d'un être réceptif, pour que soit ébauchée quelque éventuelle 'amitié particulière'. Ressentit-il dès alors quelque frisson douteux, quelque désir aberrant? C'est fort possible, d'aucuns diront : probable.

C'est le moment d'insister sur *un point capital,* bien connu des psychiatres et des médecins appelés à soigner des homosexuels. Rémy de Gourmont avait très bien souligné le *distinguo* (*Variétés, Mercure de France;* 1908) : l'homosexualisme (choix 'exclusif', déterminé par des tendances physiques) et l'amitié athénienne (simple confusion de sentiments, agrémentée de complaisances charnelles). Trop peu de gens font cette essentielle discrimination.

La féminité ne cessa pas pour autant de préoccuper Proust. En 1908-10 (il avait pourtant depuis longtemps accompli son 'virage') n'écrira-t-il pas dans son *Contre Sainte-Beuve* (non écrit pour la 'galerie'), comme poursuivi par un nostalgique regret : « *Qu'ils sont délicieux et douloureux, ces bals où se mêlent devant nous non pas seulement les jolies jeunes-filles à la peau embaumée mais les files insaisissables, invisibles, de toutes ces vies inconnues de chacune d'elles où nous voudrions pénétrer.* » Je réfute, sans hésiter, la thèse de Painter selon laquelle ses diverses tentatives, sentimentales ou sexuelles, réussies ou non, représentaient autant d'efforts pour échapper à l'inceste (entendu comme « la fixation 'platonique' inconsciente et innocente de tout enfant impubère sur sa mère »). L'analyse d'un tel complexe me paraît ici tout théorique pour ne pas dire tendancieuse, et je ne discerne rien qui la justifie.

Très jeune, sa politesse exagérée, son exubérance excessive, un besoin sexuel et une certaine audace (nous avons vu que le courage n'était pas la moindre de ses qualités) l'incitaient à faire des avances, quelquefois très pressantes, aux dames ou aux femmes, si pressantes qu'il essuya plusieurs rebuffades. En voici trois exemples.

Une fois, aux Champs-Elysées, une dame respectable qu'il importunait de trop près, lui envoya une gifle, raconte la princesse Bibesco. Puis, c'est (vers 1888), rapportée par Daniel Halévy, l'histoire de la belle crémière de la rue Fontaine, que Proust, informé et accompagné par son condisciple, alla reconnaître à travers la vitrine : « Qu'elle est belle! Crois-tu qu'on puisse coucher avec elle?», puis que, un des jours suivants hardiment et sans coup férir, muni d'un gros bouquet, il aborda dans sa boutique en lui exprimant à la fois son admiration et son désir tout cru. Mais sans succès! Et en troisième lieu, plus tard, l'incident avec Mme de Chauvigné qu'il guettait et relançait depuis plusieurs semaines, avenue Marigny, et qui le remit gentiment à sa place. On ne peut tenir ces manifestations pour insignifiantes, ni les interpréter comme des simagrées.

D'ailleurs, les biographes signalent, en ces mêmes années, pendant les mois de vacances, en l'absence de Mme Proust, une liaison avec une petite Viennoise rencontrée au cours de danse Perrin, rue de la Victoire, et une autre plus incertaine avec une demi-mondaine. Proust en fait état dans une lettre à R. Dreyfus, et s'exprime ainsi : « *Une intrigue très compliquée qui s'est terminée très platement par la fin obligée et qui a donné naissance à une liaison absorbante et qui menace de durer un an au moins, au plus grand profit des cafés-concerts et lieux du même genre... Une passion platonique pour une courtisane célèbre qui s'est terminée par un échange de photos et de lettres.* » A toutes fins utiles, il écrit à sa mère que Victoire et Angélique, leurs servantes d'alors, étaient persuadées qu'il avait *une petite connaissance.* En ce temps-là aussi, visite (et usage?) d'un bordel, rue Boudreau : mauvaise impression.

Cet inventaire, bien qu'à coup sûr incomplet, donne la note juste sur les 'explorations' de Proust jusqu'au régiment. Durant son service, on n'a jamais signalé le moindre incident, retenu à son sujet la moindre allusion équivoque malgré les promiscuités de chambrée, la privauté des camaraderies en ville. N'est-ce pas, au surplus, cette année-là qu'il s'éprend de Jeanne Pouquet (pourtant fiancée à un de ses chers amis, Gaston de Caillavet), au point de vouloir louer un château en Sologne, organiser des chasses pour pouvoir l'y inviter, d'user de mille manigances pour se procurer sa photographie.

Puis ce furent ses relations, 'très probablement' (J. E. Blanche) couronnées des dernières faveurs, avec Laure Hayman, la très séduisante maîtresse de son grand-oncle Louis.

Puis il y eut, dans l'entourage de ses parents, quelques conciliabules sans lendemain pour des fiançailles. On ne voit évidemment pas Marcel Proust prenant femme, fondant un foyer, non pas tellement parce que l'intimité féminine lui répugnerait, mais simplement parce que le mariage demande un minimum de sens pratique et d'abnégation, et qu'il en est bien incapable (sans compter les indéfectibles liens qui le retiennent à sa mère et les commodités à son cercle familial).

Sans doute se souciait-il peu de concéder à une autre femme qu'à sa mère, ce rôle de majordome, acquis au cours des années et au gré des circonstances, rôle que toute épouse s'arroge tôt ou tard.

Et la mère, en dépit de ses principes matrimoniaux, ne ressentait-elle pas quelque répulsion intime à l'idée d'une « belle-fille », nouvelle venue et usurpatrice.

Double psychologie fort plausible, sans qu'il soit besoin de recourir à quelque occulte motivation psychanalytique.

On pourrait rappeler encore sa passion admirative pour la brillante Mme Strauss, son amour chaste et payé de retour pour la charmante Marie Finaly, plus tard son flirt fugitif avec Marie de Chevilly, les rêves où il se laisse bercer par la silhouette plus ou moins imaginaire de la *duchesse de Guermantes,* on pourrait... mais à quoi bon?

Il faut ici marquer un temps.

Quand, son adolescence terminée, il accède à la vie mondaine qui deviendra pour lui dévorante (mais, aussi, profuse de trésors inestimables pour son génie secret), son opinion sur les femmes est faite.

Plantevignes raconte quelles seront, vingt ans plus tard, les théories de son ami à l'égard des personnes du beau sexe (qu'il ne fréquentait plus que de loin depuis longtemps, je l'admets — mais qu'il avait, par contre, suffisamment fréquenté pour en connaître). « Lorsqu'elles nous plaisent, il faut aller résolument à elles et ne pas les regarder en chien de faïence. Il n'y a pas que la fortune qui sourisse aux audacieux, les femmes aussi. Vous serez toujours mieux reçu que vous ne le pensez, je vous dis qu'elles vous attendent, qu'elles sont prêtes, etc... » Ce ne sont pas les propos d'un homme ignorant ou seulement désintéressé de la question, d'un inverti 'congénital'[1].

Ses débuts amoureux que nous avons résumés à titre d'argument sont assez convaincants. Jamais un inverti véritable, à hormones féminines prédominantes, n'aurait eu de telles envies, de telles attirances, de telles faiblesses. Ces hommes ne peuvent surmonter le dégoût du corps de la femme. On rapporte que Montesquiou eut une semaine de vomissements après avoir passé une nuit dans le lit de l'admirable et adorée Sarah Bernardt (Painter).

Selon les assertions de Gide dans son journal, Proust lui aurait dit n'avoir jamais connu l'amour qu'avec des hommes... Elles me paraissent suspectes. Ou Proust s'est en effet « targué » (comme dit Gide) devant Gide. Ou bien Gide se révèle trop heureux, trop intéressé, trop prompt à recruter Proust[2].

1. Sur cette théorie de la congénitalité, l'autorité de maints sexologues veut que la prédisposition ne soit, sauf exceptions, nullement prédominante. Il faut parler de tendances homosensuelles. Au gré des circonstances, on devient ou non homosexuel.

Je sais bien que dans un passage reproduit par A. Maurois des *Cahiers* inédits, Proust avec beaucoup de feu, soutient la thèse inverse.

Il est difficile de prendre parti. Cependant, il est permis de se demander si Proust, avec une tournure d'esprit commune à tous les homosexuels, ne se construit pas un système *pro domo sua*.

2. Le professeur Delmas-Marsalet, dans son *Précis de bio-psychologie (Paris, 1961)*, insiste — à juste titre, selon moi — sur l'influence orientatrice « capitale du milieu », le stade ambivalent de la puberté chez le garçon (Marañon), constituant *un des moments féconds* favorable à l'installation de l'homosexualité. Il passe en revue les multiples causes occasionnelles et conclut : « Nos connaissances sont encore trop fragmentaires pour savoir si l'homosexualité est une disposition constitutionnelle inscrite comme une fatalité dans un corps humain ». Personne, par contre, ne songera à discuter les sentences de R. Peyrefitte, orfèvre en la matière : « L'érotisme de Proust relève de la psychiatrie », et « Homosexuel ? Le pauvre homme ! » (*Notre amour* — *Flammarion* édit.)

La théorie de l'ambivalence, (du 'bimétallisme' comme cela se nommait dans le milieu) n'est à mon avis pas davantage recevable pour les années considérées jusqu'ici (1895).

Il faut chercher ailleurs et autrement l'origine et le cours des déviations ultérieures.

La curiosité insatiable, le désir de tout savoir frappe à toutes les portes, y compris à celle de la perversion. Une fois dans ce domaine, il n'y a plus de limite. Puisque l'on doit parler de vice (lui-même en a parlé sans ambages dans les confidences des *Cahiers*), à propos de certains comportements de Proust, ce qu'il faut incriminer, c'est cette curiosité, mère de tous ses vices. « Ténébreuse tentative de chercheur d'infamies, de choses interdites », a écrit H. Massis, et A. Maurois : « chasseur de sensations ».

Le même raisonnement vaut pour ce que d'aucuns ont stigmatisé comme un insupportable snobisme. L'enquête systématique dont son être était avide jusqu'à tout lui subordonner, voulait qu'il se perdît dans les dédales de l'homosexualité, autant que dans les délices des fêtes et des réceptions. Je ne sais sous quelle plume (peut-être la sienne) j'ai lu, à son sujet, la métaphore très frappante et très belle : « les rançons physiques de l'intelligence ».

Si l'on veut faire la part des choses, on doit considérer, en conformité avec les théories psychiatriques modernes, qu'une certaine « *tare* » biologique a vraisemblablement *pesé* sur sa destinée. La répartition des hormones mâles et femelles, si inégalement et capricieusement dispensées aux adolescents, était sans doute, chez lui, telle qu'il se trouvait proche d'un équilibre instable, équilibre que les circonstances conjuguées (caractérielles, pathologiques, familiales, sociales, de hasard) ont aisément rompu [1].

---

1. « Il faut souligner l'importance plus récemment révélée des influences extérieures susceptibles de produire des « malformations de l'inhibition » en déviant le développement de la sexualité... En particu-

Il est d'ailleurs d'un parfait sang-froid. Aussi se jugera-t-il, se repentira-t-il sans cesse. La notion de 'péché' n'a pas de prise sur lui. Celle de morale n'en a guère, mais celle de convenance en a énormément.

En cette époque conformiste où il vivait, les homosexuels étaient plutôt objets de silence que montrés du doigt. Dans la société et la classe auxquelles il appartenait, une simple allusion à haute voix eût été du plus mauvais ton. Je me souviens du scandale que provoqua la parution vers 1910 du roman de Binet-Valmer : *Lucien*. C'était la première fois qu'en littérature moderne, le sujet était abordé ouvertement. Les collégiens le lisaient en cachette. Cinquante ans plus tard, l'*Exilé de Capri* de Roger Peyrefitte fait très bien ressortir la situation de ces infortunés jeunes-gens de 'la belle époque', considérés comme des dépravés de la pire espèce, voués à la réprobation publique et, même, à la rigueur des lois.

En violant les convenances, Marcel savait qu'il risquait de se faire un tort considérable et, si elle l'apprenait, de blesser abominablement sa mère. C'est ce qui lui fit écrire cette nouvelle si tragique et tout à fait significative, malgré les précautions du travestissement : *La confession d'une jeune-fille*. Il l'écrit vers la fin de 1894. Il faut la relire si l'on désire comprendre dans quel trouble il vivait. Henri Massis y attache la valeur d'un témoignage.

Mais, en fait, que se passait-il en ses premières années de maturité?

lier, à l'une des étapes les plus importantes de son cours, celle de la maturation pubertaire, le sujet subissant une activation massive de la pulsion instinctive sexuelle peut manquer son orientation normale. Ch. Bardenat *in Manuel de Psychiatrie* de A. Porot. — *Presses universitaires*. Paris 1960).

Le Pr. M. Sendrail : « Le sexe n'équivaut qu'à une dominante,... à une prévalence dans un équilibre d'antagonismes..., un état limite. » (*Sagesse et délire des formes* — *Hachette* édit. 1967.)

Pas grand-chose, tout d'abord. Par l'intermédiaire de R. de Billy, il fut présenté à un jeune Suisse d'une exceptionnelle distinction d'esprit et d'allure. La sympathie, puis l'estime, puis l'affection, puis quelque chose de plus s'empara du cœur de Proust; ce fut un feu de paille, car Edgar Aubert devait retourner à Genève et, l'été suivant, y mourir d'appendicite aiguë. On sait que le chagrin avive le souvenir et que le regret exagère le sentiment. Proust n'oubliera jamais cette rencontre. Ensuite, ce fut Robert de Flers, charmant bon-vivant, plein d'esprit et de verve, qui sut s'accommoder des exigences et des susceptibilités d'une amitié ombrageuse. Puis ce fut Willy Heath, bel et *smart* anglais, pur de cœur, artiste, énigmatique, avec qui Marcel fit des projets idéalistes et grandiloquents. Là encore, la mort veillait et emporta le jeune-homme l'année d'après. Nouveau profond chagrin.

Ces trois hommes étaient à peu près les contemporains de Proust. Tout porte à penser que les sentiments éthérés qui les unirent, ne dépassaient pas ces emballements d'éphèbes épris d'esthétique et d'élévation intellectuelle. Que d'âmes bien nées ont, au seuil de la vie, poursuivi de semblables et pures chimères! « ...*Parfois ils ont un ami de leur âge, ou plus jeune, pour qui ils ont une ardente affection, et alors redoutent plus que la mort même* [que celui-ci] *puisse jamais connaître le péché, le vice qui fit leur honte et leur remords...* »

En outre, de Flers était un modèle d'équilibre et de santé. Les deux étrangers étaient religieux et chastes. Inutile donc de supposer dans ces liaisons, au reste deux d'entre elles fort éphémères (celle avec de Flers dura très longtemps à l'abri de tout soupçon), dans ces promenades romanesques aux Tuileries ou au Bois, des symptômes — ou mieux, des prodromes — d'un changement futur ou même proche. Je me trouve entièrement d'accord avec Painter quand il parle « d'amitiés ardentes mais toujours platoniques », mais je ne le suis plus, quand il estime que jusqu'à vingt ans (et même un peu davantage), Proust, comme Gide, était demeuré inconscient de sa destinée (sexuelle — aussi bien que littéraire), et « peut être même ignorant de l'existence de l'amour homosexuel »! Cette fois, je crois l'hypothèse fort en deçà de la réalité. Proust n'ignorait plus rien du tout. C'eût été un benêt.

Quand, dans le salon de Mme d'Aubernon, un des premiers où il pénétra, présenté au baron Doasan, pédéraste notoire, celui qui s'apprêtait à en donner ainsi que de ses semblables d'immortels portraits, le repéra aussitôt. Il n'est pas du tout nécessaire pour faire de prime abord un tel diagnostic, d'être soi-même travaillé par « la tare d'une passion naissante ». J'en dirai tout autant en ce qui concerne le comte de Montesquiou. On a bien des fois exposé les rapports réciproques entre l'esthète et son futur portraitiste. De surcroît, leur correspondance est là pour nous renseigner, et je ne suis pas de ceux qui prétendent voir dans leurs divers démêlés, des disputes de cocottes amoureuses. Le grand seigneur qui régnait dans les salons, voit arriver sans plaisir cet intrus dont il détecte, avec un flair de chasseur, et l'ambition mondaine et la subtilité implacable bien plus que « la marque d'infamie ». Celle-ci n'avait pas encore apparu.

Cela dit, que Proust ne fût pas en éveil à l'égard de l'uranisme, qu'il eût bien moins que de l'antipathie pour les adeptes, on aurait grand mal à le nier. Vu son état d'âme, il n'en pouvait être autrement. Quand on converse un peu sérieusement avec ces hommes plus ou moins en marge du commun des mortels, et qu'on les juge sans parti pris, on comprend vite, chez beaucoup d'entre eux et mêlées à leurs travers, leurs qualités de raffinement, d'amour de l'art, leur goût des jolies choses, et, dans le commerce quotidien, la prévenance et la délicatesse. Autant d'attraits, d'appels pour un cœur insatisfait qui demandait à la vie et au monde, de la gentillesse et de la séduction.

Donc, avances ou non de Montesquiou, en tout cas sans
lendemain, 'entre-regards' lourds d'interrogations quand Oscar
Wilde et Marcel Proust croisèrent leurs chemins chez
Mme Armand de Caillavet, le premier intrigué par l'allure
énigmatique du second, et le second par la renommée à deux
faces du premier : rien d'autre que ce jeu avec le feu où se
satisfaisait un esprit amateur de curiosités. Jusque-là, sans rien
de très grave à se reprocher, Marcel est, en effet tout à son
bonheur intime d'exercer ses dons. Plaisirs et succès mondains
devaient au surplus être d'autant plus agréablement ressentis
qu'ils faisaient diversion avec les querelles au sein de la
famille. Ces années-là, on le met en demeure (père, mère,
grand-père) de choisir une carrière, au besoin un métier, alors
qu'il tergiverse, qu'il ne prend aucun parti; il n'est pas difficile d'imaginer ce que le climat à la maison devait, par
moments, avoir de pesant, et combien, certains jours, il avait
envie de s'évader.

Si l'on suivait Painter, Proust aurait porté en lui tout ce
qu'il fallait pour chuter, et c'est la découverte du modèle de
M. de Charlus qui lui ouvrit les yeux. Je répète ma conviction
qu'il avait les yeux parfaitement ouverts et, d'autre part, que si
l'on doit voir en la propre nature du futur romancier, quelque chose de morbide, c'est sa fiévreuse appétence de découverte qu'il faut incriminer comme telle, la satisfaction un
peu sadique de découvrir du clandestin, du secret, de l'irré-
gulier, de l'insolite : ce que les êtres dissimulent par respect
humain, par décence ou par obligation sociale.

Ainsi, les études de caractères du grand roman où les personnages sont fouillés jusque dans le tréfonds de leurs arrière-
pensées. Les contacts, si volontiers entretenus avec les
humbles, les déshérités, ne sont pas que de l'apitoiement.
Ils procèdent du même type d'investigation : déceler ce que
les agencements sociaux laissent dans l'ombre.

De même, touchant la sexualité, l'adultère, la jalousie, et

davantage les penchants malsains. Dans *Jean Santeuil,* œuvre de jeunesse, comme il excelle déjà dans l'analyse de la perversité d'un amant, quand il décrit Jean voulant arracher à Françoise l'aveu de fautes dont personne ne sait si elle les a commises, et se complaisant à la torturer en se torturant lui-même! Plus tard, avec les personnages d'Odette et de Swann, avec ceux d'Albertine et du Narrateur, à quelle escrime n'assistons-nous pas! R. Vigneron fait remarquer que, dans une étude de la *Revue blanche : Avant la nuit,* parue dès décembre 1893, Proust met en scène un jeune esthète qui, par une imprudente apologie de l'inversion, aide, sans s'en douter, la femme qu'il aime, à prendre conscience des goûts qu'elle n'avait pas encore oser s'avouer. Dans le récit, en manière de théorie justificative, cette tirade : « ... *il n'y a de hiérarchie entre les amours stériles et il n'est pas moins moral — ou plutôt pas plus immoral — qu'une femme trouve du plaisir avec une autre femme qu'avec un être d'un autre sexe. La cause de cet amour est dans une altération nerveuse qui l'est trop exclusivement pour comporter un contenu moral, etc.* »

A un ami (non identifié) il écrit vers 1907 : « *Vous seriez bien gentil de m'écrire (et le mieux serait de donner la réponse au porteur à cause du caractère délicat de la lettre) pour me dire... si l'*Hôtel du Paradis *dont vous m'avez parlé est seulement un lieu de rendez-vous ou si les servantes sont aussi de vertu facile. Quelques renseignements plus précis, au besoin quelques prénoms, seraient fort commodes.* » Léon-Pierre Quint raconte qu'un ami de Proust lui ayant parlé d'une demi-mondaine qui donnait des soirées finissant en 'orgies', il vit là pour son livre une occasion de se documenter, demanda à être amené et passa chez cette jeune femme une nuit de réveillon. « Il s'informait astucieusement, écrit R. Vigneron, auprès de ceux de ses amis qu'il croyait renseignés, s'efforçant de pénétrer les *goûts* secrets des gens de sa connaissance et recueillant avec délices les moindres ragots. » Plantevignes à son tour rapporte : « Il s'étendait souvent dans sa conversation sur les mœurs et les coutumes de Gomorrhe et sur ce qu'il savait et pensait des gomorrhéennes dont il avait connu, disait-il, beaucoup. Lorsqu'il était lancé sur ce sujet, il ne tarissait plus et y revenait assez souvent, car c'était chez lui comme une sorte d'obsession et c'est la seule part de ses propos dont j'ai conservé un souvenir un peu lassé... Non seulement il citait des noms surprenants, fruits de son expérience ou de potins mondains, ... un grand nombre d'anecdotes, — mais encore il voyait des gomorrhéennes partout... » Et plus loin : « A Cabourg notamment (nous sommes ici vingt ans plus tard, mais son tic n'a pas varié) la moindre œillade, le moindre propos pouvant prêter à double sens, la moindre effusion d'affection entre deux jeunes filles... étaient immédiatement relevés par lui comme un présage d'autres découvertes à faire pour étayer ce qu'il pressentait aussitôt. » Et, dans le roman ne retrouve-t-on pas sans cesse trace de cette sorte d'obsession? *Albertine, Andrée, Léa, Mlle Vinteuil et son amie, la cousine de Bloch, Odette même, les dix invitées* du grand dîner *de Ribevelle,* (le dîner avec) *les maîtresses de ses amis, les jeunes filles de Touraine,* toutes taxées de saphisme peuplent la société.

Voilà le vrai vice, vice plus cérébral que sensuel; un vice de naturaliste si l'on juge en optimiste, un stigmate de perversité, si l'on voit les choses en noir. Le même témoin nous assure que Proust ne lui parlait jamais des invertis ni de Sodome. C'était de bonne politique.

1894. (Vingt-trois ans).

Reynaldo Hahn.

Jusqu'ici toutes les fréquentations masculines, camarades de lycée, compagnons de jeux ou d'études, amis de régiments, connaissances mondaines n'ont apporté à Proust qu'agréments intellectuels ou dépits sentimentaux. Il y a bien son frère qu'il aime fraternellement, mais si différent de lui sous tant d'aspects et, à tout prendre, son rival à la table familiale, qui travaille, obtient de prompts succès. Ainsi l'univers ne répond pas à son attente. Certes, sa mère, sa diligente et protectrice mère, sa mère est là. Mais une mère, même cette mère-là ne tient pas lieu de tout.

Fin août, au château de Réveillon, chez Mme Madeleine Lemaire, Marcel et Reynaldo se rencontrent. Commence une idylle éblouissante. Hahn a dix-neuf ans, c'est donc le cadet. Il est beau garçon, a quelques traits de ressemblance avec Proust : yeux marrons, peau brune et mate, petite moustache sombre, hérédité juive. « Il avait, dit Painter, le charme sérieux, l'intelligence, la distinction morale » de l'ami idéal. Il était musicien, chantait, composait. Leur amitié fut passionnée pendant deux années consécutives et, quand ils eurent épuisé la passion, « modérée quoique sans nuage » tant qu'ils vécurent.

L'hiver suivant, ils ne se quittèrent pour ainsi dire pas; ils se recevaient réciproquement boulevard Malesherbes et rue du Cirque, mêlant les charmes des entretiens sans fin sur la poésie, l'art, la musique, le théâtre, à d'autres béatitudes. Cette fois, l'on ne peut pas mettre en doute la nature de la liaison. Les présomptions, sinon les preuves, abondent : témoignages de contemporains proches, correspondance. Personne qui en conteste sérieusement la véracité ou l'interprétation. Ils allèrent ensemble dans le monde, se promenèrent à travers Paris, travaillèrent en collaboration. L'année d'après, ils passèrent une partie de l'été ensemble dans une villa de la sœur aînée de Hahn à Saint-Germain-en-Laye, ensuite à Dieppe chez Madeleine Lemaire, enfin seuls en Bretagne, projet depuis longtemps caressé : Belle-Isle, d'abord idéalisée à l'avance, mais qui les déçut, puis Beg-Meil. Je suis allé revoir le lieu de leur séjour, comme j'ai été reconnaître les appartements du boulevard Malesherbes et de la rue de Courcelles. Rien ne vaut ces pèlerinages *in situ* pour aider à reconstituer mentalement un décor ancien, à recréer une atmosphère vraisemblable. Le

coin de plage, avec ses barques échouées, est celui où les
deux amis s'étendaient pour lire et pour deviser. Le doux
horizon de la baie bretonne est celui qu'ils ont contemplé. Il
est vrai que le verger de pommiers, parsemé de massifs d'orties,
descendant jusqu'à la mer et mêlant « *l'odeur du cidre au
parfum des goémons* », a été remplacé par un petit enclos
où croissent des arbres déjà hauts qu'ils n'ont pas connus il y
a soixante-dix ans! Mais le corps de bâtiment en retrait de
l'ex-hôtel Fermont, la véranda de la salle à manger conservent
bien la 'touche' de la fin du XIXᵉ siècle. On trouve évoquée
dans les vingt premières pages de *Jean Santeuil,* l'ambiance
heureuse où ils vécurent en cette fin de saison, libres de toute
entrave, livrés à eux-mêmes et à leurs aspirations idéalistes.
Les jeux de l'esprit devaient les occuper autant que ceux du
cœur. Ces espèces de rêves se font généralement en compagnie féminine, compagnie où Proust avec ses exigences intellectuelles (bien plus qu'à cause de penchants anormaux), n'aurait probablement pas connu un accomplissement si parfait.

Sur les instances de Mme Lemaire, ils retournèrent à
l'arrière-automne à Réveillon. L'hiver vint; et le temps où la
flamme perdit de son ardeur, ainsi qu'il en est pour toutes les
amours.

Lucien Daudet va maintenant prendre la relève.

Lucien a dix-sept ans (sept de moins que Marcel). Il est
beau, frêle, frisé, pommadé, poudré, intelligent, capricieux,
nerveux jusqu'au 'rire et pleurer spasmodiques' du jargon
pathologique. Il aime la littérature et la peinture; bref, tout ce
qu'il faut pour plaire à Proust qui ne tarde pas à l'inviter dans
sa chambre, à manger des gâteaux, à regarder des albums, à
causer. « Bientôt, ils se réunirent tous les jours. Ils allèrent
au Louvre... Le 31 décembre, pour cadeau de jour de l'an,
il envoya à Lucien un coffret d'ivoire du XVIIᵉ siècle, où l'on
voyait une jeune femme penchée sur une urne et où l'on avait
gravé les mots : « A l'amitié. »

Les privautés, les « actes », quels qu'ils aient été, n'excluent pas les joies procurées par les joutes de l'esprit, les lectures « élevées » entre amis. Ils s'amusaient aussi comme des gamins à 'faire les pitres'. Cela pouvait donner le change, et le donnait. Alphonse Daudet, peu avant sa mort, bien qu'en riant il qualifiât Proust de diable, ne voyait que du feu et continuait à le recevoir en toute confiance.

Entre-temps, Reynaldo, quoique évincé, était l'objet de jalousie et de scènes de jalousie, de la part de Proust. Puis vint enfin, après les orages, la sérénité, et une amitié sans faille. A la fin de 1897, l'ancien favori accompagna Marcel pour consoler trois jours durant, le nouvel élu éperdu de douleur devant la dépouille de son père. Quel contraste offre la désinvolture manifestée à l'égard de 'l'ami' deux ans plus tard dans une lettre de Marcel à sa mère : « *Je craignais s'il avait perdu l'un des siens, de paraître manquer de sollicitude* (sic). »

Quels qu'aient été les égarements de Proust en 'ces années de pseudo-désœuvrement', qui se prolongèrent jusqu'à la mort des parents au moins, son comportement public, s'il permettait des soupçons à de rares gens en éveil, pouvait parfaitement paraître innocent. Il fréquentait assidûment Marie Nordlinger pour ses premiers essais ruskiniens, visitait avec elle les musées, des ateliers d'artiste, la recevait rue de Courcelles. Il continuait à correspondre avec la chère Mme Strauss, à admirer et à flatter la comtesse de Noailles. Il paraissait préoccupé et se préoccupait réellement de ses premières publications. Il se plaisait aux futilités de la haute société. Cela faisait beaucoup d'alibis, des alibis tout à fait valables, et pour les siens et pour le reste de l'entourage.

Même après 1900, alors qu'il approchait de la trentaine, on pouvait prendre pour des enfantillages, ses manières avec Bertrand de Fénelon, le prince Antoine Bibesco et son frère, avec Georges de Lauris, leurs manies d'anagrammes et de sur-

noms, leur prononciation affêtée et compromettante, et le
'proustinisme' qui s'en suivit. Cela ne tirait pas forcément à
conséquence. Malgré des passages de lettres comme ceux-ci
où entre beaucoup de phraséologie : « *J'éprouve la jalousie
d'une Andromède masculine, toujours attachée à son rocher, et
qui souffre de voir Antoine Bibesco s'éloigner et se multiplier
sans qu'elle puisse le suivre* » — « *Avec Fénelon, je suis encore
à l'époque de l'espérance. Dites-lui...* », on ne doit pas se laisser aller à des conclusions trop hâtives. « Pourvoyeurs de rêves,
rabatteurs d'images », tel était, selon Marthe Bibesco, le rôle
du petit clan auprès du demi-reclus. Par ailleurs, Painter pré-
sume que, vers 1903, il y eut des relations charnelles entre
Marcel et la jolie Louisa de Mornand; cela encore s'inscrirait
contre les assertions gidiennes.

Les choses ensuite allèrent en empirant. Et personne n'ose-
rait récuser André Maurois faisant allusion, dans le dernier
quart de la vie de Proust, aux pseudo-secrétaires « prison-
niers », séquestrés, objets d'atroce jalousie. « Contre toute
son éducation morale et conformiste, ses instincts l'avaient
entraîné vers l'inversion. Des attachements tenaces à des êtres
indignes... se traînaient en des régions de son cœur où ne
pénétraient pas les amis de son esprit. » Et plus loin : « ... Mais
les objets réels de son amour, objets de délices et de dégoût,
étaient ces jeunes inconnus... » et plus loin encore : « Il semble
que son rêve de bonheur ait été une sensualité presque animale
goûtée avec des êtres jeunes. » Et toute la pathogénie justificative se trouve exposée dans certaines feuilles des *Cahiers*.
C'est un aveu.

Mais, ce qui se passa après 1905, quand, son père et sa
mère disparus, il resta seul, sort du cadre de cet ouvrage.

Il me reste à examiner deux points : comment la conscience
de Proust réagit-elle? Comment ses parents se comportèrent-
ils?

Pour ce qui concerne les réactions de conscience, il faut semble-t-il, envisager deux aspects.

Tant qu'il ne s'agit que d'apparences ambiguës, de manifestations plus ou moins choquantes, prêtant éventuellement à scandaliser, je crois que l'homme s'en divertissait, s'y plaisait. Enfant gâté par la vie (abstraction faite de son asthme, alors intermittent), avec une grande aisance matérielle, l'insouciance du lendemain, une mère à sa dévotion et à son service, des facultés intellectuelles dont il ne pouvait plus douter, il appartenait aux privilégiés qui avaient le droit d'en faire à leur fantaisie. Jouissant des avantages de sa classe, il se permettait à peu près tout ce qui lui passait par la tête, mettait quelque impudence à snober, à interloquer ses connaissances. « Le plaisir aristocratique de déplaire » avait déjà proclamé Barbey d'Aurevilly. Ainsi, par exemple, ces photographies, tant de fois reproduites, où, sous l'uniforme, il prend des poses clownesques. Ainsi, le portrait non moins connu, par J. E. Blanche, et sa mise prétentieuse avec sa cravate gorge de pigeon. Ainsi certaines préciosités vestimentaires intermittentes. Il y avait en lui, par moments, du gandin, du poseur en même temps que du mystificateur (il existe toutes sortes de poses). Savons-nous, d'ailleurs, jusqu'à quel point les gens en général posent ou sont sincères avec leur personnage?

Même pour ses démarches équivoques à Venise, en 1900, où peut-être bien il courut l'aventure, la sensualité, telle qu'on l'entend couramment, ne le tenaillait pas plus que l'étrange et presque maladif besoin de jouir, sur tous les plans, de ses facilités, de satisfaire sa soif d'investigation.

En revanche, dès que ses actes deviennent évidemment répréhensibles (ou soi-disant tels), il souffre de scrupules et aussi de craintes; il se repent, il se cache, il se défend.

Sur ses débats intérieurs, quelle plus émouvante et moins réfutable révélation que (dans le *Contre Sainte-Beuve* — 1908) le chapitre sur la « race maudite »? J'y relève : « *Race*

*maudite puisque ce qui est pour elle l'idéal de la beauté
et l'aliment du désir est aussi l'objet de la honte et la peur du
châtiment... qu'elle est obligée de vivre dans le mensonge et
le parjure... puisqu'elle est obligée de cacher son secret à ceux
qu'elle aime le plus, craignant la douleur de sa famille,
le mépris de ses amis, le châtiment de son pays... race ayant
des cœurs de femmes aimants et délicats, mais aussi une
nature de femme soupçonneuse et perverse... chacun peut
comprendre l'acte d'un voleur, d'un assassin, mais non d'un
homosexuel... »*

Et de continuer ainsi pendant douze pages. Poignant et trop
évident plaidoyer. On ne plaide pas ainsi pour les autres.

Il prend donc toutes les précautions possibles afin de ne
pas se trahir, de ne pas démasquer son inconduite; et, comme
sa finesse est extrême, il y parvient assez bien pour que n'éclate
aucun incident. La plupart du temps, le ton de sa correspondance est à double sens et, en raison de son extraordinaire
prolixité épistolaire, le voilà qui, par moments, se défie et
s'inquiète de récupérer certaines missives qui pourraient être
compromettantes.

Enfin, il ne transige jamais sur sa réputation, et c'est encore
un de ses moyens de défense : A Antoine Bibesco qui lui
conseille de donner des poignées de main plus vigoureuses,
il répond : « *On me prendrait pour un inverti!* » Il se bat en
duel avec Jean Lorrain, à cause d'un entrefilet de journal où
celui-ci, bien renseigné en l'occurrence, faisait allusion aux
relations suspectes entre Daudet et Proust. Douze ans plus
tard, tout à fait libre, homme mûr et sûr de lui, il apportera
le même soin tenace, la même hargne pourrait-on dire, à
opposer aux médisances inévitables, les démentis les plus
absolus. La preuve en est sa brouille à Cabourg, avec son
jeune ami Plantevignes qui n'avait pas relevé un propos mal-
sonnant : « Vous acquiescez? Vous dites je sais, je sais :
mais après tout vous savez quoi? Vous vous basez sur quoi? »

Puis, sur un ton à demi désolé et à demi sarcastique :
« Comme c'est charmant d'arriver ainsi dans un pays, pré-
cédé de sa réputation! »

Lorsqu'enfin on s'interroge sur ce que furent, sur ce chapitre des mœurs, l'information et la position des parents, il
importe de revenir encore une fois sur l'état d'esprit de
l'époque, les règles du milieu bourgeois vers 1900. Le problème des inversions sexuelles n'avait place ni dans les pensées
ni dans les conversations des gens qui s'estimaient respectables
et 'comme il faut'. Les allusions étaient fort mal reçues.
L'adultère, copieusement pratiqué, couramment admis et
absous, suffisait à pimenter les bavardages. Le père et la
mère de Marcel, pas plus étroits d'esprit que les autres, portaient, j'en suis persuadé, les mêmes œillères. Le père, médecin et, par conséquent, tout à fait averti, ne transférait pas dans
son optique privée, ce que les livres et le métier, les confessions des malades enseignent sur le sujet. Il aurait, sans doute,
cru manquer de respect à sa femme en l'en entretenant, sinon
à mots couverts. Celle-ci n'ignorait évidemment pas les mœurs
de la jeunesse athénienne, ni pourquoi Socrate dut boire la
ciguë, et n'avait pas l'innocence de croire toute dépravation
abolie. Mais de telles pensées ne trouvaient guère accès dans
un esprit si bien orné. Je n'ai trouvé dans toute la correspondance entre mère et fils que deux phrases allusives : « *Je ne
te cache pas que le Dr Cottet* [d'Evian] *me paraît tout à fait
emballé sur mon compte. Habite-t-il Paris l'hiver? Bien
entendu (et je n'ajoute cette remarque stupide qu'à cause de
l'imagination de ma mère) je dis emballé dans un bon sens
et ne va pas imaginer que c'est une mauvaise relation, grand
dieu!!!!!!!* » Marcel prend les devants. Sa parenthèse est
astucieuse.
Et ceci : « *Tu te rappelles très bien que je t'avais dit le
nom de Weisweiller comme* mauvaise fréquentation. *Quant*

au fait même je ne pouvais pas le savoir puisque cela n'est venu que plus tard. Je t'ai dit seulement ce que Loche m'avait dit, qu'il avait eu l'impression qui a été reconnue fausse, et était si en l'air, tellement semblable à tout ce que nous disons tous en l'air de l'un et de l'autre que ç'aurait été une folie pure de rien baser là-dessus. » Mais, sur la mentalité de sa mère à cet égard, l'écrivain fournit lui-même l'interprétation la plus nuancée et sans doute la plus conforme.

Quant à Robert, le frère, plus affranchi déjà, carabin du reste, et absorbé par le labeur des concours, ses récréations avec des 'petites amies' suffisaient à meubler son univers sexuel.

L'attention du groupe familial (le grand-père vétilleux mourut en 1896) était beaucoup plus retenue par ce qu'il qualifiait de paresse, de manque de volonté, par la mondanité, les excentricités et surtout les dépenses de Marcel que par le reste. Les discussions parfois violentes (chapeau piétiné, vase brisé, portes claquées) portaient sur les caprices ou sur les besoins d'argent de ce fils désœuvré. On l'a lu précédemment. Ou bien encore sur le choix d'une occupation lucrative. Tels étaient les deux tourments principaux qui, souvent, assombrissaient le front des parents, plus souvent en tout cas, que le problème de l'apprentissage amoureux. Il y eut bien, en 1895, une trop jolie femme de chambre, Marie, que congédia Mme Proust, de crainte que Marcel s'en amourache. Aveugle mère, pauvre femme, c'était au plein de l'idylle reynaldienne. Il est bien question aussi, plus tard, d'une scène [1], après que Mme Proust, appuyée par son mari, eut interdit à leur fils de sortir avec son ami, sous prétexte qu'ils allaient passer la nuit

---

1. Voir *Jean Santeuil I*. La description et les détails de la scène ne peuvent avoir été inventés de toutes pièces. Cela transpire le *'vécu'*. Elle dut se situer, si l'on s'en tient aux circonstances du récit, après 1896.

dehors jusqu'à l'aube dans des lieux de débauche — féminine s'entend.

Cependant, depuis le retour du régiment, Marcel jouissait d'une liberté relativement grande. Le père avait encouragé non seulement la bonne influence, mais les liens 'affectueux' entre Laure Hayman et le jeune homme. On se prêtait chez lui aux dîners, de composition et de cérémonial souvent fantasques, que combinait Marcel. On y suivait ses écrits tantôt avec indulgence, tantôt avec scepticisme, sans y rien lire entre les lignes qu'un talent bizarre et une ambition juvénile, des incartades sans lendemain. Il semble surprenant aujourd'hui que tant d'allusions à la vie réelle, tant de points de rapprochement n'aient pas éveillé l'attention. « Il y a, écrit Claude Mauriac, un tel degré de transposition que si le Livre, mené à son terme, avait été publié à l'époque, nul ne s'en fût aperçu. »

Pour ce qui est du mariage s'il était dans l'ordre des choses, de songer à marier un fils de vingt-cinq à trente ans, fortuné et séduisant, répétons qu'il n'en fut jamais sérieusement question.

Abstraction faite de son déviationnisme désormais déclaré, Marcel se sentait, par sa vocation artistique, ses habitudes de vie, la complexité de ses réactions, aussi peu apte et enclin que possible au mariage, et se refusait carrément à cette idée. « *Sois bien prudente si tu parles désirs matrimoniaux pour moi. Car il paraîtrait que France* [Anatole France] *aurait pensé à moi pour sa fille et comme jamais je ne le ferais il faut être prudent.* » (1899) La mère aussi mesurait honnêtement que ce n'était pas un projet bien raisonnable. Cela se conçoit sans avoir à lui supposer à elle de troubles arrière-pensées.

Il reste à réfuter en quelques lignes, puisqu'elle a été soutenue à travers un volume de plus de cinq cents pages, la thèse assez répugnante de la 'mère profanée'.

Selon Ch. Briand (qui a le mérite de ne pas dissimuler sa hargne contre Proust et son œuvre), Mme Proust se serait prêtée aux jeux moins qu'innocents de son fils-enfant. La scène du baiser n'aurait rien eu de maternel, et les baisers auraient fait concurrence à ceux d'Albertine; et le même auteur laisse entendre que « de concessions en concessions », les complaisances se poursuivirent jusqu'à l' « abdication ».

Il s'impose, une fois pour toutes, de reprendre l'argumentation pour en finir avec une calomnie aussi sacrilège.

Laissant de côté l'exégèse outrecuidante à laquelle se livre Ch. Briand, du livre de H. Massis et de la thèse de A. M. Cochet, retenons que l'accusateur s'appuie sur les témoignages de Marie Nordlinger (*Lettres à une amie*, édition du Calame, p. 84), de Lucien Daudet (*Autour de soixante lettres de Marcel Proust*, p. 47), de la comtesse de Noailles (*Lettres à la comtesse de Noailles*, pp. 26 et 28). Sauf pour le troisième, l'interprétation qu'il fait de ces textes est proprement abusive et toute gratuite. Mais, à supposer même que de tels horribles aveux aient été faits péremptoirement par Proust à ses trois confidents 'tardifs', cela signifie-t-il qu'ils correspondent à la réalité? Tout ce qu'on sait de 'positif', et non pas d'hypothétique, le dément.

Et, après avoir, tout au long de sa diatribe, présenté Proust comme un fourbe, un maniaque, un dévoyé, un mythomane, Briand aurait bien dû s'en souvenir au lieu d'accorder créance à de telles pseudo-confessions, et admettre que, à supposer que 'Proust ait vraiment parlé dans le sens prétendu' (?), c'est qu'il en a menti par vice, par vantardise, par goût du scandale, par perversion, et qu'il a profané non sa mère (il n'eût osé et elle, en tout cas, reste au-dessus de tout soupçon), mais le souvenir de sa mère, ce qui serait déjà assez abominable. Briand, coupable de partialité, l'est aussi de contradiction.

Jamais, selon moi, partie à cause de leurs principes qui en

détournaient l'idée, partie grâce à l'extrême prudence de Marcel, ni le professeur Adrien Proust ni sa femme ne furent mis au courant des penchants et des chutes de leur fils. Ou ils ne les virent pas, ou ils ne voulurent pas les voir. A l'un comme à l'autre fut épargnée une révélation qui eût été pour eux une honte et une affliction sans nom; et on peut croire qu'ils moururent dans la paix que procure l'illusion.

LA MALADIE

L'asthme de Proust...

Quel lettré n'est au courant de l'asthme de Proust, comme de la paralysie générale de Maupassant, de la phtisie de Musset, de l'épilepsie de Dostoïevsky?

En effet, l'existence de Proust fut presque tout entière tracassée, puis perturbée, dominée même par des troubles respiratoires semi-permanents. Seuls, un courage et une volonté opiniâtres, unis à une foi inébranlable dans sa vocation, parvinrent à laisser la pensée à peu près maîtresse d'elle-même.

Le plus souvent, on s'est contenté de l'étiquette pathologique simplificatrice : 'asthme', sans aller plus avant. En revanche, certains ont tendancieusement invoqué une dominante psychique, d'autres même, ayant voulu voir à la base des phénomènes morbides, un complexe freudien!

Quelques rares médecins se sont, en cliniciens, penchés sur ce cas embarrassant (étude de Pierre Mauriac, thèses de M. Ferrand, de R. Cruchet, de Corganian, de G. Rivanne, de J. Duffner, de Fleury-Zeraffa). Encore tous n'ont-ils pas fait preuve d'une égale objectivité.

Les pages qui vont suivre ne tendent qu'à reconstituer, d'après la correspondance et quelques témoignages annexes suffisamment précis, et pour *les deux premiers tiers* de sa vie, la stricte observation clinique de Marcel Proust, dans toute son aridité.

'Début' par une « effroyable crise de suffocation qui faillit l'emporter devant son père terrifié » (Souvenir de Robert Proust). L'enfant rentrait d'une longue promenade au Bois de Boulogne. Il avait 'neuf ans'. Né en juillet, si la crise éclata en mai ou juin, c'était en *1881;* si plus tard en été, ce fut en *1880.* On ne sait rien sur les suites immédiates ou proches, sur la durée du répit. On sait seulement qu'il fut un enfant « *pas comme les autres* », ne pouvant courir, sauter, « *se laisser aller à son élan* ».

Des années de lycée (entrée à Condorcet en *1882*), la classe de cinquième n'est pas indiquée comme ayant comporté des absences pour raison de santé. Frilosité (on bourrait ses poches de pommes de terre chaudes et de marrons grillés); il est vrai que les classes étaient chauffées par de simples poêles à charbon. En quatrième (*1883-84*), les absences, par contre, sont nombreuses : plusieurs semaines au second trimestre (printemps), et à partir du mois de mai au troisième. En classe de troisième (*1884-85*), la fréquentation du lycée se réduit à quelques mois. En seconde, il ne fait que de brèves apparitions aux deux premiers trimestres (absent dans presque toutes les colonnes du carnet scolaire); il manque totalement le troisième, tant et si bien qu'il lui faut redoubler.

Sans autres témoignages formels, on peut inférer que les indispositions qui se répétaient, avaient un rapport avec le processus asthmatique. Supposition corroborée par cette information que l'été de *1884* fut le dernier que l'enfant passa à Illiers, son père ayant admis les méfaits des fleurs et de la campagne. Il a treize ans. Il ira désormais en vacances en compagnie de sa grand-mère, au bord de la Manche, au Tréport, à Cabourg, où l'atmosphère (même venteuse et pluvieuse) ne lui disconvient pas.

La santé, au cours de l'année *1886-87* (quinze ans), fut certainement moins mauvaise, ainsi que l'assiduité et les succès scolaires le prouvent.

La fin des études n'est pas signalée comme ayant été perturbée par de notables incidents maladifs. Pourtant, dès la première lettre que l'on possède de Marcel (septembre *1887;* à sa mère), quelques troubles digestifs sont signalés dans ces allusions : « *mon estomac est divin* » — « *j'étais sûr de très bien digérer* » — « *au réveil, cri de surprise, bouche exquise* »; mais aussi cette indication plus précise : « *la journée qui, seule, avait été suivie d'une bonne nuit, seule s'était passée ainsi : pas de bois* [de Boulogne] *que dans un coupé* [voiture fermée] ».

En septembre *1888,* récit plein d'allégresse d'une promenade solitaire au Bois : « ... *j'avais plaisir à respirer* ».

L'été *1889* n'est assombri par aucune préoccupation sérieuse de santé. Tout au plus, la mère, en septembre, en raison d'un long séjour de son fils sur le littoral belge, prêche-t-elle le calme, un régime (« *tâche donc de remettre ce pauvre estomac* »), et suggère-t-elle de trouver un « *refuge au vert* ». On n'avait donc pas encore tout à fait condamné les séjours sylvestres ou champêtres.

Ensuite, en *1889-90,* volontariat à Orléans. Année de régiment relativement bien supportée, malgré les astreintes (atténuées) du service, la vie (édulcorée) de chambrée, les allées et venues des permissions entre Orléans et Paris, les écarts forcés dans l'alimentation. C'est, en fait, surtout de dyspepsie et d'entérite qu'il est, de temps à autre, question, ainsi que de diététique.

1893 est marqué par un séjour à Saint-Moritz avec ascension de l'Alpe Grün, puis par un séjour à Trouville sans allusion à la santé.

En résumé, jusqu'à l'âge de vingt ans, la maladie s'établit lentement, sous forme respiratoire et, accessoirement, digestive. Mais les ennuis qu'elle occasionne sont encore espacés, fugaces et fort tolérables. Rien ne laisse préjuger l'emprise progressive du mal dans les années suivantes.

En *1894,* il est question d'une crise d'asthme (d'une seule) qui dura vingt-quatre heures, au printemps.

En *1895,* au début du printemps, visite chez un ami, en Seine-et-Oise; au cours de la nuit suivante, attaque d'asthme et retour brusqué à Paris. En août, à Dieppe, « *petite indication d'asthme et oppression* ». A signaler la même année quelques incommodités (réactions nasales allergiques qu'il combat avec des pulvérisations de teinture d'eucalyptus) par suite de la manipulation des volumes poussiéreux de la bibliothèque Mazarine, où il faisait théoriquement fonction d'assistant. A l'arrière-saison à Beg-Meil, appétit excellent — il fait « *d'énormes déjeuners* ».

En *1896,* au début de mai, 'plusieurs jours' de crises d'étouffement. Au début de l'été, en pleine fenaison, au Mont-Dore, la 'fièvre des foins' se réveille. Il regagne aussitôt Paris. Là, gros 'rhume avec fièvre'. Les phénomènes deviennent plus fréquents et plus durables. Consultation auprès du Pr. Brissaud, neurologue, auteur de travaux sur l'asthme. Vers cette période, essai (spontané ou conseillé) de toutes espèces de remèdes : cigarettes Espic, inhalations de poudre Legras et d'Escouflaire (spécialités à base de belladone et de datura), iodure, nitrite d'amyle. Il expérimentera bientôt la valériane et le trional (hypnotiques). Râles et oppression à nouveau 'durant l'automne' (fin octobre), au cours d'un séjour à Fontainebleau. Maux d'estomac attribués par le malade à l'abus d'iodure et à la nourriture d'hôtel. Il se met à boire du café. Il a des rires nerveux. L'insomnie s'installe. Il est pris de la phobie du bruit, des bruits.

Une seconde phase prend fin, correspondant au début de la vie d'homme (vingt-deux à vingt-cinq ans) où l'agression du mal se précise, mais accorde encore d'assez longues pauses.

A partir de *1897,* l'aggravation devient sensible. C'est le 15 juillet de cette année-là que se déchaîne la plus forte attaque qu'il ait encore subie. Éternuement, halètement, suffocation. Il organise son sommeil diurne (de 8 à 15 heures) et ses veillées nocturnes où, alternativement, il lit, travaille, ou bien sort de chez lui. Reprise de l'asthme en août à Kreuznach ('par beau temps, alors qu'il se calme quand le temps redevient pluvieux et frais'). Début des intolérances olfactives (à la fumée de cigare).

1898 — L'asthme le plus caractérisé, avec son cortège de symptômes annexes, devient subintrant. Recrudescence estivale.

1899 — En avril crise d'étouffement en déambulant nuitamment près du parc Monceau. L'usage des remèdes et les précautions plus ou moins rationnelles sont un sujet d'incessants tracas. Tout en évitant de « *retomber dans tous les médicaments* », il se livre fréquemment au *fumage* de ses poudres, et il prend l'habitude de s'envelopper d'ouate et de lainages. En septembre, à Évian, sédation notable, mais les insomnies se répètent. Poussée de synovite au poignet droit. Le Dr. Cottet lui conseille l'emploi de la philogyne (?). En octobre, il rejoint Paris en toute hâte. L'asthme ne le quittera plus que par rares intermittences.

1900 — L'année commence par une grippe qui aiguise les phénomènes chroniques. Surviennent des crises d'une « *violence et d'une ténacité incroyables* », l'obligeant à rester debout plusieurs heures.

1901 — Même état avec, en juin, l'exacerbation habituelle. En août, accès « épouvantable », suivi de plusieurs jours d'oppression. Tout le mois, les accès se renouvellent. Pourtant, l'appétit demeure excellent et le régime copieux dont il commence pourtant à soupçonner les mauvais effets. De même, l'obsession des poussières (« *la colonne de poussières qui se tient debout toute seule au-dessus du piano* » *A la recherche du temps perdu*, t. I, p. 170) ou des odeurs nocives le gagne et le tourmente. Il demande aussi comment on remédie à une helminthiase possible (infection vermineuse) dont il se soupçonne atteint. Un peu d'entérite avec diarrhée sans suites notables. A l'automne, assez grave maladie dont on n'a aucuns détails. Reste à la chambre trois mois consécutifs.

1902 — A peu près même calendrier, même processus. Les sorties ou excursions sont chaque fois suivies de poussées aiguës avec alitement de plusieurs jours. En mars, après des voyages à Chartres, puis dans l'Aisne, violentes crises. Dès la mi-avril, il se plaint d'accidents qu'il qualifie à nouveau *« fièvre des foins. »* En août, malgré un état général précaire (acuité des accidents respiratoires, extrême tension nerveuse, horaire déréglé, manies diverses) il se couvre exagérément, allume du feu en plein été, porte des mitaines. Il fait quelques sorties, chacune d'elles épuisante. Consulte le Pr. Vaquez. Les palpitations de cœur et la tachycardie (jusqu'à 120 pulsations) pour la première fois sont diagnostiquées comme d'origine anxieuse, sans *substratum* organique. *« Le cœur est indemne »*. Le tube digestif ne souffre que de l'irrégularité des horaires des repas. Un peu de pollakiurie et de dysurie [1] par abus de bière. En octobre, le climat de Hollande est très bien supporté du point de vue respiratoire. En revanche, crises nerveuses. Tension caractérielle.

A dater de cette période, la maladie fait partie de la vie quotidienne, et la mentalité du sujet, sans cesse aux prises avec elle, s'adapte à ses servitudes. D'où un double aspect du tableau clinique : *a)* les symptômes inhérents au mal lui-même; *b)* les réactions psycho-affectives avec, pour conséquence, les dispositions désordonnées de toute nature qu'elles provoquent. La mise en scène s'organise où dialogueront pendant vingt ans le malade et sa maladie.

Il va osciller entre les hypnotiques et les excitants, absorbant à toute heure du jour et de la nuit, du café concentré (laissant le *caféisme* de Balzac loin derrière lui).

1. Pollakiurie : Besoin fréquent d'uriner. — Dysurie : difficulté à uriner.

Dès *1903*, la fièvre s'allume plus souvent, les phases aiguës se prolongent, les rémissions s'espacent. Il n'est dorénavant plus guère de lettres à la mère, comme aux amis, où il ne soit fait allusion, ou, plutôt, où il ne soit longuement question d'accidents de santé. Même si l'anxiété les exagère, même si le goût de se plaindre en tire profit, ils n'en existent pas moins, prolongés et progressifs, et leur évolution ultérieure jusqu'au terme, en démontre, *a posteriori,* l'authentique gravité.

Cependant, jusque vers *1903,* année du décès du professeur Adrien Proust, les divers symptômes, dans le cercle familial, ne furent pris qu'à moitié au sérieux. On s'en occupait, certes, mais par intermittences. Avec plus ou moins de scepticisme, on allait jusqu'à traiter d'imaginaires les indispositions de Marcel.

A vrai dire, le Pr. Proust, imbu de théories et de méthodes, était, moins qu'un autre, fait pour comprendre et admettre les caprices d'une telle maladie et ceux de sa victime. Des préceptes rationnels d'hygiène constituaient à peu près toute sa thérapeutique. A mon avis, sans se désintéresser positivement de la santé de son fils, il cessa assez vite de lutter, et même de présider au traitement pour la double raison qu'il sentait son impuissance médicale et son impuissance paternelle, et se voyait dépassé par la situation.

Quant à Robert Proust, chirurgien, sa spécialité ne le rendait pas bien apte à diagnostiquer le cas de son frère. Celui-ci, las de bonnes paroles, renonça bientôt à l'entretenir de ses malaises. La chose n'a rien que de banal; mon propre frère, malgré notre affection mutuelle, ne m'a pas tenu au courant de sa santé pendant plus de cinquante ans.

Marcel s'adressa couramment au docteur Bize (ami de la famille) et ce, jusqu'à ses derniers jours, sans préjudice des consultations qu'il demanda aux professeurs Brissaud et Vaquez, au docteur Faisans, tous praticiens de grande réputation. Plus tard, il verra le professeur Robin (qui lui conseille de « conserver son asthme comme un exutoire le mettant à l'abri d'autres maladies » [!]), les docteurs Merklen (qui le console en lui expliquant que « son asthme n'est qu'une habitude nerveuse »), Sollier (dont il se méfie parce qu'il craint qu'il le retienne en maison de santé), Wicart, d'autres encore. Il recevra, par personnes interposées, cent avis discordants.

Faut-il ajouter qu'il avait à sa portée les collections des traités de médecine de son père, et, entre autres, plus que probablement, le dictionnaire en quarante volumes de Jaccoud avec un substantiel article de Germain Sée sur l'asthme, article que j'ai sous les yeux, et où la lecture de la pharmacopée antiasthmatique ne put que lui inspirer un désolant « doute thérapeutique ».

Pourtant, il s'acharne, usant de sa propre jugeotte. A côté de mesures justifiées, il s'abandonne aux extravagances, et les descriptions des témoins oculaires rappellent — *mutadis mutandis* — celle qu'il donne lui-même des tics de la tante Léonie.

* *

Comment, en ces années *1896-1900,* était considérée, en médecine, l'affection dénommée asthme?

« Névrose consistant en crises de dyspnée spasmodique, le plus souvent accompagnées de troubles vaso-secrétoires des muqueuses des voies aériennes. »

Des trois éléments de cette définition, le cas de Proust comportait effectivement des crises et de la dyspnée spasmodique, mais pas ou peu d'hypersécrétion trachéo-bronchique ou bronchiolique. Il n'est pour ainsi dire jamais question d'expectoration et, s'il avait craché, nous en aurions entendu parler! Premier point donc : il s'agissait d'un asthme sec (asthme par son mode d'apparition et son rythme), réduit à des accès de dyspnée paroxystique.

Les voies aériennes comprennent aussi les fosses nasales. Proust eut bien (au printemps surtout et à la campagne) de l'enchifrènement, des picotements pituitaires, des salves d'éternuement; mais la rhinite irritative n'était qu'épisodique et passagère, témoignant d'une sensibilité générale du système respiratoire, au lieu que la réaction bronchique, avec ses suffocations, fut le syndrome dominant autant qu'invincible.

Le professeur Brissaud (dont s'inspirent les présentes lignes), comme tous les médecins de son temps, rapproche l'asthme d'autres 'diathèses', telles que migraine, goutte, épilepsie. Nous verrons plus loin ce qu'en pense la médecine moderne.

En tant que cause prédisposante, on invoquait le terrain 'neuro-arthritique', prédisposition acquise ou héréditaire (à noter qu'il n'existait aucun antécédent de cette nature ou de nature voisine dans la parenté proche de Proust).

Quant aux causes déterminantes, on incriminait le climat (pression barométrique, hygrométrie, température, altitude, saison), les poussières et les arômes (*hay fever*) sur lesquels les Anglo-Saxons, grands asthmatiques, attirèrent dès alors l'attention.

Au surplus, l'on parlait déjà de 'nervosisme constitutionnel', sans omettre la possible origine réflexe à point de départ viscéral.

Sur la thérapeutique, nous savons l'essentiel par les tentatives diverses, également inopérantes, de notre malheureux héros. Je copie textuellement cette phrase désabusée du pathologiste : « Le malade, à beaucoup d'égards, sait ce qui lui est bon, ce qui lui est mauvais. Il a une expérience qui vaut au moins la nôtre, et devant laquelle on fera sagement de s'incliner. »

Tel était l'état de la médecine aux environs de 1895.

Aujourd'hui, l'asthme est donné comme le type de la maladie 'allergique', catégorie à laquelle on rattache encore l'état céphalalgique, les éruptions eczématiformes, certaines colopathies, certains prurits essentiels, etc. Etymologiquement, allergie veut dire : « qui réagit autrement ». On met donc en relief, avant tout, la notion de terrain : dérèglement neuro-végétatif, dystonie vago-sympathique à prédominance vagale. Proust était, comme la plupart des asthmatiques, un hypervagotonique.

D'antécédents familiaux [1], répétons-le, il n'y en avait pas de déclarés. Mais, sa constitution (les circonstances de sa procréation et de sa naissance doivent être rappelées ici avec insistance) et ses conséquences directes ou indirectes (chétivité infantile, frilosité, sédentarité citadine, intellectualisme, hyperaffectivité), étaient éminemment propices aux réactions allergiques.

Concernant l'agresseur, l'agent déclenchant, l''allergène', l'opinion actuelle quasi unanime veut qu'il s'agisse de particules atmosphériques : avant tout, pollen des graminées (mai à juillet) et (à Paris) des platanes (mai-juin); mais bien d'autres plantes florales plus tardives peuvent être mises en cause. Les manifestations morbides aiguës saisonnières qui leur sont dues, ont été rassemblées sous le nom de 'pollinose', dont l'asthme bronchique qui affligera Proust, n'est qu'une des variétés.

Cependant, le concept de pollinose doit être entendu dans un sens très large, car l'intolérance des organismes sensibilisés s'exerce dans les villes, provoquée par les poussières de maisons, riches en moisissures, et, avec une moindre fréquence,

---

1. Voici, à titre documentaire, les antécédents familiaux, comme on dit en clinique, et les causes de décès.

1886, la tante paternelle meurt trois ans après avoir été opérée d'une *tumeur intestinale*.
1890, la grand-mère paternelle meurt d'*urémie*.
1896, le grand-père maternel meurt d'*accidents pulmonaires*
1903, le père meurt d'un *ictus apoplectique* (hémorragie cérébrale)
1905, la mère meurt de *néphrite* (peut-être par compression urétérale : elle avait subi cinq ans plus tôt, une très laborieuse opération pelvienne).
1906, l'oncle maternel meurt d'*urémie*.
1935, le frère meurt d'un *infarctus myocardique*.

par les poils d'animaux, par certains arômes chimiques...

D'où la difficulté de détecter le ou les agents spécifiquement responsables.

Il convient de préciser le point d'impact de ce ou de ces agents.

La muqueuse nasale est la porte d'entrée préférentielle. Or, Proust était olfactif au suprême degré. C'est pourquoi on le voit non seulement circuler en voiture toutes vitres fermées, accuser ensuite, paradoxalement, la poussière de cette même voiture, mais encore s'informer de la pollution de l'air du boulevard Malesherbes par les retombées des fumées de chemin de fer, demander à Pierre-Quint de se débarrasser de son mouchoir odoriférant, faire jeter les gerbes de roses d'un admirateur, refuser l'accès de sa chambre à des princesses trop parfumées.

La lumière solaire, le bruit, certains aliments l'indisposaient aussi, quoique à un bien moindre degré.

Le Dr R. Le Masle, si informé en histoire proustienne, me signale que Marcel avait, vers l'âge de huit ans, fait une chute aux Champs-Élysées, et s'était cassé le nez (d'où la très légère déformation qu'il en avait conservée). Faut-il voir là une cause déclenchante de l'asthme qui fit son apparition peu après? Le Masle, un jour, soumit cette idée à son maître, R. Proust. Le professeur lui répondit : « Tiens! oui, peut-être, je n'y avais jamais pensé. »

En ce qui touche à ses maux d'yeux, ils apparurent tardivement. Nullement allergiques, ils s'expliquent aisément par le surmenage extrême et les mauvaises conditions de son travail.

De nos jours, sur le plan thérapeutique, bien que les médecins allergistes connaissent encore trop d'échecs, de puissants moyens de guérison, totale ou relative, se trouvent à la disposition des malades.

a) L'air purifié (les salles de cinéma climatisées sont sou-

vent un refuge pour ces infirmes). Les Anglo-Saxons utilisent
des chambres *allergen free*. Proust, en faisant clore hermé-
tiquement fenêtres et rideaux, en interdisant le ménage dans
son appartement, en faisant aspirer ses tapis une fois par an
en son absence, obéissait, par prescience ou par expérience,
aux normes réclamées par son cas;
   — certains climats, l'air marin,
   — certaines conditions météorologiques (pluie) qui balaient
l'atmosphère.
   On retrouve effectivement, dans les éphémérides de Proust,
son relatif bien-être sur les plages, ainsi qu'à l'automne (par
exemple : son séjour en octobre, en Hollande).
   b) Les médicaments antihistaminiques,
      les corticoïdes,
      les modificateurs du terrain allergique.
   c) Les méthodes allergologiques ou de désensibilisation spécifique, sorte de mithridatisation ou encore de vaccination qui
consiste à administrer, avant la saison de la floraison, des doses
croissantes du ou des pollens préalablement reconnus cou-
pables (grâce à des cuti-réactions d'épreuve), et ce jusqu'à
obtenir une accoutumance satisfaisante.
   Aucun de ces traitements n'était au point, ni même en vue,
du temps que vivait Proust.
   Il y a tout lieu de supposer qu'aujourd'hui, Proust, malgré
ses réticences, ses incartades, et tant de facteurs personnels
aggravant ses désordres organiques, aurait été extrêmement
soulagé, sinon guéri et son asthme (classiquement considéré
comme un brevet de longue vie!) assez efficacement combattu
pour lui éviter longtemps la déchéance (par carence alimen-
taire, par emphysème, par insuffisance cardiaque, par intoxication médicamenteuse) qui allait fatalement, un jour ou
l'autre, en faire la proie d'une complication intercurrente
mortelle.

Reste à observer, sans prévention, Proust face à la maladie, et à discuter des commentaires auxquels celle-ci a donné lieu, commentaires assez peu fondés en la circonstance de la part de profanes s'aventurant à disserter de pathologie et non toujours dépourvus de préjugés.

Une chose certaine, c'est que, très vite, dès le mal invétéré (aux environs de 1900), le malade, harcelé par lui, déploie les ressources de sa perspicacité et de son auto-analyse, bien mieux averti qu'aucun patient profane, aussi bien renseigné que le corps médical sur la complexité de son cas. On peut dire et on a dit qu'il était trop médecin pour croire à la médecine. Son scepticisme ne lui fit bientôt voir dans les conseils qu'il sollicitait, qu'inanité et verbiage. Personne, en effet, ne parvient à améliorer son état. Il en prend ombrage et rassemble ses griefs qu'il épanchera, la plume à la main. Les exemples ne manquent pas de patients, qui, après avoir cru au miracle possible, se font les contempteurs d'une science si vaine à leurs yeux.

Il avait donc doublement de quoi s'insurger et, sa susceptibilité aidant, se désoler quand, par la bouche de ses amis, *a fortiori* par celle de son père, il entendait émettre des doutes sur l'authenticité et le sérieux de ses troubles, soit qu'on parût les traiter de simagrées, soit qu'on les attribuât au plus banal des nervosismes, soit encore qu'on y vît des prétextes ou des excuses à son aboulie, à son désœuvrement, et à toutes sortes de fantaisies hors du commun.

Malade imaginaire, simulateur, c'est vite dit. Il faut toujours essayer de se mettre à la place de celui qu'on juge, surtout lorsqu'il s'agit de jugements médicaux.

Sous ces réserves, on tombera d'accord pour penser que l'intelligence, plus encore la sensibilité, le besoin d'expérience intérieure, allons plus loin, le plaisir qu'il en tirait, ont progressivement attaché (au sens affectif du mot), en même temps qu'anaphylactisé Proust à son asthme (ou à ses succédanés); et il en vint, ainsi qu'il l'a dit ou qu'on le lui a fait dire, à considérer ses maladies comme des « *compagnes chéries* ». Il en a en effet profité dans une certaine mesure; mais le parti qu'il en a tiré servait bien davantage à des spéculations mentales qu'à des commodités pratiques. Certes, dans son adolescence, il lui arriva de faire pression sur ses parents pour échapper aux carrières qu'on voulait lui imposer, pour obtenir la satisfaction de tel caprice (car les contrariétés étaient autant d'épines irritatives morales). Plus tard il usa du même prétexte pour écarter les fâcheux.

Quoi qu'il en soit, prétendre qu'il a créé ou seulement entretenu ses souffrances, ou encore qu'il s'y est complu, c'est s'avancer témérairement et avec la cruelle inexpérience de gens bien portants. « Nul ne se connaît tant qu'il n'a pas souffert. »

En fait, responsable ou non d'une partie de ses maux, l'homme en pâtit terriblement, sans rémission, jusqu'à en mourir. Ils lui imposèrent ses phobies, sa claustration, ses dures conditions de travail.

Mais, du même coup, ils enrichirent l'œuvre. On a vu ce qu'indirectement, le roman doit à la fréquentation médicale. Il doit non moins à la maladie, guettée, ressentie, étudiée jour après jour, d'étonnantes observations qu'on retrouvera dans le recueil anthologique (voir à la fin du volume), et sur les réactions du sujet en lutte avec l'épreuve corporelle, certaines notations qualifiées en raison de leur minutieuse précision : « bactériologie psychologique », « ingénieuses histologies ».

Proust en aura tant appris dans ce domaine que, comme l'a observé très justement Seidmann, il deviendra visionnaire de la maladie d'autrui.

On peut 'être asthmatique sans être névrosé. On peut aussi être asthmatique parce que névrosé.'

La psychosomatique, expression moderne du plus catégorique des thèmes hippocratiques, considère, dans l'homme malade, la part du corps et celle de l'esprit, insistant sur les interférences des deux participants. Sur le chapitre de l'asthme, elle va au-delà de la simple et classique clinique, telle que tracée dans les pages précédentes.

Outre la dystonie neuro-végétative, elle fait intervenir chez l'individu une tare légère ou lourde, ou encore une simple perturbation du psychisme. Même en l'absence de tout critère formel, Proust s'écartait à l'évidence du type mental supposé normal. Le professeur Pierre Mauriac, en affirmant un des premiers qu'à son déséquilibre vago-sympathique, Proust joignait une sensibilité fonctionnelle morbide, rappelle les travaux fondamentaux des Dupré, Tinel, Santenoise, Laignel-Lavastine sur la constitution émotive et ses caractéristiques. « Le voltage des sensations de M. Proust fut toujours incommensurable avec celui de l'homme moyen. »

Écorché vif, être exposé (selon l'expression de J. Rivière), en perpétuelle tension nerveuse, ses décharges bruyantes d'asthme dépendent à 'la fois' des réactions viscérales et des *stresses* moraux. C'est bien le cas de dire qu'on est en présence d'un polysensibilisé. De surcroît, les épreuves physiques, la crainte de leur retour, excitent l'angoisse intercalaire, et la situation s'avère bientôt irréversible.

On aurait tort de croire qu'au point de vue comportement de malade, Proust soit une exception. Au congrès international de l'asthme en 1932, et sans viser le problème proustien, le professeur Étienne Bernard, décrivant le psychisme des asthmatiques, en fait des êtres instables, impatients, inquiets, affectés de phobies diverses. Soit dit en passant, les termes sont presque identiques à ceux dont se sert Kraft-Ebing à propos des homosexuels.

Enfin, le spécialiste Julius Naher va plus loin. Il soutient que l'origine de l'asthme est avant tout centrale, l'élément vago-sympathique invoqué par ailleurs n'étant guère qu'un échelon intermédiaire. Aujourd'hui, on tend à admettre que bien d'autres diathèses (et des plus variées : hypertension artérielle chronique, ulcère duodénal, recto-colite hémorragique) ont pour point de départ la région cortico-thalamique, proche de l'écorce cérébrale frontale, siège de la conscience, et les noyaux gris sous-jacents. Et déjà Blackley, en 1873, témoignait que l'asthme était l'apanage des « *educated* ». Il faut ainsi reconnaître une grande responsabilité aux traumas psychiques.

En conformité avec cette doctrine, André Maurois conclut au caractère affectif de l'asthme proustien : « ... Maux provoqués par des émotions et liés à un morbide besoin de tendresse... Beaucoup d'asthmatiques ont souffert dans leur enfance soit d'un défaut, soit d'un excès d'amour maternel... La suffocation serait en réalité un appel. Marcel Proust paraît être de cette théorie une vivante démonstration. »

Je crois cette explication à la limite de ce qu'on peut supposer raisonnablement.

Chercher plus loin encore, dans les ténèbres?

Déduire à partir de données incertaines?

Suivre, comme L. Jones, par exemple, la filière psychanalytique?

Exploiter, à l'égard de ce cas trop tentant, les thèmes freudiens de la prédestination par les conflits familiaux?

Prétendre que l'asthme ne fut guère ici que l'instrument au service d'un sentiment enfantin contrarié (« être vulnérable, avoir constamment besoin de faire appel... à la sollicitude de l'entourage... à la protection maternelle... se retrouver au temps merveilleux ou rien ne venait troubler son amour de petit garçon »)?

Vouloir axer l'*habitus* et l'état de maladie d'une vie tout entière sur un complexe de frustration?

Ou bien encore, comme Ch. Briand, se livrer avec un parti

pris flagrant et une férocité inquisitoriale, à la torture des textes, pour en obtenir des aveux orthodoxes, au risque des pires et des plus gratuites conclusions?

Non.

Et puisqu'il s'agit ici d'une étude clinique, nous préférons nous en tenir à l'objectivité de rigueur chez le clinicien comme chez le psycho-clinicien.

Les tares morbides ne sont pas sans retentir sur les gestes et les œuvres des grands hommes, soumis à la loi générale. Ce serait une erreur que de n'en pas tenir compte. C'en est une autre, et non moins grave, que de leur attribuer une importance excessive.

L'INFLUENCE MÉDICALE

Plus que quiconque, Marcel Proust eut affaire avec la médecine : comme malade, comme fils et frère de médecin.

Ses infirmités, sa famille, deux conjonctures distinctes mais coïncidentes. Il eut deux maîtres. Il fut apprenti et élève. Ainsi que bien des critiques l'ont constaté avec A. Maurois et J. Rivière, la médecine tient dans les écrits de Proust (particulièrement dans la *Recherche*), une place tout à fait exceptionnelle — parce qu'en réalité, elle en occupait une grande dans ses pensées.

La maladie fut, pour l'écrivain, « l'occasion, courageusement saisie et utilisée, d'exploiter ses dons prodigieux; elle lui donna le loisir et l'isolement » (Martin-Chauffier), maladie doublée d'une incontestable tendance schizothymique qui ne fit que s'accentuer jusqu'à la fin. La maladie, tout en créant des circonstances favorisantes (mais combien cruelles!) à l'édification de l'œuvre, s'imposa, par ses obsédants retours, comme un sujet continuel de perception, d'observation, d'analyse, de méditation, — et, de là, comme un des thèmes préférentiels.

Plus pertinente encore semblera peut-être cette remarque qu'au-delà de ses images, de ses descriptions, comparaisons, récits, au-delà de son *parler,* Proust fait preuve d'un *penser* médical : tournure d'esprit fort précieuse chez un écrivain, qui lui permet de poursuivre son étude introspective avec des moyens rarement à la disposition des psychologues et des moralistes. Il s'en faut de peu que ne s'accomplisse en lui, la prophétie de Claude Bernard : « Je suis persuadé qu'un jour viendra où le physiologiste, le poète et le philosophe parleront la même langue et s'entendront tous. »

Dans le cas présent, cela prouve une assimilation extraordinaire des connaissances médicales, dont l'intéressé fait usage avec une facilité déconcertante. Mais, le Dr. Duffner remarque très justement que, contrairement aux meilleurs auteurs qui se contentent de développements littéraires à tournure médicale, sans apporter de point de vue nouveau, Proust n'est jamais le porte-parole des médecins. Il se place à un point de vue personnel d'observateur et de malade, et il tire lui-même ses conclusions. Et, enfin, don suprême, « là où le savant enregistre, le romancier fait vivre. L'un fournit l'explication, l'autre la représentation. A la précision de l'observation, Proust ajoute une réalité plus profonde : la réalité artistique ».

Son aptitude scientifique, d'autre part la curiosité qu'il porte aux choses de la médecine, consistent avant tout, dans l'espoir d'en tirer des vérités générales, des lois de la vie.

Mais les 'conditions' familiales agirent aussi, très efficacement.

Personne ne songe plus à contester sérieusement l'existence d'une hérédité caractérielle. La science aujourd'hui consacre l'antique notion.

Ainsi a-t-on, sans grand-peine, démêlé que si, chez Proust, tant de traits, ou spirituels, ou artistes, ou féminins, ou sémites, lui venaient de sa mère, il avait reçu des gènes paternels, des dons non moins typiques : un appétit scientifique d'objectivité et de vérité, une patience et une lucidité de clinicien (Mondor), le don de l'observation et de l'analyse (Seidmann).

Voilà un premier point.

D'autre part, nous apprenons qu'au cours des études, au lycée Condorcet, l'élève Proust, en classe de cinquième, ne remporte qu'un seul prix, celui d'histoire naturelle et, en quatrième, une seule nomination, un accessit d'histoire naturelle. Dès la prime adolescence, se manifeste une aptitude innée : Proust apparaît sous le jour d'un « observateur » passionnément intéressé à la vie végétale et animale. Or, voici que, dans un exposé fort séduisant, A. Ferré décrit l'enseignement « clair, attrayant, évocateur » du professeur Georges Colomb, aiguisant l'esprit préparé de son disciple, le nourrissant de connaissances étendues et fort précises en zoologie et surtout en botanique... connaissances que le futur romancier incorporera et utilisera tout naturellement dans son grand récit. Et Ferré de souligner l'abondante matière biologique dont bénéficièrent *Jean Santeuil* et *la Recherche,* l'herbier du citadin Proust, aussi riche que celui des écrivains les plus « paysans », la vision fréquemment zoologique et, à l'occasion, botanique que le Narrateur nous transmet de l'humanité.

Notons, par contraste, l'intelligence de Marcel obstinément rebelle aux mathématiques, son frère cadet fort doué, au contraire, l'y incitant en vain.

Et pourtant, atavisme, tendances premières, séductions d'enseignement, furent peu de chose à côté de la circonstance capitale qui fit que Proust appartint à une famille de médecins. Seuls, peuvent saisir pleinement l'importance du fait ceux à qui (comme à l'auteur de ces pages dont le père fut médecin des hôpitaux de Paris) le hasard de la naissance réserva un tel sort. C'est trop peu dire ici que l'imprégnation par le milieu a des effets aussi marquants que la transmission des caractères dans le germen et ses chromosones. Les répercussions de la *médiciculture* sont autrement profondes.

On a lu qui était le professeur Proust. Résumons à nouveau. Caractère débonnaire au fond, mais assez plein de lui-même, porté par fonction au ton doctrinal, aux jugements catégoriques, à la croyance en la primauté scientifique et en la vertu de la méthode. Eminente position à la Faculté, dans sa corporation, en clientèle. Prestige de son nom et de ses avis en matière d'hygiène auprès des hautes instances administratives politiques et internationales.

Une personnalité de cette envergure, surtout en une époque où le père de famille exerçait une sorte d'autorité de droit divin, ne pouvait pas ne pas jouir d'une espèce de vénération. Contrairement à plusieurs de ses pareils, Adrien Proust ne fut pas un despote domestique. Mais, tout de même, quand il parlait, on l'écoutait respectueusement. Marcel l' 'écouta' durant trente ans.

Quant au second fils, Robert, devenu étudiant, il ne manqua certainement pas de faire part à ses proches des impressions toujours vives que provoque le noviciat en médecine. Ainsi, à la table familiale, s'échangeaient des propos que le mécanisme enregistreur de Marcel, compte tenu des réactions intimes de celui-ci, ne laissait pas se perdre. Tantôt il s'agissait des études avec leurs mille incidences, triviales ou pénibles, tantôt d'aperçus sur les manières de la gent hospitalière, tantôt d'éclaircissements donnés par le professeur à son fils, de plus en plus savants à mesure que ce dernier progressait dans ses connaissances.

Autour de la lampe, au coin du feu, la conversation continuait, le Docteur causant avec sa femme de ses clients, des épisodes de la journée, des affaires du métier.

Il y avait ample matière à s'instruire sur le fond comme dans la forme, à saisir la lettre et l'esprit.

La vie commune entre frères ne va jamais sans laisser quelques traces. On peut supposer que, quoique Robert fût très ouvert, très réceptif et le plus jeune, ce fut Marcel, non encore déclaré, incertain, critiqué, qui, insensiblement, reçut quelque empreinte de la personnalité, alors mieux affirmée du futur chirurgien. Il l'accompagna à l'hôpital, fut reçu en salle de garde, y fraya avec les internes; le souvenir de cette expérience, détaillé dans *Jean Santeuil,* montre à quel point elle l'émut et l'intéressa.

Les livres spécialisés lui furent une autre source d'information. Il n'y aurait eu aucune raison pour que Marcel, à la curiosité insatiable, étant à même de puiser dans la bibliothèque paternelle, n'y puisât pas d'abondance. Il assimila si bien le contenu de certains ouvrages, que des passages de son propre récit, « doivent par leur précision scientifique, être inintelligible aux profanes ». Pierre Mauriac a raison. Il y a, par endroits, des descriptions didactiques.

L'illustration des traités de pathologie lui suggéra plus d'une métaphore : ainsi la comparaison qu'il donne de la tête de l'Envie (dans les sculptures de Saint-Marc à Venise) et du serpent qui sort de sa bouche distendue, avec certaine forme phagédénique du cancer de la langue, dont la reproduction réaliste, autrefois contemplée avec répulsion dans quelque manuel médical, resurgit à point nommé de sa mémoire.

A pareille école, le portraitiste, le moraliste, l'analyste purent faire ample moisson de notions généralement étrangères aux hommes de lettres.

De la fréquentation avec son père (et, à un moindre degré, avec son frère) qui, sur plus d'un point ne fut pas sans le heurter, il acquit le sens « propice à disséquer, analyser, diagnostiquer les sentiments, les passions et les vices; ... à en préciser l'étiologie,... à en fixer le diagnostic différentiel; et nous le voyons décrire au snobisme, à la jalousie, aux erreurs sexuelles, autant de signes, de causes que son père aux aphasies, au ramollissement du cerveau » (R. Le Masle). « Puissance analytique, objectivité, méthode de savant recherchant à travers la profusion des détails, quelques grandes lois... » (H. Mondor). Ortega y Gasset s'exprime en termes analogues. De même qu'il sut à merveille employer le vocabulaire du métier, faire état des modes et des recettes thérapeu-

tiques, il s'assimila les idées en cours en médecine. Il baigna
dans l'atmosphère scientifique de son temps.

Et aussi dans l'atmosphère professionnelle.

Il approcha le corps médical dans une relative intimité. Il
observa les plus grands praticiens en exercice : l'illustre
clinicien Dieulafoy, le maître de l'urologie française Guyon, le
professeur de pathologie générale Bouchard, les chirurgiens
en vogue Pozzi, Duplay, Terrier, le doyen Brouardel, très lié
avec son père, les cardiologues Potain et Vaquez, le pédiatre
Marfan, le neurologiste Brissaud, l'obstétricien Bouffe de Saint-
Blaise, et le jeune Widal, déjà en passe de célébrité, tous
grands pontifes. Il eut affaire, pour son propre cas, à de nombreux praticiens, parmi les meilleurs.

Les uns étaient reçus chez ses parents. Quant aux autres,
il entendait le professeur Proust exprimer bonnement ou
crûment son avis touchant la valeur, la carrière, voire les
singularités de ses collègues, ou bien encore raconter ce qui
se colportait à leur sujet.

Ainsi n'ignora-t-il bientôt plus rien des façons d'être des
médecins, de leurs jugements sur la médecine, sur leurs clients,
sur eux-mêmes. Il connut les dessous de la profession, les
clans, les luttes d'influence. S'il connut des exemples d'inlassable labeur, de dévouement, d'abnégation même et de bonté
d'âme, il apprit aussi les défaillances, *l'invidia medicorum*,
l'arrivisme, le népotisme, le dogmatisme présomptueux, la
vulgarité. Et, parce qu'il y a toujours plus d'occasions de
blâme que de louange, l'écrivain n'eut aucun mal à fustiger
des mœurs qu'il avait étudiées de si près.

De près, certes, mais objectivement, sans entrer dans le jeu.
Là se produit la coupure. N'ayant jamais eu à 'pratiquer', à
'soigner', toute sa subtilité ne lui suffit point pour saisir que
le comportement des médecins qu'il a si parfaitement 'ciné-
matographiés', leur est dicté par les conditions même de leur
fonction : sentiments des graves décisions à prendre et des

responsabilités à encourir, incertitudes et approximations de leur science, réactions mentales imprévisibles des hommes aux prises avec la maladie.

On est néanmoins en droit de conclure que l'intelligence de Marcel Proust, quelque puissante et originale qu'elle ait été, subit de l'ambiance scientifique médicale où il vécut en personne trente-deux ans (enfance, jeunesse et partie de l'âge mûr), une influence spécifique.

Que serait-il advenu de l'œuvre, si, au lieu de se faire médecin, le même père de l'écrivain eût choisi le négoce, ou les finances, ou l'école Polytechnique, ou l'Université?...

ANTHOLOGIE

On vient de le voir, Proust était fort bien documenté quant à la médecine. Son expérience propre, ses entretiens en famille si bien assimilés, l'avaient amplement pourvu de matériaux, dont il s'est servi pour l'édification de son monument littéraire, et ont fourni à sa perspicacité native des instruments originaux pour scruter les états d'âme, et pour analyser les mobiles humains.

Mais, outre cette utilisation voulue, et presque méthodique, de son « information » technique, il y a lieu d'admettre qu'à 'son insu', son « éducation médicale » a, dans une certaine mesure, façonné sa manière de voir les êtres et la vie.

Il y a d'abord l'abondance anormale des références plus ou moins directes à la médecine, d'un bout à l'autre 'des' écrits. Certains morceaux sont devenus presque classiques. Des rapprochements se font d'eux-mêmes entre certaines pages du récit et les maux dont l'auteur ou les siens ont souffert. On a avancé des noms de modèles pour telle ou telle de ses caricatures médicales. On a souligné la sagacité avec laquelle sa pensée analysait certains états pathologiques pour en extraire les motifs d'un thème d'ordre général.

Il en résulte une merveilleuse conjonction : si Proust a pu parler ou, plutôt, écrire au sujet de la médecine comme aucun écrivain avant lui, même Flaubert, ne l'avait fait, il n'est pas exagéré de soutenir, avec le professeur Pierre Mauriac, que, inversement, sans rien perdre de l'exacte précision requise en l'espèce, l'écrivain s'exprime avec un langage artiste dont aucun clinicien ne peut disposer.

Toutefois, le Dr Duffner l'a souligné, il ne fait jamais étalage de ses connaissances : elles ne servent pas, comme pour certains, à combler les vides, à masquer le manque de spontanéité des impressions reçues. Il ne les utilisera, au contraire, que pour mieux préciser les faits qu'il rapporte.

Je voudrais tenter [1] aujourd'hui de rassembler l'intégralité de ce qui, dans les textes publiés, concerne 'la médecine', 'les médecins', 'les malades', en y ajoutant certaines coupures de la Correspondance et des Cahiers.

Cette anthologie n'est dressée ni en séparant les divers ouvrages, ni dans l'ordre « chronologique » de la rédaction. Je me suis efforcé de classer toutes les citations, de la manière suivante :

A/ Celles ayant trait à la médecine, à la connaissance médicale (108).

B/ Celles relatives aux médecins (59).

C/ Celles relatives aux malades (38).

Evidemment, comme toujours en ces sortes de catégorisations, on ne peut éviter un peu d'arbitraire et d'approximation, car certains passages relèvent à la fois de l'une et de l'autre rubrique. Chaque rubrique, à son tour, comportera des subdivisions pour que soient juxtaposées métaphores ou allusions comparables.

Enfin, en ma qualité de médecin, je me permettrai quelques commentaires quand ils me paraîtront de circonstance, soit pour éclairer quelque point obscur, soit pour mettre en relief les trouvailles étonnantes, soit pour sanctionner de rares erreurs.

---

1. Cette tentative est aussi destinée à ceux des membres du Corps médical que rebuterait la lecture intégrale de l'œuvre de Proust, pour qu'ils soient instruits, sans grand effort, de ce qu'un de nos plus grands écrivains a dit d'eux et de leur profession.

Les renvois en abrégé correspondent à l'édition de *la Pléiade* [1] (pour *la Recherche*) et à celle de Gallimard pour *Jean Santeuil*.

*
* *

LA MÉDECINE

Tout d'abord, ces assertions mordantes (et vengeresses) sur la discipline médicale (art ou science), ces condamnations, ce scepticisme :

Car la médecine étant un compendium des erreurs successives et contradictoires des médecins, en appelant à soi les meilleurs d'entre eux on a grande chance d'implorer une vérité qui sera reconnue fausse quelques années plus tard. De sorte que croire à la médecine serait la suprême folie, si n'y pas croire n'en était pas une plus grande, car de cet amoncellement d'erreurs se sont dégagées à la longue quelques vérités (t. II, p. 298, l. 39-43 et p. 299, l. 1-3).

La nature ne semble guère capable de donner que des maladies assez courtes. Mais la médecine s'est annexé l'art de les prolonger (t. III, p. 182, l. 27-29).

Les maladies naturelles guérissent, mais jamais celles que crée la médecine, car elle ignore le secret de la guérison (t. III, p. 182, l. 40-42).

Les médecins, faute de guérir, s'occupent à changer le sens des noms et des pronoms (d'après Billières, *in* Bulletin de la Soc. des Amis de M. P. — N° 12, p. 544).

Science (?) excessivement comique... (Lettre à E. R. Curtius).

---

1. Ceux qui voudraient en apprendre davantage sur l'imagerie médicale dont disposait Proust, liront avec intérêt, les « variantes » reproduites à la fin des volumes dans l'édition de la *Pléiade*.

Vous qui prétendiez me trouver un remède pour la fièvre des foins, moi qui répondais qu'il n'y en avait pas, vous me voyez guéri par le seul médecin auquel nous n'ayons pas pensé. Vous savez que les Grecs le disaient : la mort est le grand médecin parce qu'elle seule nous guérit de nos maux. Je crois que nos médecins, à ce que je connais de leurs livres l'entendent aussi au sens pathologique (J. S., I., p. 56).

... sans médicaments immoraux qui vous permettent de vous lever et de croire qu'on peut mener la vie d'un homme bien portant quand on est malade... (Contre Sainte-Beuve, p. 75).

Mon interlocuteur ajouta : « Ce qu'il faut, c'est éviter les sudations que cause, surtout dans les salons surchauffés, un temps pareil. Vous pouvez y remédier, quand vous rentrez et avez envie de boire, par la chaleur » (ce qui signifie évidemment des boissons chaudes).

A cause de la façon dont était morte ma grand-mère, le sujet m'intéressait et j'avais lu récemment dans un livre d'un grand savant que la transpiration était nuisible aux reins en faisant passer par la peau ce dont l'issue est ailleurs. Je déplorais ces temps de canicule par lesquels ma grand-mère était morte et n'étais pas loin de les incriminer. Je n'en parlais pas au Dr E..., mais de lui-même il me dit : « L'avantage de ces temps très chauds, où la transpiration est très abondante, c'est que le rein en est soulagé d'autant. » La médecine n'est pas une science exacte (t. II, p. 642, l. 1-15).

... Les intoxications, périlleuse innovation de la médecine, servant à renouveler les étiquettes des pharmaciens dont tout produit est déclaré nullement toxique, au rebours des drogues similaires, et même désintoxiquant. C'est la réclame à la mode; à peine s'il survit en bas, en lettres illisibles, comme une faible trace d'une mode précédente, l'assurance que le produit a été soigneusement antiseptisé. Les intoxications servent aussi à rassurer le malade, qui apprend avec joie que sa paralysie n'est qu'un malaise toxique (t. II, p. 796, l. 39-43 et p. 797, l. 1-5).

Si un médecin se figurait que ses raisonnements ont la valeur de ceux d'un mathématicien, il serait dans la plus grande des erreurs et serait conduit aux conséquences les plus fausses. C'est malheureusement ce qui est arrivé et arrive encore pour les hommes que j'appellerai des systématiques (...).

On continue de brûler des cierges et de consulter des médecins (...).

Voici des vues de pathologie générale :

Un homme a presque toujours la même manière de s'enrhumer, de tomber malade...; il est naturel que, quand il devient amoureux, ce soit à propos d'un certain genre de femmes (t. III, p. 502, 1. 10-15).

Quand la quantité d'urines d'un malade diminue, il sue davantage, mais il faut toujours que l'excrétion se fasse (Cahiers inédits).

... Comme certaines apparences morbides peuvent être l'effet de deux maladies absolument différentes (Cahiers inédits).

... comme un morphinomane ou un tuberculeux, persuadés qu'ils ont été arrêtés, l'un par un événement extérieur au moment où il allait se délivrer de son habitude invétérée, l'autre par une indisposition accidentelle au moment où il allait être rétabli, se sentent incompris du médecin qui n'attache pas la même importance qu'eux à ces prétendues contingences, simples déguisements selon lui, revêtus pour redevenir sensibles à ses malades, par le vice et l'état morbide qui, en réalité, n'ont pas cessé de peser incurablement sur eux tandis qu'ils berçaient des rêves de sagesse ou de guérison. Et de ce fait, l'amour de Swann en était arrivé à ce degré où le médecin, et, dans certaines affections, le chirurgien le plus audacieux, se demandent si priver un malade de son vice ou lui ôter son mal, est encore raisonnable ou même possible (t. I, p. 307, 1. 36-44 et p. 308, 1. 1-9).

L'amour est un mal inguérissable comme ces diathèses où

le rhumatisme ne laisse quelque répit que pour faire place à des migraines épileptiformes (t. III, p. 85, 1. 35-37).

... car il en est de ces terribles commotions que nous donnent l'amour malheureux, le départ, la mort d'une amante, comme de ces attaques de paralysie qui nous foudroient d'abord, mais après lesquelles les muscles tendent peu à peu à reprendre leur élasticité, leur énergie vitales (t. III, p. 616, 1. 14-19).

... comme les cellules d'un organe blessé qui se mettent aussitôt en mesure de refaire les tissus lésés, comme les muscles d'un membre paralysé qui tendent à reprendre leurs mouvements..... ce travail obscurément réparateur qui donne l'illusion de repos à un convalescent, à un opéré (t. I, p. 364, 1. 18-26).

... mais les pires souffrances n'en furent pas senties par moi immédiatement, comme il arrive pour ces empoisonnements qui n'agissent qu'au bout d'un certain temps (t. II, p. 797, 1. 29-30).

Puis la vue revint complètement et des yeux le mal nomade passa aux oreilles. Pendant quelques jours, ma grand-mère fut sourde [mal « nomade », quelle image!] (t. II, p. 332, 1. 28-29).

Des réminiscences anatomiques :

... « aucune place n'était réservée dans le corps trapu, rempli de vaisseaux, d'os, de ganglions, du petit homme à nez camus et à barbiche noire qui était devant moi » (t. I, p. 547, 1. 31-33).

Dans l'homme le plus méchant il y a un pauvre cheval innocent qui peine, un cœur, un foie, des artères où il n'y a point de malice et qui souffrent (lettre à la Comtesse de Noailles, VII, 1906).

Des rappels de physiologie parfaitement orthodoxes :

Comme les enfants possèdent une glande dont la liqueur les aide à digérer le lait et qui n'existe plus chez les grandes per-

sonnes, il y avait dans le gazouillis de ces jeunes filles des notes que les femmes n'ont plus (t. I, p. 908, 1. 30-34).

Chaque fois qu'elle parlait esthétique, ses glandes salivaires, comme celles de certains animaux au moment du rut, entraient dans une phase d'hypersécrétion telle que la bouche édentée de la vieille dame laissait passer, au coin des lèvres légèrement moustachues, quelques gouttes dont ce n'était pas la place (t. II, p. 808, 1. 27-34).

Les médecins qui cherchent à se rendre compte si tel médicament diminue ou augmente l'acidité de l'estomac, active ou ralentit ses sécrétions, obtiennent des résultats différents, non pas selon l'estomac sur les sécrétions duquel ils prélèvent un peu de suc gastrique, mais selon qu'ils le lui empruntent à un moment plus ou moins avancé (sic) *de l'ingestion du remède* (t. III, p. 970, 1. 12-19).

... les intermédiaires, les nerfs remplissent mal leurs fonctions n'arrêtent pas dans sa route vers la conscience, mais y laissent au contraire parvenir, épuisante, innombrable, douloureuse, la plainte des plus humbles éléments du moi (...).

Des précisions bactériologiques :

Si un poète est mourant d'une pneumonie infectieuse, se figure-t-on ses amis expliquant au pneumocoque que ce poète a du talent et qu'il devrait le laisser guérir? (t. III, p. 224, 1. 39-43).

...; c'est à peu près comme s'étonner qu'on daigne souffrir du choléra par le fait d'un être aussi petit que le bacille virgule (t. I, p. 343, 1. 26-28).

immunologiques :

Etrange état que celui où nous sommes à ce point sensibles à un agent pathogène que son pullulement universel rend inoffensif aux autres et si grave pour le malheureux qui se trouve ne plus avoir d'immunité contre lui! (t. III, p. 170, 1. 37-43).

*Mais quand un homme a une mauvaise plaie la toile inno-
cente de sa chemise se change en poison mortel qui le gan-
grène* (J. S., II, p. 92).

*... et comme dans son organisme son don merveilleux se
manifeste par des palpitations de cœur, de l'urticaire...* (J. S.,
II, p. 311).

climatologique :

*..., aussi bien que la part de la recrudescence qu'un climat
humide causait à son eczéma;...* (t. I, p. 279, l. 41-42).

Voici des aperçus pathogéniques fort opportunément employés et admirablement rendus :

*... c'était parce que leur odeur donnait à la pauvre fille de
cuisine chargée de les éplucher des crises d'asthme d'une telle
violence qu'elle fut obligée de finir par s'en aller* (t. I, p. 124,
l. 15-18).

*... retournez-vous sur votre oreiller et dormez, ce qui sera
excellent contre la déminéralisation de vos cellules nerveuses*
(t. II, p. 90, l. 38-40).

*... elle se rendit compte qu'elle parlait beaucoup plus faci-
lement, le petit déchirement ou encombrement d'un vaisseau
qu'avait produit l'urémie avait sans doute été très léger* (t. II,
p. 320, l. 7-10).

*Mais les perpétuelles soupes au lait ne firent pas d'effet parce
que ma grand-mère y mettait beaucoup de sel, dont on ignorait l'inconvénient en ce temps-là (Widal n'ayant pas encore
fait ses découvertes)* (t. II, p. 298, l. 36-39).

*... Cottard, tout en me trouvant, comme il le dit dans la
suite, assez asthmatique et surtout « toqué », avait discerné
que ce qui prédominait à ce moment-là en moi, c'était l'intoxication, et qu'en faisant couler mon foie et en lavant mes reins,
il décongestionnerait mes bronches, me rendrait le souffle, le
sommeil, les forces* (t. I, p. 499, l. 8-13).

*Comme il en est pour ces malades chez qui une crise d'urti-
caire fait disparaître pour un temps leurs indispositions habi-
tuelles, l'amour pur à l'égard d'un jeune parent semble, chez
l'inverti, avoir momentanément remplacé, par métastase, des
habitudes qui reprendront un jour ou l'autre la place du mal
vicariant et guéri* (t. II, p. 625, 1. 30-36).

*C'était une folie. On l'en guérit. Mais dès qu'il ne fut plus
fou, il devint bête. Il y a des maux dont il ne faut pas chercher à guérir parce qu'ils nous protègent seuls contre de plus
graves. Un de mes cousins avait une maladie de l'estomac, il
ne pouvait rien digérer. Les plus savants spécialistes de l'estomac le soignèrent sans résultat. Je l'amenai à un certain médecin (encore un être bien curieux, entre parenthèses, et sur
lequel il y aurait beaucoup à dire). Celui-ci devina aussitôt
que la maladie était nerveuse, il persuada son malade, lui
ordonna de manger sans crainte ce qu'il voudrait et qui fut
toujours bien toléré. Mais mon cousin avait aussi de la
néphrite. Ce que l'estomac digéra parfaitement, le rein finit
par ne plus pouvoir l'éliminer, et mon cousin, au lieu de vivre
vieux avec une maladie d'estomac imaginaire qui le forçait à
suivre un régime, mourut à quarante ans, l'estomac guéri mais
le rein perdu* (t. II, p. 291, 1. 5-19).

Quelle érudition pour un profane! Et le ton est juste. Rien à
reprendre.

Voici d'excellents aperçus de séméiologie :

*Il n'éprouvait pas encore la souffrance mais plutôt l'agita-
tion qui la précède, comme un homme qui vient de prendre
une grave maladie n'a encore que le frisson et peut se désha-
biller lui-même avant de se mettre au lit qu'il gardera pour
longtemps* (J. S.).

Ce qui s'appelle en clinique le « frisson solennel ».

Et cet amour n'était plus. On pouvait le toucher aux points jadis sensibles sans que Jean éprouvât rien, comme une peau morte que nous portons encore avec nous mais qui désormais ne ressentira plus ni caresses ni piqûres, qui n'est plus nous, qui est morte (J. S., III, p. 16).

C'est l'escarre.

... un beau jour nous nous réveillons avec une angoisse au côté qui nous laisse à peine la force de respirer, des gouttes de sueur au front, la main tremblante, les yeux vagues. Et cette douleur au côté qui nous accable de plus en plus n'a aucun rapport avec l'idée de la mort... (J. S., II, p. 80).

C'est la pneumonie.

... La nature faisait une espèce de répétition sans costume de l'attaque d'apoplexie qui l'emporterait : ... Un vertige fou-droyant le clouait sur la banquette, le concierge essayait de l'aider à descendre, il restait assis, ne pouvant se soulever, dresser ses jambes. Il essayait de s'accrocher au pilier de pierre qui était devant lui, mais n'y trouvait pas un suffisant appui pour se mettre debout (t. III, p. 185, l. 2-12).

Impeccable description !
Des touches neurologiques maintenant :

... Les douleurs de la paralysie générale qui serraient parfois Baldassare comme dans un corset de fer jusqu'à lui laisser sur le corps des marques de coups... (Les plaisirs et les jours, p. 23).

Peut-être aussi y avait-il encore dans les mouvements du baron cette incoordination consécutive aux troubles de la moelle et du cerveau, et ses gestes dépassaient-ils l'intention qu'il avait (t. III, p. 860, l. 17-21).

Enfin les douleurs diminuèrent mais l'embarras de la parole augmenta. On était obligé de faire répéter à ma grand-mère à peu près tout ce qu'elle disait (t. II, p. 332, l. 36-39).

Quand on pense que Charcot et d'autres ont fait des travaux très remarquables et qui s'appuient au moins sur quelque chose, sur la suppression du réflexe pupillaire comme symptôme de la paralysie générale (t. II, p. 1051, l. 41-44).

... Avec la même certitude que celle qui permet de condamner, ... pour un médecin un paralytique général qui ne sait peut-être pas lui-même son mal, mais qui a fait telle fautes de prononciation d'où on peut déduire qu'il sera mort dans trois ans (t. II, p. 966, l. 37-42).

Il y eut un moment où les troubles de l'urémie se portèrent sur les yeux de ma grand-mère. Pendant quelques jours, elle ne vit plus du tout. Ses yeux n'étaient nullement ceux d'une aveugle et restaient les mêmes (t. II, p. 332, l. 9-12).

... de même que ceux qui sont les plus persuadés que leur terme est venu sont néanmoins persuadés aisément que s'ils ne peuvent pas prononcer certains mots, cela n'a rien à voir avec une attaque, l'aphasie, etc., mais vient d'une fatigue de la langue, d'un état nerveux analogue au bégaiement, de l'épuisement qui a suivi une indigestion (t. III, p. 1043, l. 7-16).

Ces notations d'un ton parfait :

... Comme ces malaises que le médecin écoute son malade lui raconter et à l'aide desquels il remonte à une cause plus profonde ignorée du patient (t. III, pp. 560-561, ll. 35-38 et 1).

Un clinicien n'a même pas besoin que le malade en observation soulève sa chemise ni d'écouter la respiration, la voix suffit (t. II, p. 664, l. 5-7).

Un peu d'albumine, de sucre, d'arythmie cardiaque, n'empêche pas la vie de continuer normale pour celui qui ne s'en n'aperçoit même pas, alors que seul le médecin y voit la prophétie de catastrophes (t. II, p. 1049, l. 33-36).

« *...qu'après une angine pultacée, vous étiez si bien* » (Choix de lettres. Ph. Kolb, p. 116).

Sur le jeu du diagnostic :

... quand un homme devient gravement malade, ses plus innocents produits, l'haleine qu'il exhale en soufflant, l'urine qu'il fait couler se changent en témoins accablants qui révèlent au médecin la terrible vérité (J. S., II, p. 92).

Dans mon cas, ce qui était matériellement observable pouvait aussi bien être causé par des spasmes nerveux, par un commencement de tuberculose, par de l'atsthme, par une dyspnée toxi-alimentaire avec insuffisance rénale, par de la bronchite chronique, par un état complexe dans lequel seraient entrés plusieurs de ces facteurs (t. I, p. 498, 1. 1-13).

Même quand la vérité politique comporte des documents, s'il est rare que ceux-ci aient plus que la valeur d'un cliché radiologique où le vulgaire croit que la maladie du patient s'inscrit en toutes lettres, tandis qu'en fait, ce cliché fournit un simple élément d'appréciation qui se joindra à beaucoup d'autres sur lesquels s'appliquera le raisonnement d'où le médecin tirera son diagnostic (...).

Sur le « flair » diagnostic :

Il y a de grands chirurgiens à qui, les éléments fournis par deux états maladifs étant les mêmes au point de vue matériel, sentent pourtant à un rien, peut-être fait de leur expérience, mais interprété, que dans tel cas, il convient plutôt d'opérer, dans tel cas de s'abstenir (...).

Et enfin des indications thérapeutiques saisies au vif et si pertinemment reproduites :

On guérit certains asthmes en détruisant des adhérences (sic) *que le malade a dans le nez* (Cahiers inédits).

Pour éviter les crises de suffocation que me donnerait le voyage, le médecin m'avait conseillé de prendre au moment du départ un peu trop de bière ou de cognac, afin d'être dans cet état qu'il appelait « euphorie », où le système nerveux est momentanément moins vulnérable (t. I, p. 651, l. 3-7).

... je sentis s'opérer en moi une miraculeuse désincarnation; elle se doubla aussitôt de la vague envie de vomir qu'on éprouve quand on vient de prendre un gros mal de gorge, et on dut me mettre au lit avec une fièvre si tenace que le docteur déclara qu'il fallait renoncer non seulement à me laisser partir..., mais, même quand je serais entièrement rétabli, m'éviter d'ici au moins un an, tout projet de voyage et toute cause d'agitation (t. I, p. 393, l. 24-32).

Croyez-moi, reprit-il avec insistance, les eaux de cette baie, déjà à moitié bretonne, peuvent exercer une action sédative, d'ailleurs discutable, sur un cœur qui n'est plus intact comme le mien, sur un cœur dont la lésion n'est plus compensée. Elles sont contre-indiquées à votre âge, petit garçon (t. I, p. 132, l. 20-25).

D'ailleurs, conclut-il, cet hôtel est assez adapté à votre hyperesthésie auditive (t. II, p. 72, l. 3-4).

Ne savez-vous pas que nous laissons au grand air, que nous suralimentons, des tuberculeux qui ont jusqu'à 39°? (t. II, p. 302, l. 41-44).

Vous voyez que le laurier est le plus ancien, le plus vénérable, et j'ajouterai — ce qui a bien sa valeur en thérapeutique, comme en prophylaxie — le plus beau des antiseptiques (t. II, p. 303, l. 37-40).

A cause des souffrances de ma grand-mère on lui permit la morphine. Malheureusement si celle-ci les calmait, elle augmentait aussi les doses d'albumine... Les jours où la dose d'albumine avait été trop forte, Cottard après une hésitation refusait la morphine (t. II, p. 322, l. 19-32).

Or les spasmes nerveux demandaient à être traités par le mépris, la tuberculose par de grands soins et par un genre de suralimentation qui eût été mauvais pour un état arthritique comme l'asthme et eût pu devenir dangereux en cas de dyspnée toxi-alimentaire, laquelle exige un régime qui en revanche serait néfaste pour un tuberculeux (t. I, p. 498, 1. 1-3).

Médicalement, si peu d'espoir qu'il y eût de mettre un terme à cette crise d'urémie, il ne fallait pas fatiguer le rein (t. II, p. 392, 1. 42-43).

Voici encore de multiples comparaisons d'une extrême variété, qui prouvent qu'il avait sans cesse en mémoire cette médecine dans l'ambiance de laquelle il avait vécu.

Comme le chirurgien qui, sous le poli d'un ventre de femme, verrait le mal interne qui le ronge (t. III, p. 718, 1. 42-43).

... on aurait dit qu'une partie de ma poitrine avait été sectionnée par un anatomiste habile, enlevée et remplacée par une partie égale de souffrance immatérielle, par un équivalent de nostalgie et d'amour. Et les points de suture ont beau avoir été bien faits. On vit assez malaisément quand le regret d'un être est substitué aux viscères (t. II, p. 119, 1. 31-35).

Pour étudier les lois du caractère on le peut aussi bien en prenant un sujet sérieux ou frivole, comme un prosecteur peut aussi bien établir celles de l'anatomie sur le corps d'un imbécile que sur celui d'un homme de talent (...).

L'anatomie n'est peut-être pas ce que choisirait un cœur tendre, s'il en avait le choix (...).

J'avais beau dîner en ville, je ne voyais pas les convives, parce que, quand je croyais les regarder, je les radiographiais (t. III, p. 719, 1. 1 et 2).

... cette visite artistique ne prenait pas subitement le caractère urgent d'une intervention « à chaud » et eût pu sans péril, après avoir été différée pendant plus de vingt-cinq ans, être reculée de vingt-quatre heures (t. II, p. 684, 1. 6-10).

Mais, ne la lâchant pas, comme un chirurgien attend la fin du spasme qui interrompt son intervention, mais ne l'y fait pas renoncer... (t. I, p. 362, 1. 39-41).

... je me demande si on ne devrait pas à tout hasard la pra-

tiquer préventivement comme certains chirurgiens prétendent qu'il faudrait pour éviter la possibilité d'une appendicite future, enlever l'appendicite chez tous les enfants (t. I, p. 843, 1. 22-28).

Comme un malade grâce à un anesthésique assiste avec une pleine lucidité à l'opération qu'on pratique sur lui, mais sans rien sentir... (t. I, p. 24, 1. 33-35).

Et en effet nos habitudes nous permettent dans une large mesure, permettent même à nos organes de s'accommoder d'une existence qui semblerait au premier abord ne pas être possible. Qui n'a vu un vieux maître de manège cardiaque faire toutes les acrobaties auxquelles on n'aurait pu croire que son cœur résisterait une minute? (t. III, p. 996, 1. 16-19).

J'avais bien considéré toujours notre individu, à un moment donné du temps, comme un polypier où l'œil, organisme indépendant bien qu'associé, si une poussière passe, cligne sans que l'intelligence le commande, bien plus, où l'intestin, parasite enfoui, s'infecte sans que l'intelligence l'apprenne... (t. III, p. 943, 1. 30-36).

En tout cas l'amant est mal placé pour connaître la nature des obstacles que la ruse de la femme lui cache... Ils ressemblent à ces tumeurs que le médecin finit par réduire mais sans en avoir connu l'origine. Comme elles ces obstacles restent mystérieux mais sont temporaires (t. I, p. 501, 1. 33-39).

... une félicité m'envahit comme quand un médicament puissant commence à agir et nous enlève une douleur... (t. I, p. 32, 1. 24-27).

Avec la fureur d'un impuissant qui aurait fait une fausse couche (J. S. II, p. 308).

Ce nom de Swann d'ailleurs, que je connaissais depuis si longtemps, était maintenant pour moi, ainsi qu'il arrive à certains aphasiques à l'égard des mots les plus usuels, un nom nouveau (t. I, p. 413, 1. 19-23).

... et comme s'ils étaient inventés par quelque docteur

miraculeux, des piqûres intraveineuses d'amour, aussi bien qu'ils peuvent l'être aussi de souffrance? (t. III, p. 911, 1. 34-38).

A vrai dire je crois que pareils à ces médecins qui sous différents noms de calmants vous donnent de l'opium, ces remèdes sont toujours à base d'oubli... (J. S. I, p. 57).

Mais, sans apporter le moindre appareil de comparaison scientifique et parler d'anaphylaxie, disons qu'au sein de nos relations amicales ou purement mondaines, il y a une hostilité momentanément guérie, mais récurrente par accès (t. II, p. 660, 1. 15-21).

Et pour terminer, quelques rares erreurs ou impropriétés de terme (si fréquentes sous la plume des écrivains profanes, même documentés).

« *Voilà une petite cornée* (sic) *que je serais bien aise de revoir. N'attendez pas trop. Avec quelques pointes de feu je vous en débarrasserai.* » *(t. II, p. 325, 1. 1-2).*

Est-ce un *lapsus calami?* (Cornée pour cornet).

Elle tendait à mes lèvres son triste front pâle et fade sur lequel, à cette heure matinale, elle n'avait pas encore arrangé ses faux cheveux, et où les vertèbres transparaissaient comme les pointes d'une couronne d'épines ou les grains d'un rosaire (t. I).

Ou bien l'image lui a plu, ou il a écrit par inadvertance.

... ai pris la grippe laquelle mettant (sic) *mon asthme à son plus haut degré* (lettre à Lionel Hauser-22-III-17).

Or, une grippe *porte* un asthme à son plus haut degré, l'exacerbe.

« *... ma nièce venait d'être opérée fort gravement d'une appendicite...* » (lettre à Bibesco, IV-08).

On n'est pas opéré « fort gravement de l'appendicite », mais « d'une appendicite fort grave » Sous la plume de Proust, cela étonne.

... une terrible opération faite à maman. Elle est restée trois mois en maison d'opération (lettre à Marie Nordlinger, XII-98).

On dit maison de santé. C'est peut-être un euphémisme, l'usage le consacre. En écrivant maison d'opération, Proust a-t-il voulu, par antiphrase, marquer que sa mère y était restée trois mois, et que, rue Bizet, il entendit sans cesse parler d'opérations?

Le pronostic de rougeole était écarté, et ma grand-mère si éloignée de moi qu'elle ne faisait plus souffrir mon cœur (t. III, p. 124, l. 32-33).

On n'écarte pas un pronostic mais un diagnostic.

N'y a-t-il pas telle douleur physique diffuse, s'étendant par irradiation dans des régions extérieures à la partie malade, mais qu'elle abandonne pour se dissiper entièrement si un praticien touche le point précis d'où elle vient? (t. II, p. 120, l. 27-34).

Une douleur n'irradie pas *dans des régions extérieures,* mais « vers les régions voisines ».

Et enfin, simples inadvertances, à coup sûr, il écrit : *mithridatés* (t. III, p. 660, l. 13) pour « mithridatisés », et *éroïne* (lettre à sa mère CXLIX, p. 301) pour « héroïne », *œsophagiques* pour « œsophagiennes » (t. II, p. 292, l. 1-2) enrhumables pour sujet aux rhumes (t. II, p. 304, l. 43).

Il eût été bien surprenant — la prescience étant le propre des génies — que Proust n'anticipât pas sur la médecine de son temps. Et, en effet, il pressentit, prévit, prédit, ou peu s'en faut, la médecine psycho-somatique, au moins dans son principe. « Proust et Freud inaugurent une nouvelle manière d'interroger la conscience. » (J. Rivière.)

Cependant, A. Dandieu précise : « Il semble qu'on pourrait reprocher à la psychanalyse d'être un système trop logique, issu de généralisations excessives et faisant trop confiance à l'efficacité du raisonnement. Ou le mot de raison ne signifie rien de précis, ou il faut reconnaître que Proust limite à tout instant la raison. C'est par ce dédain du système que Proust est, en effet, la réponse française à Freud. »

D'autre part, Pierre Mauriac note : « Non seulement Proust a une préparation médicale mais une intuition. Il n'étudie pas de principe des cas morbides mais il trouve pâture dans le spectacle quotidien de la vie pour remplir ses fiches, et constituer un dossier de valeur scientifique indiscutable. »

Le lecteur, surtout le lecteur médecin, appréciera les passages qui suivent, et notera, chemin faisant, certaines tournures ou métaphores admirables.

Et les maladies du corps elles-mêmes du moins celles qui tiennent d'un peu près au système nerveux, ne sont-elle pas des espèces de goûts particuliers ou d'effrois particuliers contractés par nos organes, nos articulations, qui se trouvent ainsi avoir pris pour certains climats une horreur aussi inexplicable et aussi têtue que le penchant que certains hommes trahissent pour les femmes par exemple qui portent un lorgnon, ou pour les écuyères? Ce désir, que réveille chaque fois la vue d'une écuyère, qui dira jamais à quel rêve durable et inconscient il est lié, inconscient et aussi mystérieux que l'est par exemple pour quelqu'un qui avait souffert toute sa vie de crises d'asthme, l'influence d'une certaine ville, en apparence pareille aux autres, et où pour la première fois il respire librement?) (t. III, pp. 839-840, ll. 37-43 1-7).

L'inspiration... cet état merveilleux n'étant pas constant, étant lié à des sensibilités intérieures qui peuvent être liées elles-mêmes à une puissance organique que les changements de saisons excitent peut-être en rapportant des souvenirs (J. S. II, p. 307).

peut-être cette crainte du coup qui serait en train de s'ébranler dans mon cerveau, cette crainte était-elle comme une obscure connaissance de ce qui allait être, comme un reflet dans la conscience de l'état précaire du cerveau dont les artères vont céder, ce qui n'est pas plus impossible que cette soudaine acceptation de la mort qu'ont les blessés qui, quoique le médecin et le désir de vivre cherchent à les tromper, disent, voyant ce qui va être : « Je vais mourir, je suis prêt » et écrivent leurs adieux à leur femme (t. III, p. 1039, l. 8-17).

Mais il est rare que ces grandes maladies, telles que celle qui venait enfin de la frapper en plein visage, n'élisent pas pendant longtemps domicile chez le malade avant de le tuer, et durant cette période ne se fassent pas assez vite, comme un voisin ou un locataire « liant », connaître de lui (t. II, p. 316, l. 34-43).

C'est une terrible connaissance, moins par les souffrances qu'elle cause que par l'étrange nouveauté des restrictions définitives qu'elle impose à la vie. On se voit mourir, dans ce cas, non pas à l'instant même de la mort, mais des mois, quelquefois des années auparavant, depuis qu'elle est hideusement venue habiter chez nous. La malade fait la connaissance de l'Étranger qu'elle entend aller et venir dans son cerveau. Certes elle ne le connaît pas de vue, mais des bruits qu'elle entend régulièrement faire elle déduit ses habitudes. Est-ce un malfaiteur? Un matin, elle ne l'entend plus. Il est parti. Ah! si c'était pour toujours! Le soir il est revenu. Quels sont ses desseins? (t. II, p. 317, l. 1-6).

On sait que sa maladie durait depuis longtemps. Non pas celle, évidemment, qu'il avait eue d'abord et qui était naturelle... Les remèdes, la rémission qu'ils procurent, le malaise que leur interruption fait renaître, composent un simulacre de

maladie que l'habitude du patient finit par stabiliser, par sty-
liser, de même que les enfants toussent régulièrement par
quintes après qu'ils sont guéris de la coqueluche. Puis les
remèdes agissent moins, on les augmente, ils ne font plus
aucun bien, mais ils ont commencé à faire du mal grâce à cette
indisposition durable. La nature ne leur aurait pas offert une
durée si longue. C'est une grande merveille que la médecine,
égalant presque la nature, puisse forcer à garder le lit, à conti-
nuer sous peine de mort l'usage d'un médicament. Dès lors, la
maladie artificiellement greffée a pris racine, est devenue une
maladie secondaire mais vraie (t. III, p. 182, ll. 25-27 et 29-40).

Les névropathes sont peut-être, malgré l'expression consa-
crée, ceux qui « s'écoutent » le moins : ils entendent en eux
tant de choses dont ils se rendent compte ensuite qu'ils avaient
eu tort de s'alarmer, qu'ils finissent par ne plus faire attention
à aucune. Leur système nerveux leur a si souvent crié : « Au
secours! » comme pour une grave maladie, quand tout sim-
plement il allait tomber de la neige ou qu'on allait changer
d'appartement, qu'ils prennent l'habitude de ne pas plus tenir
compte de ces avertissements qu'un soldat, lequel, dans
l'ardeur de l'action, les perçoit si peu qu'il est capable, étant
mourant, de continuer encore quelques jours à mener la vie
d'un homme en bonne santé. Un matin, portant coordonnés
en moi mes malaises habituels, de la circulation constante et
intestine desquels je tenais toujours mon esprit détourné aussi
bien que de celle de mon sang, je courais allègrement vers
la salle à manger où mes parents étaient déjà à table, — ...
et — m'étant dit comme d'ordinaire qu'avoir froid peut signi-
fier non qu'il faut se chauffer, mais, par exemple, qu'on a été
grondé, et ne pas avoir faim, qu'il va pleuvoir et non qu'il ne
faut pas manger — je me mettais à table, quand, au moment
d'avaler la première bouchée d'une côtelette appétissante, une
nausée, un étourdissement m'arrêtèrent, réponse fébrile d'une
maladie commencée, dont la glace de mon indifférence avait

masqué, retardé les symptômes, mais qui refusait obstinément la nourriture que je n'étais pas en état d'absorber (t. I, p. 495, l. 8-36).

— *Mais j'ai aussi un peu d'albumine.*

— *Vous ne devriez pas le savoir. Vous avez ce que j'ai décrit sous le nom d'albumine mentale. Nous avons tous eu, au cours d'une indisposition, notre petite crise d'albumine que notre médecin s'est empressé de rendre durable en nous la signalant. Pour une affection que les médecins guérissent avec des médicaments (on assure, du moins, que cela est arrivé quelquefois) (sic), ils en produisent dix chez des sujets bien portants, en leur inoculant cet agent pathogène, plus virulent mille fois que tous les microbes, l'idée qu'on est malade. Une telle croyance, puissante sur le tempérament de tous, agit avec une efficacité particulière chez les nerveux. Dites-leur qu'une fenêtre fermée est ouverte dans leur dos, ils commencent à éternuer; faites-leur croire que vous avez mis de la magnésie dans leur potage, ils seront pris de coliques; que leur café était plus fort que d'habitude, ils ne fermeront pas l'œil de la nuit. Croyez-vous, Madame, qu'il ne m'a pas suffi de voir vos yeux, d'entendre seulement la façon dont vous vous exprimez, que dis-je? de voir Madame votre fille et votre petit-fils qui vous ressemblent tant, pour connaître à qui j'avais affaire? .... — Allez aux Champs-Élysées, Madame, près du massif de lauriers qu'aime votre petit-fils. Le laurier vous sera salutaire. Il purifie. Après avoir exterminé le serpent Python, c'est une branche de laurier à la main qu'Apollon fit son entrée dans Delphes. Il voulait ainsi se préserver des germes mortels de la bête venimeuse* (t. II, p. 303, ll. 1-22 et 32-40).

Et puis vous avez près de vous quelqu'un de très puissant que je constitue désormais votre médecin. C'est votre mal, votre suractivité nerveuse. Je saurais la manière de vous en guérir, je me garderais bien de le faire. Il me suffit de lui commander. Je vois sur votre table un ouvrage de Bergotte.

Guérie de votre nervosisme, vous ne l'aimeriez plus. Or, me sentirais-je le droit d'échanger les joies qu'il procure contre une intégrité nerveuse qui serait bien incapable de vous les donner? Mais ces joies mêmes, c'est un puissant remède, le plus puissant de tous peut-être. Non, je n'en veux pas à votre énergie nerveuse. Je lui demande seulement de m'écouter; je vous confie à elle. Qu'elle fasse machine en arrière. La force qu'elle mettrait pour vous empêcher de vous promener, de prendre assez de nourriture, qu'elle l'emploie à vous faire manger, à vous faire lire, à vous faire sortir, à vous distraire de toutes façons. Ne me dites pas que vous êtes fatiguée. La fatigue est la réalisation organique d'une idée préconçue. Commencez par ne pas la penser. Et si jamais vous avez une petite indisposition, ce qui peut arriver à tout le monde, ce sera comme si vous ne l'aviez pas, car elle aura fait de vous, selon un mot profond de M. de Talleyrand, un bien-portant imaginaire. Tenez, elle a commencé de vous guérir, vous m'écoutez toute droite sans vous être appuyée une fois, l'œil vif, la mine bonne, et il y a de cela une demi-heure d'horloge et vous ne vous en êtes pas aperçue. Madame, j'ai bien l'honneur de vous saluer (t. II, pp. 306-307, ll. 26-44 et 1-10).

On goûtera plus particulièrement ce morceau émouvant, car l'écrivain y songe à lui-même.

« *Vous appartenez à cette famille magnifique et lamentable qui est le sel de la terre. Tout ce que nous connaissons de grand nous vient des nerveux. Ce sont eux et non pas d'autres qui ont fondé les religions et composé les chefs-d'œuvre. Jamais le monde ne saura tout ce qu'il leur doit et surtout ce qu'eux ont souffert pour le lui donner. Nous goûtons les fines musiques, les beaux tableaux, mille délicatesses, mais nous ne savons pas ce qu'elles ont coûté à ceux qui les inventèrent, d'insomnies, de pleurs, de rires spasmodiques, d'urticaires, d'asthmes, d'épilepsies, d'une angoisse de mourir qui est pire que tout cela, et que vous connaissez peut-être, Madame, ajouta-t-il en souriant à ma grand-mère, car, avouez-le, quand je suis venu, vous n'étiez pas très rassurée. Vous vous croyiez malade, dangereusement malade peut-être. Dieu sait de quelle affection vous croyiez découvrir les symptômes. Et vous ne vous trompiez pas, vous les aviez. Le nervosisme est un pasticheur de génie. Il n'y a pas de maladie qu'il ne contrefasse à merveille. Il imite à s'y méprendre la dilatation des dyspeptiques, les nuasées de la grossesse, l'arythmie du cardiaque, la fébrilité du tuberculeux. Capable de tromper le médecin, comment ne tromperait-il pas le malade?* » (t. II, p. 305, l. 20-43).

« *Et puis ce traitement ne peut pas être le même pour vous que pour un individu quelconque. Les trois quarts du mal des gens intelligents viennent de leur intelligence. Il leur faut au moins un médecin qui connaisse ce mal-là. Comment voulez-vous que Cottard puisse vous soigner? Il a prévu la difficulté de digérer les sauces, l'embarras gastrique, mais il n'a pas prévu la lecture de Shakespeare... Aussi ses calculs ne sont plus justes avec vous, l'équilibre est rompu, c'est toujours le petit ludion qui remonte.* » (t. I, p. 570, l. 32-40).

Ceci nous ramène au domaine psychiatrique :

« *Mais naturellement, Madame, on ne peut pas avoir, pardonnez-moi le mot, toutes les vésanies, vous en avez d'autres, vous n'avez pas celle-là. Hier, j'ai visité une maison de santé pour neurasthéniques. Dans le jardin, un homme était debout sur un banc, immobile comme un fakir, le cou incliné dans une position qui devait être fort pénible. Comme je lui demandais ce qu'il faisait là, il me répondit sans faire un mouvement ni tourner la tête : « Docteur, je suis extrêmement rhumatisant et enrhumable, je viens de prendre trop d'exercice, et pendant que je me donnais bêtement chaud ainsi, mon cou était appuyé contre mes flanelles. Si maintenant je l'éloignais de ces flanelles avant d'avoir laissé tomber ma chaleur, je suis sûr de prendre un torticolis et peut-être une bronchite. » Et il l'aurait pris, en effet. « Vous êtes un joli neurasthénique, voilà ce que vous êtes », lui dis-je. Savez-vous la raison qu'il me donna pour me prouver que non? C'est que, tandis que tous les malades de l'établissement avaient la manie de prendre leur poids, au point qu'on avait dû mettre un cadenas à la balance pour qu'ils ne passassent pas toute la journée à se peser, lui on était obligé de le forcer à monter sur la bascule, tant il en avait peu envie. Il triomphait de n'avoir pas la manie des autres, sans penser qu'il avait aussi la sienne et que c'était elle qui le préservait d'une autre. Ne soyez pas blessée de la comparaison, Madame, car cet homme qui n'osait pas tourner le cou de peur de s'enrhumer est le plus grand poète de notre temps. Ce pauvre maniaque est la plus haute intelligence que je connaisse. Supportez d'être appelée une nerveuse. » (t. II, pp. 304-305, ll. 34-43 et 1-20).*

L'illustre Huxley (celui dont le neveu occupe actuellement une place prépondérante dans le monde de la littérature anglaise) raconte qu'une de ses malades n'osait plus aller dans le monde parce que souvent, dans le fauteuil même qu'on lui indiquait d'un geste courtois, elle voyait assis un vieux monsieur. Elle était bien certaine que, soit le geste inviteur, soit la présence du vieux monsieur, était une hallucination, car on ne lui aurait pas ainsi désigné un fauteuil déjà occupé. Et quand Huxley, pour la guérir, la força à retourner en soirée, elle eut un instant de pénible hésitation en se demandant si le signe aimable qu'on lui faisait était la chose réelle, ou si, pour obéir à une vision inexistante, elle allait en public s'asseoir sur les genoux d'un monsieur en chair et en os. Sa brève incertitude fut cruelle. Moins peut-être que la mienne (t. II, p. 637, l. 21-26).

Ceci vers celui de la psychanalyse :

Mais la manière désastreuse dont est construit l'univers psycho-pathologique veut que l'acte maladroit, l'acte qu'il faudrait avant tout éviter, soit justement l'acte calmant, l'acte qui, ouvrant pour nous, jusqu'à ce que nous en sachions le résultat, de nouvelles perspectives d'espérance, nous débarrasse momentanément de la douleur intolérable que le refus a fait naître en nous. De sorte que, quand la douleur est trop forte, nous nous précipitons dans la maladresse (t. III, p. 457, l. 26-30).

A cause de la violence de mes battements de cœur on me fit diminuer la caféine, ils cessèrent. Alors je me demandai si ce n'était pas un peu à elle qu'était due cette angoisse que j'avais éprouvée quand je m'étais à peu près brouillé avec Gilberte, et que j'avais attribuée, chaque fois qu'elle se renouvelait, à la souffrance de ne plus voir mon amie ou de risquer de ne la voir qu'en proie à la même mauvaise humeur. Mais si ce médicament avait été à l'origine des souffrances que mon imagination eût alors faussement interprétées, c'était à la façon du philtre qui, longtemps après avoir été absorbé, continue à lier Tristan à Yseult. Car l'amélioration physique que la diminution de la caféine amena presque immédiatement chez moi n'arrêta pas l'évolution du chagrin que l'absorption du toxique avait peut-être sinon créé, du moins su rendre plus aigu (t. I, p. 610, l. 11-29).

LES MÉDECINS

Proust particulièrement bien informé, 'aux premières loges' pour tout voir et tout entendre de la profession, en a largement, cruellement usé. Abuser serait à peine trop dire, tant il insiste.

A cela, plusieurs raisons.

En premier lieu, il a été tourmenté pendant plus de quarante ans par des malaises extrêmement pénibles et si graves que, par leur persistance, ils ont fini par l'emporter. Or, il n'a eu que mécomptes avec la thérapeutique, dont il attendait les secours. Cette déception jointe à son appréhension perpétuelle de la récurrence de ses crises, suscita peu à peu en lui une révolte (on voit souvent le public s'en prendre aux médecins pour beaucoup moins), révolte qu'il exprima par le persiflage et par les caricatures de médecins.

Il convient aussi de prendre en considération, une fois de plus, l'époque. Epoque où le scientisme, nouveau dogmatisme, causait de vrais ravages intellectuels. C'était un engouement, quasi-général et sans discrimination, pour les récentes découvertes. Les médecins n'y échappèrent pas. Les plus fins d'entre eux parvenaient seuls à conserver les nuances et la réserve qu'inspire l'esprit critique. Les autres étaient des cibles fort tentantes.

Une troisième raison, plus personnelle celle-là, détermina, elle aussi, selon toute vraisemblance, les réactions de Proust. Une sorte de mauvaise humeur refoulée envers son père et, un peu aussi, envers son frère. Remontrances, comparaisons désobligeantes, hégémonie médicale au foyer, peu de créance qu'on accorda à ses plaintes, il n'est pas besoin d'une motivation d'ordre psychanalytique, pour expliquer ou comprendre que tout cela put l'exaspérer parfois. Habitué au respect, à la courtoisie, fils soumis, frère plus qu'affectueux, il ne se rebella ouvertement qu'en d'assez rares occasions. Mais il conserva dans son for intérieur, une rancœur qu'il se donna la satisfaction d'exhaler plus tard.

Dès 1905, après une visite (sans doute décevante) au Dr Brissaud, il écrit à Mme de Noailles : « *Je vais faire un livre sur les médecins.* »

Comment se fait-il qu'en souvenir du professeur disparu au caractère duquel il rendait hautement justice, qu'eu égard à

son frère, chirurgien en renom, comment se fait-il qu'un scrupule ne tempéra pas son humour et ses sarcasmes? Serait-ce, comme le suggère R. Billières, qu'il voulut éviter de tomber dans la sensiblerie en décernant des éloges trop faciles?

En tout cas, il n'épargna rien ni personne, profitant de ce qu'il avait pu surprendre, pour dénoncer et stigmatiser impitoyablement les moindres traits de la déformation professionnelle (mais quelle profession y échappe?), les manquements ou les ridicules des praticiens : — les ignorants et les vantards — ceux qui méconnaissent les maladies qu'on a pour celles qu'on n'a pas — ceux qui ont une mauvaise thérapeutique — ceux qui se composent une attitude propre à en imposer — ceux qui baragouinent comme Diafoirus — ceux qui courent le cachet — ceux qui éludent leur devoir d'assistance pour quelque réunion mondaine — ceux qui trahissent le secret professionnel — ceux qui se moquent de confrères plus célèbres — ceux qui se livrent aux petites combinaisons de carrière.

Ce qui frappe, en tout cas nous frappe, nous médecins, c'est qu'il a 'respiré' le métier.

En ces premières citations assez anodines, il ressort déjà que l'auteur est 'de la maison'.

... le docteur, venu à Paris avec le maigre bagage de conseils d'une mère paysanne, puis absorbé par les études, presque purement matérielles, auxquelles ceux qui veulent pousser loin leur carrière médicale sont obligés de se consacrer pendant un grand nombre d'années, ne s'était jamais cultivé; il avait acquis plus d'autorité, mais non pas d'expérience; il prit à la lettre ce mot d' « honoré », en fut à la fois satisfait parce qu'il était vaniteux, et affligé parce qu'il était bon garçon. [La silhouette du père.] (t. II, p. 1040, 1. 29.37.)
Par la porte ouverte de la salle où nous attendons le chirurgien nous apercevons le domestique en train de mettre le

couvert, où le soleil met des points lumineux. Dans une heure, nous disons-nous, le chirurgien va recommencer sa vie aimée d'heureux repas et joyeux. La consultation qu'il m'aura donnée, la petite opération qu'il m'aura faite n'auront été qu'un des actes tout spéculatifs, un des rêves sans fantaisie qui exercent son intelligence, aiguisent sa faim et dont il ne se souvient pas le soir, à la grande soirée où il va conduire sa fille... Un événement si petit pour lui noyé entre des milliers d'événements semblables... (J. S., II, p. 98.)

Le docteur Potain l'avait recommandé comme le meilleur de ses internes à la marquise de Saint-Géron, dont la maladie de langueur avait besoin d'être trop exactement surveillée pour que le professeur puisse se déranger chaque fois (J. S., III, p. 146.)

Emu comme un professeur au cours final duquel un nombre important d'élèves est venu y assister. (J. S., I, p. 234.)

... elle commençait à ôter prestement toutes ses affaires, comme on fait devant le docteur qui va vous ausculter, et ne s'arrêtait en route que si « quelqu'un », n'aimant pas la nudité, lui disait qu'elle pouvait garder sa chemise, comme le font certains praticiens qui, ayant l'oreille très fine et la crainte de faire se refroidir leur malade, se contentent d'écouter la respiration et le battement du cœur à travers un linge (t. II, p. 158, 1. 18-24).

... depuis qu'il voulait troquer sa chaire contre celle de thérapeutique, il s'était fait une spécialité des intoxications (t. II, p. 796, 1. 36-38).

... Dans les rues d'Amiens où il aurait une bonne situation, arrêté ainsi au passage par un homme, la casquette à la main qui demanderait à M. le Dr Servais (un personnage en province) de venir voir son petit garçon atteint du croup et lui promettant d'y passer en revenant dîner. (J. S., III, p. 112.)

ANTHOLOGIE

Sur l'intelligence et la culture du corps médical :

Il avait trouvé un médecin intelligent, supprimé l'alcool et le sel (t. III, p. 943, l. 1-3).

Mes suffocations ayant persisté alors que ma congestion depuis longtemps finie ne les expliquait plus, mes parents firent venir en consultation le professeur Cottard. Il ne suffit pas à un médecin appelé dans des cas de ce genre d'être instruit. Mis en présence de symptômes qui peuvent être ceux de trois ou quatre maladies différentes, c'est en fin de compte son flair, son coup d'œil qui décident à laquelle, malgré les apparences à peu près semblables, il y a chance qu'il ait à faire. Ce don mystérieux n'implique pas de supériorité dans les autres parties de l'intelligence, et un être d'une grande vulgarité, aimant la plus mauvaise peinture, la plus mauvaise musique, n'ayant aucune curiorité d'esprit, peut parfaitement le posséder (t. I, p. 497, p. 31-44).

Deuxièmement, on peut être illettré, faire des calembours stupides, et posséder un don particulier qu'aucune culture générale ne remplace, comme le don du grand stratège ou du grand clinicien. Ce n'est pas seulement en effet comme un praticien obscur, devenu, à la longue, notoriété européenne, que ses confrères considéraient Cottard. Les plus intelligents d'entre les jeunes médecins déclarèrent — au moins pendant quelques années, car les modes changent, étant nées elles-mêmes du besoin de changement — que si jamais ils tombaient malades, Cottard était le seul maître auquel ils confieraient leur peau. Sans doute ils préféraient le commerce de certains chefs plus lettrés, plus artistes, avec lesquels ils pouvaient parler de Nietzsche, de Wagner. Quand on faisait de la musique chez Mme Cottard, aux soirées où elle recevait, avec l'espoir qu'il devînt un jour doyen de la Faculté, les collègues et les élèves de son mari, celui-ci, au lieu d'écouter, préférait jouer aux cartes dans un salon voisin. Mais on vantait la promptitude, la profondeur, la sûreté de son coup d'œil, de son diagnostic (t. I, p. 433, 1. 24-44).

« *Le génie peut être voisin de la folie* », énonçait le docteur, *et si la princesse, avide de s'instruire, insistait, il n'en disait pas plus, cet axiome était tout ce qu'il savait sur le génie et ne lui paraissant pas, d'ailleurs, aussi démontré que tout ce qui a trait à la fièvre typhoïde et à l'arthritisme* (t. II, p. 1041, 1. 11-16).

Tu peux dire à Robert qu'au point de vue littéraire moderne il est d'une culture prodigieuse pour un médecin et qu'il sait par cœur Maison du Berger, *etc.* (Lettre de M. P. à sa mère, 16-9-1899.)

Sur la déformation professionnelle, quelques notes :

Chez le prêtre comme chez l'aliéniste, il y a toujours quelque chose du juge d'instruction (t. II, p. 339, 1. 41-43).

Si alors mon grand-père avait besoin d'attirer l'attention des deux sœurs il fallait qu'il eût recours à ces avertissements physiques dont usent les médecins aliénistes à l'égard de certains maniaques de la distraction : coups frappés à plusieurs reprises sur un verre avec la lame d'un couteau, coïncidant avec une brusque interpellation de la voix et du regard, moyens violents que ces psychiatres transportent souvent dans les rapports courants avec des gens bien portants, soit par habitude professionnelle, soit qu'ils croient tout le monde un peu fou (t. I, p. 22, 1. 8-15).

Quel est le médecin de fous qui n'aura pas à force de les fréquenter eu sa crise de folie? Heureux encore s'il peut affirmer que ce n'est pas une folie antérieure et latente qui l'avait voué à s'occuper d'eux. L'objet de ses études, pour un psychiatre, réagit souvent sur lui (t. III, pp. 206-207, 11. 41-43 et 1-5).

A propos du jargon médical :

Les médecins (il ne s'agit pas de tous, bien entendu, et nous n'omettons pas, mentalement, d'admirables exceptions) sont en général plus mécontents, plus irrités de l'infirmation de leur verdict que joyeux de son exécution.

C'est ce qui explique que le professeur E..., quelque satisfaction intellectuelle qu'il ressentît sans doute à voir qu'il ne s'était pas trompé, sut ne me parler que tristement du malheur qui nous avait frappés. Il ne tenait pas à abréger la conversation, qui lui fournissait une contenance et une raison de rester. Il me parla de la grande chaleur qu'il faisait ces jours-ci, mais bien qu'il fût lettré et eût pu s'exprimer en bon français, il me dit : « Vous ne souffrez pas de cette hyperthermie? » C'est que la médecine a fait quelques petits progrès dans ses connaissances depuis Molière, mais aucun dans son vocabulaire (t. II, p. 641, 1. 27-43).

Les médecins, comme les boursiers, disent « je ». « J'aimerais mieux de la glycérine... Oui, chaude, très bien. » (t. II).

« Dites donc, Cottard, vous semble-t-il que la neurasthénie puisse avoir une influence fâcheuse sur la philologie, la philologie une influence calmante sur la neurasthénie, et la guérison de la neurasthénie conduire au rhumatisme? — Parfaitement, le rhumatisme et la neurasthénie sont deux formes vicariantes de neuro-arthritisme. On peut passer de l'une à l'autre par métastase » (t. II, p. 89, 1. 35-38).

Et en effet, il savait qu'un médecin de famille sait rendre bien des petits services, comme de prescrire par exemple qu'il ne faut pas avoir de chagrin. Cottard, docile, avait dit à la Patronne : « Bouleversez-vous comme ça et vous me ferez demain 39° de fièvre », comme il aurait dit à la cuisinière : « Vous me ferez demain du ris de veau. » La médecine, faute de guérir, s'occupe à changer le sens des verbes et des pronoms (t. II, p. 900, 1. 23-31).

« Naturellement, ma femme proteste, ce sont toutes des névrosées. — Mais, mon petit docteur, je ne suis pas névrosée, murmura Mme Cottard. — Comment, elle n'est pas

névrosée? quand son fils est malade, elle présente des phéno-
mènes d'insomnie » (t. II, p. 1052, 1. 7-11).

... (car, quoique femme de médecin, elle n'aurait pas osé
parler sans périphrases de rhumatisme ou de coliques néphré-
tiques) (t. I, p. 597, 1. 4-7).

Françoise, au retour déclara que je m'étais « trouvé indis-
posé », que j'avais dû prendre un « chaud et froid », et le
docteur, aussitôt appelé, déclara « préférer » la « sévérité », la
« virulence » de la poussée fébrile qui accompagnait ma
congestion pulmonaire et ne serait « qu'un feu de paille » à
des formes plus « insidieuses » et « larvées ». Depuis long-
temps déjà j'étais sujet à des étouffements et notre médecin,
malgré la désapprobation de ma grand-mère, qui me voyait
déjà mourant alcoolique, m'avait conseillé, outre la caféine
qui m'était prescrite pour m'aider à respirer, de prendre de la
bière, du champagne ou du cognac quand je sentais venir une
crise. Celles-ci avorteraient, disait-il, dans l' « euphorie » causée
par l'alcool..., le besoin d'avertir ma grand-mère de mes
malaises avec une exactitude où je finissais par mettre une
sorte de scrupule physiologique (t. I, p. 496, 1. 3-44).

Les parties les plus remarquables sont les descriptions de
consultations.

« Ah! ne croyez pas que je raille vos maux, je n'entrepren-
drais pas de les soigner si je ne savais pas les comprendre.
Et, tenez, il n'y a de bonne confession que réciproque. Je vous
ai dit que sans maladie nerveuse, il n'est pas de grand artiste,
qui plus est, ajouta-t-il en élevant gravement l'index, il n'y a
pas de grand savant. J'ajouterai que, sans qu'il soit atteint lui-
même de maladie nerveuse, il n'est pas, ne me faites pas dire
de bon médecin, mais seulement de médecin correct des
maladies nerveuses. Dans la pathologie nerveuse, un médecin
qui ne dit pas trop de bêtises, c'est un malade à demi guéri,
comme un critique est un poète qui ne fait plus de vers, un

policier un voleur qui n'exerce plus. Moi, Madame, je ne me crois pas comme vous albuminurique, je n'ai pas la peur nerveuse de la nourriture, du grand air, mais je ne peux pas m'endormir sans m'être relevé plus de vingt fois pour voir si ma porte est fermée. Et cette maison de santé où j'ai trouvé hier un poète qui ne tournait pas le cou, j'y allais retenir une chambre, car, ceci entre nous, j'y passe mes vacances à me soigner quand j'ai augmenté mes maux en me fatiguant trop à guérir ceux des autres. — Mais, Monsieur, devrais-je faire une cure semblable? dit avec effroi ma grand-mère. »
— « C'est inutile, Madame. Les manifestations que vous accusez céderont devant ma parole » (t. II, p. 305-306, ll. 44 et 1-25).

Du Boulbon appelé donna tort, sinon à Mme de Sévigné qu'on ne lui cita pas, du moins à ma grand-mère. Au lieu de l'ausculter, tout en posant sur elle ses admirables regards où il y avait peut-être l'illusion de scruter profondément le malade, ou le désir de lui donner cette illusion, qui semblait spontanée mais devait être devenue machinale, ou de ne pas lui laisser voir qu'il pensait à tout autre chose, ou de prendre de l'empire sur elle, — il commença à lui parler de Bergotte. Je crus d'abord qu'il la faisait ainsi parler littérature parce que, lui, la médecine l'ennuyait, peut-être aussi pour faire montre de sa largeur d'esprit, et même, dans un but plus thérapeutique, pour rendre confiance à la malade, lui montrer qu'il n'était pas inquiet, la distraire de son état. Mais, depuis, j'ai compris que, surtout remarquable comme aliéniste et pour ses études sur le cerveau, il avait voulu se rendre compte par ses questions si la mémoire de ma grand-mère était bien intacte. Comme à contre-cœur il l'interrogea un peu sur sa vie, l'œil sombre et fixe. Puis tout à coup, comme apercevant la vérité et décidé à l'atteindre coûte que coûte, avec un geste préalable qui semblait avoir peine à s'ébrouer, en les écartant du flot des dernières hésitations qu'il pouvait avoir et de toutes les objections que nous aurions pu faire, regardant ma grand-mère d'un œil lucide, librement et comme enfin sur la terre ferme, ponctuant les mots sur un ton doux et prenant, dont l'intelligence nuançait toutes les inflexions (sa voix du reste, pendant toute la visite, resta, ce qu'elle était naturellement, caressante, et sous ses sourcils embroussaillés, ses yeux ironiques étaient remplis de bonté) :

« — Vous irez bien, Madame, le jour lointain ou proche, et il dépend de vous que ce soit aujourd'hui même, où vous comprendrez que vous n'avez rien et où vous aurez repris la vie commune. Vous m'aviez dit que vous ne mangiez pas, que vous ne sortiez pas? »

— Mais, Monsieur, j'ai un peu de fièvre.

Il toucha sa main.

— Pas en ce moment en tous cas. Et puis la belle excuse! » (t. II, pp. 301-302, ll. 37-43, 1-4, 11-41).

A ce moment, mon père se précipita, je crus qu'il y avait du mieux ou du pire. C'était seulement le docteur Dieulafoy qui venait d'arriver. Mon père alla le recevoir dans le salon voisin, comme l'acteur qui doit venir jouer. On l'avait fait demander non pour soigner, mais pour constater, en espèce de notaire. Le docteur Dieulafoy a pu en effet être un grand médecin, un merveilleux professeur; à ces rôles divers où il excella, il joignait un autre dans lequel il fut pendant quarante ans sans rival, un rôle aussi original que le raisonneur, le scaramouche ou le père noble, et qui était de venir constater l'agonie ou la mort. Son nom déjà présageait la dignité avec laquelle il tiendrait l'emploi, et quand la servante disait : « M. Dieulafoy », on se croyait chez Molière. A la dignité de l'attitude concourait sans se laisser voir la souplesse d'une taille charmante. Un visage en soi-même trop beau était amorti par la convenance à des circonstances douloureuses. Dans sa noble redingote noire, le professeur entrait, triste sans affectation, ne donnait pas une seule condoléance qu'on eût pu

*croire feinte et ne commettait pas non plus la plus légère
infraction au tact. Aux pieds d'un lit de mort, c'était lui et
non le duc de Guermantes qui était le grand seigneur. Après
avoir regardé ma grand-mère sans la fatiguer, et avec un excès
de réserve qui était une politesse au médecin traitant, il dit
à voix basse quelques mots à mon père, s'inclina respectueusement devant ma mère, à qui je sentis que mon père se
retenait pour ne pas dire : « Le professeur Dieulafoy. » Mais
déjà celui-ci avait détourné la tête, ne voulant pas importuner,
et sortit de la plus belle façon du monde, en prenant simplement le cachet qu'on lui remit. Il n'avait pas eu l'air de le
voir, et nous-mêmes nous demandâmes un moment si nous le
lui avions remis tant il avait mis de la souplesse d'un presti-
digitateur à le faire disparaître, sans pour cela perdre rien de
sa gravité plutôt accrue de grand consultant à la longue redingote à revers de soie, à la belle tête pleine d'une noble commisération. Sa lenteur et sa vivacité montraient que, si cent
visites l'attendaient encore, il ne voulait pas avoir l'air pressé.
Car il était le tact, l'intelligence et la bonté mêmes. Cet
homme éminent n'est plus. D'autres médecins, d'autres professeurs ont pu l'égaler, le dépasser peut-être. Mais l' « emploi » où son savoir, ses dons physiques, sa haute éducation
le faisaient triompher, n'existe plus, faute de successeurs qui
aient su le tenir (t. II, pp. 342-343, ll. 15-43 et 1-16).
Il consulta les médecins qui, flattés d'être appelés par lui,
virent dans ses vertus de grand travailleur (il y avait vingt ans
qu'il n'avait rien fait), dans son surmenage, la cause de ses
malaises. Ils lui conseillèrent de ne pas lire de contes terri-
fiants (il ne lisait rien), de profiter davantage du soleil « indis-
pensable à la vie » (il n'avait dû quelques années de mieux
relatif qu'à sa claustration chez lui), de s'alimenter davantage
(ce qui le fit maigrir et alimenta surtout ses cauchemars). Un
de ses médecins étant doué de l'esprit de contradiction et de
taquinerie, dès que Bergotte le voyait en l'absence des autres*

et, pour ne pas le froisser, lui soumettait comme des idées de lui ce que les autres lui avaient conseillé, le médecin contredisant, croyant que Bergotte cherchait à se faire ordonner quelque chose qui lui plaisait, le lui défendait aussitôt, et souvent avec des raisons fabriquées si vite pour les besoins de la cause que, devant l'évidence des objections matérielles que faisait Bergotte, le docteur contredisant était obligé, dans la même phrase, de se contredire lui-même, mais, pour des raisons nouvelles, renforçait la même prohibition. Bergotte revenait à un des premiers médecins, homme qui se piquait d'esprit, surtout devant un des maîtres de la plume, et qui, si Bergotte insinuait : « Il me semble pourtant que le Dr X... m'avait dit — autrefois bien entendu — que cela pouvait me congestionner le rein et le cerveau... », souriait malicieusement, levait le doigt et prononçait : « J'ai dit user, je n'ai pas dit abuser. Bien entendu, tout remède, si on exagère, devient une arme à double tranchant. » Il y a dans notre corps un certain instinct de ce qui nous est salutaire, comme dans le cœur, de ce qui est le devoir moral, et qu'aucune autorisation du docteur en médecine ou en théologie ne peut suppléer. Nous savons que les bains froids nous font mal, nous les aimons : nous trouvons toujours un médecin pour nous les conseiller, non pour empêcher qu'ils nous fassent mal. A chacun de ces médecins Bergotte prit ce que, par sagesse, il s'était défendu depuis des années. Au bout de quelques semaines, les accidents d'autrefois avaient reparu, les récents s'étaient aggravés (t. III, pp. 185-186, ll. 15-44 et 1-9).

Mais les hésitations de Cottard furent courtes et ses prescriptions impérieuses : « Purgatifs violents et drastiques, lait pendant plusieurs jours, rien que du lait. Pas de viande, pas d'alcool. » Ma mère murmura que j'avais pourtant bien besoin d'être reconstitué, que j'étais déjà assez nerveux, que cette purge de cheval et ce régime me mettraient à bas. Je vis aux yeux de Cottard, aussi inquiets que s'il avait peur de manquer

le train, qu'il se demandait s'il ne s'était pas laissé aller à sa
douceur naturelle. Il tâchait de se rappeler s'il avait pensé à
prendre un masque froid, comme on cherche une glace pour
regarder si on n'a pas oublié de nouer sa cravate. Dans le
doute et pour faire, à tout hasard, compensation, il répondit
grossièrement : « Je n'ai pas l'habitude de répéter deux fois
mes ordonnances. Donnez-moi une plume. Et surtout au lait.
Plus tard, quand nous aurons jugulé les crises et l'agrypnie,
je veux bien que vous preniez quelques potages, puis des
purées, mais toujours au lait, au lait. Cela vous plaira, puisque
l'Espagne est à la mode, ollé! ollé! (Ses élèves connaissaient
bien ce calembour qu'il faisait à l'hôpital chaque fois qu'il
mettait un cardiaque ou un hépatique au régime lacté.)
Ensuite vous reviendrez progressivement à la vie commune.
Mais chaque fois que la toux et les étouffements recommen-
ceront, purgatifs, lavages intestinaux, lit, lait. » Il écouta d'un
air glacial, sans y répondre, les dernières objections de ma
mère, et, comme il nous quitta sans avoir daigné expliquer les
raisons de ce régime... (t. I, p. 498, l. 14-43).

Et puis encore, ces tableaux vivants :

Maintenant Mme Cottard dormait tout à fait. « Hé bien!
Léontine, tu pionces, lui crie le professeur. — J'écoute ce que
dit Mme Swann, mon ami, répondit faiblement Mme Cottard,
qui retomba dans sa léthargie. — C'est insensé, s'écria Cot-
tard, tout à l'heure elle nous affirmera qu'elle n'a pas dormi.
C'est comme les patients qui se rendent à une consultation
et qui prétendent qu'ils ne dorment jamais. — Ils se le figurent
peut-être », dit en riant M. de Cambremer. Mais le docteur
aimait autant à contredire qu'à taquiner, et surtout n'admet-
tait pas qu'un profane osât lui parler médecine. « On ne se
figure pas qu'on ne dort pas, promulgua-t-il d'un ton dogma-
tique. — Ah! répondit en s'inclinant respectueusement le
marquis, comme eût fait Cottard jadis. — On voit bien, reprit

Cottard, que vous n'avez pas comme moi administré jusqu'à deux grammes de trional sans arriver à provoquer la somnescence. — En effet, en effet, répondit le marquis en riant d'un air avantageux, je n'ai jamais pris de trional, ni aucune de ces drogues qui bientôt ne font plus d'effet mais vous détraquent l'estomac. Quand on a chassé toute la nuit comme moi, dans la forêt de Chantepie, je vous assure qu'on n'a pas besoin de trional pour dormir. — Ce sont les ignorants qui disent cela, répondit le professeur. Le trional relève parfois d'une façon remarquable le tonus nerveux. Vous parlez de trional, savez-vous seulement ce que c'est? — Mais... j'ai entendu dire que c'était un médicament pour dormir. — Vous ne répondez pas à ma question reprit doctoralement le professeur qui, trois fois par semaine, à la Faculté, était « d'examen ». Je ne vous demande pas si ça fait dormir ou non, mais ce que c'est. Pouvez-vous me dire ce qu'il contient de parties d'amyle et d'éthyle? — Non, répondit M. de Cambremer embarrassé. Je préfère un bon verre de fine ou même de porto 345. — Qui sont dix fois plus toxiques, interrompit le professeur. — Pour le trional, hasarda M. de Cambremer, ma femme est abonnée à tout cela, vous feriez mieux d'en parler avec elle. — Qui doit en savoir à peu près autant que vous. En tout cas, si votre femme prend du trional pour dormir, vous voyez que ma femme n'en a pas besoin. Voyons, Léontine, bouge-toi, tu t'ankyloses, est-ce que je dors après dîner, moi? Qu'est-ce que tu feras à soixante ans si tu dors maintenant comme une vieille? Tu vas prendre de l'embonpoint, tu t'arrêtes la circulation... Elle ne m'entend même plus. — C'est mauvais pour la santé, ces petits sommes après dîner, n'est-ce pas, docteur? dit M. de Cambremer pour se réhabiliter auprès de Cottard. Après avoir bien mangé il faudrait faire de l'exercice. — Des histoires! répondit le docteur. On a prélevé une même quantité de nourriture dans l'estomac d'un chien qui était resté tranquille, et dans l'estomac d'un

*chien qui avait couru, et c'est chez le premier que la digestion
était la plus avancée. — Alors c'est le sommeil qui coupe la
digestion? — Cela dépend s'il s'agit de la digestion œsopha-
gique, stomacale, intestinale; inutile de vous donner des explications que vous ne comprendriez pas, puisque vous n'avez
pas fait vos études de médecine* (t. II, pp. 960-961-962,
ll. 32-43, 1-43 et 1-2).

*Cottard, qu'on avait appelé auprès de ma grand-mère et qui
nous avait agacés en nous demandant avec un sourire fin, dès
la première minute où nous lui avions dit qu'elle était malade :
« Malade? Ce n'est pas au moins une maladie diplomatique? »,
Cottard essaya, pour calmer l'agitation de sa malade, le régime
lacté* (t. II, p. 298, l. 30-35).

*Sur le ton d'un médecin qui, voulant le bien de son malade
malgré ce malade lui-même, entend bien ne pas se laisser
imposer la collaboration d'un homéopathe* (t. III, p. 234,
l. 36-38).

*Le médecin, qui craignait ces crises, avait mis un signet,
dans un livre de médecine que nous avions, à la page où elles
sont décrites et où il nous avait dit de nous reporter pour
trouver l'indication des premiers soins à donner* (t. I, p. 122,
l. 37-41).

*Quant à Cottard, bloqué par le silence de M. de Charlus et
essayant de se donner de l'air des autres côtés, il se tourna
vers moi et me fit une de ces questions qui frappaient ses
malades s'il était tombé juste et montraient qu'il était pour
ainsi dire dans leur corps; si, au contraire, il tombait faux,
lui permettaient de rectifier certaines théories, d'élargir les
points de vue anciens. « Quant vous arrivez à ces sites relativement élevés comme celui où nous nous trouvons en ce
moment, remarquez-vous que cela augmente votre tendance
aux étouffements? » me demanda-t-il, certain ou de faire
admirer, ou de compléter son instruction* (t. II, p. 926,
l. 15-26).

Une analyse aiguë de certaines attitudes mentales du praticien :

Comme une grande partie de ce que savent les médecins leur est enseignée par les malades, ils sont facilement portés à croire que ce savoir des « patients » est le même chez tous, et ils se flattent d'étonner celui auprès de qui ils se trouvent avec quelque remarque apprise de ceux qu'ils ont auparavant soignés. Aussi fut-ce avec le fin sourire d'un Parisien qui, causant avec un paysan, espérerait l'étonner en se servant d'un mot de patois, que le docteur du Boulbon dit à ma grand-mère : « Probablement les temps de vent réussissent à vous faire dormir là où échoueraient les plus puissants hypnotiques. — Au contraire, Monsieur, le vent m'empêche absolument de dormir. » Mais les médecins sont susceptibles. « Ach! » murmura du Boulbon en fronçant les sourcils, comme si on lui avait marché sur le pied et si les insomnies de ma grand-mère par les nuits de tempête étaient pour lui une injure personnelle (t. II, pp. 303-304, ll. 40-44 et 1-13).

Il attachait beaucoup d'importance à ne jamais faire d'erreur de diagnostic. Or son courrier était si nombreux qu'il ne se rappelait pas toujours très bien, quand il n'avait vu qu'une fois un malade, si la maladie avait bien suivi le cours qu'il lui avait assigné. On n'a peut-être pas oublié qu'au moment de l'attaque de ma grand-mère, je l'avais conduite chez lui le soir où il se faisait coudre tant de décorations.

Depuis le temps écoulé, il ne se rappelait plus le faire-part qu'on lui avait envoyé à l'époque. « Madame votre grand-mère est bien morte, n'est-ce pas? me dit-il d'une voix où une quasi-certitude calmait une légère appréhension. Ah! En effet! Du reste dès la première minute où je l'ai vue, mon pronostic avait été tout à fait sombre, je me souviens très bien » (t. II, p. 640, l. 28-42).

C'est ainsi que le professeur E... apprit ou rapprit la mort de ma grand-mère, et, je dois le dire à sa louange, qui est celle du corps médical tout entier, sans manifester, sans éprouver peut-être de satisfaction. Les erreurs des médecins sont innombrables. Ils pèchent d'habitude par optimisme quant au régime, par pessimisme quant au dénouement. « Du vin? en quantité modérée cela ne peut vous faire du mal, c'est en somme un tonifiant... Le plaisir physique? après tout c'est une fonction. Je vous le permets sans abus, vous m'entendez bien. L'excès en tout est un défaut. » Du coup, quelle tentation pour le malade de renoncer à ces deux résurrecteurs, l'eau et la chasteté! En revanche, si l'on a quelque chose au cœur, de l'albumine, etc., on n'en a pas pour longtemps. Volontiers, des troubles graves, mais fonctionnels, sont attribués à un cancer imaginé. Il est inutile de continuer des visites qui ne sauraient enrayer un mal inéluctable. Que le malade, livré à lui-même, s'impose alors un régime implacable, et ensuite guérisse ou tout au moins survive, le médecin salué par lui avenue de l'Opéra quand il le croyait depuis longtemps au Père-Lachaise, verra dans ce coup de chapeau un geste de narquoise insolence (t. II, pp. 640-641, ll. 43 et 1-22).

Sauf chez les Verdurin, qui s'étaient engoués de lui, l'air hésitant de Cottard, sa timidité, son amabilité excessives, lui avaient, dans sa jeunesse, valu de perpétuels brocards. Quel ami charitable lui conseilla l'air glacial? L'importance de sa situation lui rendit plus aisé de le prendre. Partout, sinon chez les Verdurin où il redevenait instinctivement lui-même, il se rendit froid, volontiers silencieux, péremptoire quand il fallait parler, n'oubliant pas de dire des choses désagréables. Il put faire l'essai de cette nouvelle attitude devant des clients qui, ne l'ayant pas encore vu, n'étaient pas à même de faire des comparaisons et eussent été bien étonnés d'apprendre qu'il n'était pas un homme d'une rudesse naturelle. C'est surtout à l'impassibilité qu'il s'efforçait, et même dans son service d'hôpital, quand il débitait quelques-uns de ces calembours qui faisaient rire tout le monde, du chef de clinique au plus récent externe, il le faisait toujours sans qu'un muscle bougeât dans sa figure d'ailleurs méconnaissable depuis qu'il avait rasé barbe et moustache (t. I, p. 434, 1. 16-20).

... La femme d'un médecin des oreilles (sic!)... *Elle accepta avec joie et le docteur se promit d'intéresser Bergotte en lui parlant de son confrère Benjamin Constant qui était venu une fois le consulter, ayant mal aux oreilles...* (J. S., III, p. 186.)

G. avait entendu dire que M. était le médecin le plus intelligent qui fût. Aussi espérait-il un peu en lui expliquant ses maux qu'il les guérirait peut-être. M. qui avait lu les livres de G. était intéressé de faire sa connaissance. Et autant les maladies de G. l'intéressaient peu, autant il était curieux de l'entendre parler de ses livres. Car un médecin est un homme qui aime bien entendre chanter une chanteuse qui chante bien et connaître un artiste de valeur, et la chanteuse a beau être grippée, il lui dira : « Qu'est-ce que cela fait puisque vous chantez si bien », et l'artiste a beau souffrir d'insomnie il lui dira : « Qu'est-ce que cela fait puisque vous écrivez de beaux livres ». Car il sait qu'un homme qui écrit de beaux livres est un homme qui ne dort pas, qui se croit malade, qui a des crises d'asthme qu'on ne peut soigner, qui consulte les médecins et que cela fait partie du talent. Néanmoins, il aime bien avoir un tel homme pour client car s'il ne compte rien faire à son asthme, à ses insomnies, à son hypocondrie, chose que l'on a jamais pu guérir et qui sont l'effet même de son génie, l'admiration qu'il a pour lui... Aussi aime-t-il faire attendre ses clients pour le recevoir, non pour s'occuper de ses insomnies qui pour lui sont une chose comme vulgaire et qui font partie d'un homme de génie comme l'inconvénient des moustiques d'un beau voyage en Italie, pour le faire causer sur mille sujets, ce qui fait que quand G. sera mort il pourra en causant avec un confrère plus âgé lui raconter beaucoup de souvenirs sur G., si bien que le confrère en rentrant dira à sa femme... qu'il faudra l'inviter à nos dîners,... diverses impres-

sions favorables susceptibles de se changer un jour ou l'autre en un bulletin de vote à l'Académie de médecine. Et pendant sa vie il reçoit G., G. qui ne va nulle part et qui dîne chez lui avec promesse que cela ne lui fera pas mal et en effet il le pense car comme c'est un médecin très intelligent, il sait que les écrivains qui ont des insomnies redoutent les dîners en ville et ne pensent pas que tous les dîners en ville du monde puissent rien contre cette grande loi de nature. Aussi G. ne peut-il avoir qu'une grande déception de M. qui ne lui donne aucun remède contre son asthme... D'éminents confrères viennent pour se rencontrer avec G. On invite très gracieusement tel maître éminent dont la fille s'intéresse à la littérature et sera très heureuse de connaître G. Mais son père inflexible n'en votera pas moins contre M. dans les élections futures. (J. S., III, p. 114.)

Il l'avait dit parce qu'il avait senti qu'il ferait ainsi plaisir à la jeune femme qu'il aimait, peut-être aussi par ignorance, parce qu'aussi il savait de toutes façons la maladie inguérissable, et qu'on se résigne volontiers à abréger le martyre des malades quand ce qui est destiné à l'abréger nous profite à nous-mêmes, peut-être aussi par la bête conception que cela faisait plaisir à la Berma et devait donc lui faire du bien, bête conception qui lui avait paru justifiée quand, ayant reçu une loge des enfants de la Berma et ayant pour cela lâché tous ses malades, il l'avait trouvée aussi extraordinaire de vie sur la scène qu'elle semblait moribonde à la ville (t. II, p. 996, l. 1-18).

Le Docteur, cependant poussait Mme Verdurin à laisser jouer le pianiste, non pas qu'il crût feints les troubles que la musique lui donnait : il y reconnaissait certains états neurasthéniques — mais par cette habitude qu'ont beaucoup de médecins de faire fléchir immédiatement la sévérité de leurs prescriptions dès qu'est en jeu, chose qui leur semble beaucoup plus importante, quelque réunion mondaine dont ils font partie

et dont la personne à qui ils conseillent d'oublier pour une fois sa dyspepsie ou sa grippe, est un des facteurs essentiels.
— Vous ne serez pas malade cette fois-ci, vous verrez, lui dit-il en cherchant à la suggestionner du regard. Et si vous êtes malade, nous vous soignerons (t. I, p. 206-207, ll. 36-42 et 1-6).

...enfin pour lire son dernier livre paru, le Dr du Boulbon faisait attendre ses malades (t. I, p. 94, l. 39-44).

Il n'avait pas tout de même trop d'amour-propre, et comme, en tant qu' « esprit supérieur », il croyait de son devoir de ne pas ajouter foi à la médecine, il reprit vite sa sérénité philosophique (t. II, p. 304, l. 14-17).

Il ridiculise le charlatanisme, comme aussi le pédantisme et la susceptibilité du médecin en vogue, blâme le manque de conscience professionnelle :

Il prétendait que si, et que migraine ou colique, maladie de cœur ou diabète, c'est une maladie du nez mal comprise. A chacun de nous il dit : « Voilà un petit cornet que je serais bien aise de revoir. N'attendez pas trop. Avec quelques pointes de feu je vous débarrasserai. » Certes nous pensions à tout autre chose. Pourtant nous nous demandâmes : « Mais débarrasser de quoi? » Bref tous nos nez étaient malades; il ne se trompa qu'en mettant la chose au présent. Car dès le lendemain son examen et son pansement provisoire avaient accompli leur effet. Chacun de nous eut son catarrhe. Et comme il rencontrait dans la rue mon père secoué par des quintes, il sourit à l'idée qu'un ignorant pût croire le mal dû à son intervention. Il nous avait examinés au moment où nous étions déjà malades (t. II, p. 324-325, ll. 40-43 et 1-12).

— Monsieur, je ne dis pas, mais vous n'avez pas pris de rendez-vous avec moi, vous n'avez pas de numéro. D'ailleurs, ce n'est pas mon jour de consultation. Vous devez avoir votre médecin. Je ne peux pas me substituer, à moins qu'il ne me

*fasse appeler en consultation. C'est une question de déonto-
logie...*

*Au moment où je faisais signe à un fiacre, j'avais rencontré
le fameux professeur E... presque ami de mon père et de mon
grand-père, en tous cas en relations avec eux, lequel demeurait avenue Gabriel, et, pris d'une inspiration subite, je l'avais
arrêté au moment où il rentrait, pensant qu'il serait peut-être
d'un excellent conseil pour ma grand-mère. Mais, pressé, après
avoir pris ses lettres, il voulait m'éconduire, et je ne pus
lui parler qu'en montant avec lui dans l'ascenseur, dont il me
pria de le laisser manœuvrer les boutons, c'était chez lui une
manie.*

*— Mais, Monsieur, je ne demande pas que vous receviez
ma grand-mère, vous comprendrez après ce que je veux vous
dire, elle est peu en état, je vous demande au contraire de
passer d'ici une demi-heure chez nous, où elle sera rentrée.*

*— Passez chez vous? mais, Monsieur, vous n'y pensez pas.
Je dîne chez le Ministre du Commerce, il faut que je fasse une
visite avant, je vais m'habiller tout de suite; pour comble de
malheur mon habit a été déchiré et l'autre n'a pas de boutonnière pour passer les décorations. Je vous en prie, faites-moi
le plaisir de ne pas toucher les boutons de l'ascenseur, vous
ne savez pas les manœuvrer, il faut être prudent en tout. Cette
boutonnière va me retarder encore. Enfin, par amitié pour les
vôtres, si votre grand-mère vient tout de suite, je la recevrai.
Mais je vous préviens que je n'aurai qu'un quart d'heure bien
juste à lui donner (t. II, p. 313-314, ll. 20-25 et 1-32).*

*Je mis ma grand-mère dans l'ascenseur du professeur E...,
et au bout d'un instant il vint à nous et nous fit passer dans son
cabinet. Mais là, si pressé qu'il fût, son air rogue changea, tant
les habitudes sont fortes, et il avait celle d'être aimable, voire
enjoué, avec ses malades. Comme il savait ma grand-mère
très lettrée et qu'il l'était aussi, il se mit à lui citer pendant
deux ou trois minutes de beaux vers sur l'été radieux qu'il*

*faisait. Il l'avait assise dans un fauteuil, lui à contre-jour, de
manière à bien la voir. Son examen fut minutieux, nécessita
même que je sortisse un instant. Il le continua encore, puis
ayant fini, se mit, bien que le quart d'heure touchât à sa fin,
à refaire quelques citations à ma grand-mère. Il lui adressa
même quelques plaisanteries assez fines, que j'eusse préféré
entendre un autre jour, mais qui me rassurèrent complètement
par le ton amusé du docteur. Je me rappelai alors que
M. Fallières, président du Sénat, avait eu, il y avait nombre
d'années, une fausse attaque et qu'au désespoir de ses concur-
rents, il s'était mis trois jours après à reprendre ses fonctions
et préparait, disait-on, une candidature plus ou moins lointaine
à la présidence de la République. Ma confiance en un prompt
rétablissement de ma grand-mère fut d'autant plus complète
que, au moment où je me rappelais l'exemple de M. Fallières,
je fus tiré de la pensée de ce rapprochement par un franc éclat
de rire qui termina une plaisanterie du professeur E... Sur quoi
il tira sa montre, fronça fièvreusement le sourcil en voyant qu'il
était en retard de cinq minutes, et tout en nous disant adieu
sonna pour qu'on apportât immédiatement son habit. Je laissai
ma grand-mère passer devant, refermai la porte et demandai
la vérité au savant.*

*— Votre grand-mère est perdue, me dit-il. C'est une
attaque provoquée par l'urémie. En soi, l'urémie n'est pas fatalement un mal mortel, mais le cas me paraît désespéré. Je n'ai
pas besoin de vous dire que j'espère me tromper. Du reste,
avec Cottard, vous êtes en excellentes mains. Excusez-moi, me
dit-il en voyant entrer une femme de chambre qui portait sur
le bras l'habit noir du professeur. Vous savez que je dîne
chez le Ministre du Commerce, j'ai une visite à faire avant.
Ah! la vie n'est pas que roses, comme on le croit à votre
âge.*

*Et il me tendit gracieusement la main. J'avais refermé la
porte et un valet nous guidait dans l'antichambre, ma grand-*

mère et moi, quand nous entendîmes de grands cris de colère.
La femme de chambre avait oublié de percer la boutonnière
pour les décorations. Cela allait demander encore dix minutes.
Le professeur tempêtait toujours pendant que je regardais sur
le palier ma grand-mère qui était perdue. Chaque personne est
bien seule. Nous repartîmes vers la maison (t. II, p. 317-318,
ll. 16-44 et 1-24). (Quelle chute magnifique!)

Il fallait qu'il fût appelé par une visite bien importante pour
qu'il « lâchât » les Verdurin le mercredi, l'importance ayant
trait, d'ailleurs, plutôt à la qualité du malade qu'à la gravité
de la maladie. Car Cottard, quoique bon homme, renonçait
aux douceurs du mercredi non pour un ouvrier frappé d'une
attaque, mais pour le coryza d'un ministre. Encore, dans ce
cas, disait-il à sa femme : « Excuse-moi bien auprès de
Mme Verdurin. Préviens que j'arriverai en retard. Cette Excel-
lence aurait bien pu choisir un autre jour pour être enrhu-
mée. » Un mercredi, leur vieille cuisinière s'étant coupé la
veine du bras, Cottard, déjà en smoking pour aller chez les
Verdurin, avait haussé les épaules quand sa femme lui avait
timidement demandé s'il ne pourrait pas panser la blessée :
« Mais je ne peux pas, Léontine, s'était-il écrié en gémissant;
tu vois bien que j'ai mon gilet blanc. » Pour ne pas impa-
tienter son mari, Mme Cottard avait fait chercher au plus vite
le chef de clinique. Celui-ci, pour aller plus vite, avait pris une
voiture, de sorte que la sienne entrant dans la cour au moment
où celle de Cottard allait sortir pour le mener chez les Ver-
durin, on avait perdu cinq minutes à avancer, à reculer.
Mme Cottard était gênée que le chef de clinique vît son maître
en tenue de soirée. Cottard pestait du retard, peut-être par
remords, et partit d'une humeur exécrable qu'il fallut tous les
plaisirs du mercredi pour arriver à dissiper (t. II, p. 880,
l. 7-33.)

Les relations déontologiques sont évoquées avec à propos :

Cambremer proposa à Cottard d'aller voir du Boulbon :
« Mais ce n'est pas un médecin! Il fait de la médecine litté-
raire, c'est de la thérapeutique fantaisiste, du charlatanisme.
D'ailleurs nous sommes en bons termes... » (t. II, p. 976,
p. 31-34).

Je suis président de la ligue antialcoolique, répondit Cot-
tard. Il suffirait que quelque médicastre de province passât,
pour qu'on dise que je ne prêche pas d'exemple (...)
Le peintre savait que Vinteuil était à ce moment très malade
et que le Dr Potain craignait de ne pouvoir le sauver.
— Comment, s'écria Mme Verdurin, il y a encore des
gens qui se font soigner par Potain!
— Ah! madame Verdurin, dit Cottard, sur un ton de mari-
vaudage, vous oubliez que vous parlez d'un de mes confrères,
je devrais dire un de mes maîtres...
— Laissez-moi donc tranquille avec vos maîtres, vous en
savez dix fois autant que lui, répondit Mme Verdurin au
Dr Cottard, du ton d'une personne qui a le courage de ses opi-
nions et tient bravement tête à ceux qui ne sont pas du même
avis qu'elle. Vous ne tuez pas vos malades, vous au moins!
— Mais, Madame, il est de l'Académie, répliqua le docteur
d'un ton ironique. Si un malade préfère mourir de la main
d'un des princes de la science... C'est beaucoup plus chic de
pouvoir dire : « C'est Potain qui me soigne. »
— Ah! c'est plus chic? dit Mme Verdurin. Alors il y a
du chic dans les maladies, maintenant? je ne savais pas ça...
(t. I, p. 214-215, ll. 20-26, 39-44 et 1-7).
Ce n'était pas que la conversation de Cottard fût intéres-
sante. Elle était même en ce moment devenue aigre, car nous
venions d'apercevoir le Dr du Boulbon, qui ne nous vit pas. Il
était venu passer quelque temps de l'autre côté de la baie de
Balbec, où on le consultait beaucoup. Or, quoique Cottard eût

l'habitude de déclarer qu'il ne faisait pas de médecine en vacances, il avait espéré se faire, sur cette côte, une clientèle de choix, à quoi du Boulbon se trouvait mettre obstacle. Certes le médecin de Balbec ne pouvait gêner Cottard. C'était seulement un médecin très consciencieux, qui savait tout et à qui on ne pouvait parler de la moindre démangeaison sans qu'il vous indiquât aussitôt, dans une formule complexe, la pommade, lotion ou liniment qui convenait. Comme disait Marie Gineste dans son joli langage, il savait « charmer » les blessures et les plaies. Mais il n'avait pas d'illustration. Il avait bien causé un petit ennui à Cottard. Celui-ci, depuis qu'il voulait troquer sa chaire contre celle de thérapeutique, s'était fait une spécialité des intoxications. Or un grand-duc étant venu passer quelques jours à Balbec et ayant un œil extrêmement enflé avait fait venir Cottard lequel, en échange de quelques billets de cent francs (le professeur ne se dérangeait pas à moins), avait imputé comme cause à l'inflammation un état toxique et prescrit un régime désintoxiquant. L'œil ne désenflant pas, le grand-duc se rabattit sur le médecin ordinaire de Balbec, lequel en cinq minutes retira un grain de poussière. Le lendemain il n'y paraissait plus. Un rival plus dangereux pourtant était une célébrité des maladies nerveuses. C'était un homme rouge, jovial, à la fois parce que la fréquentation de la déchéance nerveuse ne l'empêchait pas d'être très bien portant, et aussi pour rassurer ses malades par le gros rire de son bonjour et de son au revoir, quitte à aider de ses bras d'athlète à leur passer plus tard la camisole de force. Néanmoins, dès qu'on causait avec lui dans le monde, fût-ce de politique ou de littérature, il vous écoutait avec une bienveillance attentive, d'un air de dire : « De quoi s'agit-il? », sans prononcer tout de suite comme s'il s'était agi d'une consultation. Mais enfin celui-là, quelque talent qu'il eût, était un spécialiste. Aussi toute la rage de Cottard était-elle reportée sur du Boulbon. Je quittai du reste bientôt, pour rentrer, le pro-

fesseur ami des Verdurin, en lui promettant d'aller les voir
(t. II, p. 796-797, ll. 18-39 et 6-29).

Encore ces deux traits :

Cette sorte de connaissance instinctive et presque divina-
toire qu'a de la mer le matelot, du chasseur le gibier, et de la
maladie, sinon le médecin, du moins souvent le malade (t. II,
p. 358, l. 30-33).

« *...Cela cède pour quelques heures à plusieurs jours de*
caféine et d'adrénaline. Mon frère dit « intoxication ». C'est
un bon billet pour rassurer les malades. » (Lettres à Montesquiou.)

Mais Proust n'est pas un sectaire. Il montre l'objectivité
qui fait le vrai moraliste. Et les médecins, pour malmenés
qu'ils soient, ne liront pas sans plaisir et sans fierté, ce qui
suit :

Certes, nous sommes obligés de revivre notre souffrance
particulière avec le courage du médecin qui recommence sur
lui-même la dangereuse piqûre (t. III, p. 905, l. 8-11).

... elles avaient généralement un air allègre, positif, indif-
férent et brusque de chirurgien pressé, ce visage où ne se lit
aucune commisération, aucun attendrissement devant la souf-
france humaine, aucune crainte de la heurter, et qui est le
visage sans douceur, le visage antipathique et sublime de la
vraie bonté (t. I, p. 82, l. 36-42).

... on vint appeler Servais pour un autre malade. C'était
justement dans la salle voisine. Jean y entra avec Servais. Il
fut étonné et ravi d'entendre Servais parler aux malades avec
douceur, d'un ton presque tendre : « Eh bien mon pauvre
petit, ça ne va donc pas? Votre abcès vous fait mal? Voyons,
mon vieux, laissez-moi faire, je ne vous ferai pas de mal. »
Jean lui était reconnaissant comme d'une bonté qu'il aurait
eue pour lui-même. Alors il vit les fortes mains de Servais,

*... s'approcher avec précaution du pansement, le prendre dou-
cement et l'enlever si lentement que le malade ne parut presque rien sentir. Touché d'admiration pour une bienveillance
qui n'était pas inerte et aveugle comme nos vagues et inutiles
bienveillances, mais qui se traduisait immédiatement avec précision, avec audace, avec douceur, en souffrance épargnée, en
guérisons préparées en crises interrompues, Jean regardait ces
mains, ces mains subtiles et savantes comme une intelligence,
ces mains adroites et bonnes, les aurait baisées comme des
objets sacrés. Et l'aversion que lui avait inspirée le calme de
Servais ne se pressant pas de courir près d'un mourant et
buvant si gaîment du champagne, plaisantant si tranquillement
au moment où il venait de le voir mourir, avait disparu. Servais trouva qu'il fallait ouvrir l'abcès. Il fallait pratiquer plusieurs incisions. Au moment ou il finissait la première le
malade fit un mouvement et Servais se piqua. Jean qui savait
le danger de ces piqûres courut avertir Savone qui voulut que
Servais se fît un pansement tout de suite et remît à plus tard la
fin des incisions. Servais haussa les épaules et continua.
Savone se fâcha. Mais soit scepticisme à l'égard d'une science
qu'il voyait chaque jour déjouée par la vie et par la mort, soit
effet de ce même calme en présence du danger que sa répétition fréquente lui rendait indifférent soit pour les autres soit
pour lui, soit scrupule professionnel qui remplaçant la pitié,
comme une pensée remplace un sentiment, l'empêchait de
laisser le malade avant que le pansement ne fût convenable-
ment achevé, Servais refusa.*

*Peu de jours plus tard (sa piqûre n'avait rien été) Servais
guéri quitta la Pitié, ses années d'internat étant finies. Comme
il n'avait pas pensé autrefois à faire la carrière des concours,
il allait s'installer à Amiens où il allait tâcher de se faire une
situation et une clientèle.* (J. S., III, p. 110.)

*Que ce soit M. Pinard venant déclarer aux juges que le
Dr Laporte qu'ils couvrent d'infamie a bien opéré...*

*...une vérité dont ils se soucient seulement parce qu'elle est
la vérité qu'ils ont appris à chérir dans leur art, sans aucune
espèce d'hésitation à mécontenter ceux pour qui elle se présente de tout autre façon comme faisant partie d'un ensemble
de considérations dont ils se soucient fort peu. Le médecin
qui soigne un jeune-homme ne le laissera pas sortir s'il est
encore malade quelque intérêt que la justice ait à l'arrêter ou
l'autorité militaire à lui faire faire son stage. Mais une fois
que par amour pour la vérité professionnelle qui est pour lui
la chose importante il s'est opposé à la sortie du jeune-homme,
il prendra partie avec une énergie cordiale pour les revendi-
cations du jeune-homme et n'aura qu'hostilité pour la justice
civile et l'autorité militaire, qui dans leur intérêt n'ont pas
égard à cette vérité : « Il avait le poumon droit engorgé et
quarante de fièvre malgré la quinine que je lui donnais. »
...violent écart qu'il y a... entre l'opinion attendue de M. Pinard
par le gouvernement et la majorité de ses confrères et cette
opinion, ...que la vérité à laquelle le savant s'attache est déter-
minée par une série de conditions qui ne se trouvent nullement dans les convenances humaines mêmes les plus hautes,
mais dans la nature des choses. Aussi un homme qui a pour
profession de rechercher la vérité dans les écritures ou dans les
intestins est-il en quelque sorte impitoyable... il parle de ce
qu'il sait et vous pouvez être sûr qu'il ne démordra pas, car
comme le médecin qui s'est fait le protecteur et ami de son
malade parce que quelqu'un qui a une fluxion de poitrine ne
doit pas sortir, il est maintenant... Et plus leur opinion est
différente de ce que l'on aurait dû présumer, plus on sent avec
plaisir que la Science est quelque chose de tout autre que
toutes les choses humaines et politiques.* (J. S., II, p. 156-
157-158.)

*Tel un chirurgien passionné d'automobilisme cesse de
conduire quand il a à opérer* (t. II, p. 196, 1. 37-39).

Chez cet homme si insignifiant, si commun [Cottard], *il y*

avait, dans ces courts moments où il délibérait, où les dangers
d'un traitement et d'un autre se disputaient en lui jusqu'à ce
qu'il s'arrêtât à l'un, la sorte de grandeur d'un général qui,
vulgaire dans le reste de la vie, émeut par sa décision au
moment où le sort de la patrie se joue (t. II, p. 322, 1. 32-39).

...au fond de mon esprit je faisais bénéficier le Dr du Boul-
bon de cette confiance sans limites que nous inspire celui qui
d'un œil plus profond qu'un autre perçoit la vérité (t. II,
p. 301, 1. 2-8).

LES MALADES

Dans cette dernière partie du recueil des citations, se
trouvent d'abord celles qui concernent l'état d'âme des
malades aux prises avec leurs troubles ou leur maladie : en
quelque manière une vision intérieure de leur cas. Sensations
et réactions intimes, impressions de leur corps souffrant,
conscience cœnesthésique, à peine explicables, bien distinctes
des symptômes couramment notés. Mais, pour rendre compte
avec subtilité de ces phénomènes, il fallait l'exceptionnelle
acuité d'autoperception, d'autoauscultation, avec, à la fois,
l'état pathologique et le style d'un Proust.

« Les malades se sentent plus près de leur âme. »

C'est que de grandes douleurs physiques lui avaient imposé
un régime. La maladie est le plus écouté des médecins : à la
bonté, au savoir, on ne fait que promettre; on obéit à la souf-
france (t. II, p. 744, 1. 5-8).

L'espérance d'être soulagé lui donne du courage pour souf-
frir (t. I, p. 4, 1. 14-15).

La disparition de ma souffrance, et de tout ce qu'elle emme-
nait avec elle, me laissait diminué comme souvent la guérison

d'une maladie qui tenait dans notre vie une grande place (t. II, p. 593, l. 1-4).

...nous garderions le souvenir du sentiment qui n'était plus, comme certains nerveux, pour avoir simulé une maladie, finissent par rester toujours malades (t. I, p. 633, l. 12-15).

Il se demande comment les malades n'ont pas assez de leur maladie et vont encore se fabriquer des maladies, en se rendant malheureux pour des êtres qui n'en valent pas la peine. (Lettre à sa mère, 1902.)

Même il y avait des jours où il n'était tourmenté par aucun soupçon. Il se croyait guéri. Mais le lendemain matin, au réveil, il sentait à la même place la même douleur dont, la veille pendant la journée, il avait comme dilué la sensation dans le torrent des impressions différentes. Mais elle n'avait pas bougé de place. Et même, c'était l'acuité de cette douleur qui avait réveillé Swann (t. I, p. 317, l. 33-39).

Il y a dans certaines affections des accidents secondaires que le malade est trop porté à confondre avec la maladie elle-même. Quand ils cessent, il est étonné de se trouver moins éloigné de la guérison qu'il n'avait cru (t. III, p. 533, l. 30-33).

...faisant penser à certains neurasthéniques au nombre desquels mon grand-père comptait ma tante Léonie, qui nous offrent sans changement au cours des années le spectacle des habitudes bizarres qu'ils se croient chaque fois à la veille de secouer et qu'ils gardent toujours; pris dans l'engrenage de leurs malaises et de leurs manies, les efforts dans lesquels ils se débattent inutilement pour en sortir ne font qu'assurer le fonctionnement et faire jouer le déclic de leur diététique étrange, inéluctable et funeste (t. I, p. 169, l. 4-13).

Pendant bien longtemps, comme un malade ne peut s'empêcher d'essayer à toute minute de faire le mouvement qui lui est douloureux, il se redisait ces mots : ... (t. I, p. 367, l. 13-16).

Peut-être aussi, à force de dire qu'elle serait malade, y avait-il des moments où elle ne se rappelait plus que c'était un mensonge et prenait une âme de malade. Or ceux-ci, fatigués d'être toujours obligés de faire dépendre de leur sagesse la rareté de leurs accès, aiment se laisser aller à croire qu'ils pourront faire impunément tout ce qui leur plaît et leur fait mal d'habitude, à condition de se remettre en les mains d'un être puissant qui, sans qu'ils aient aucune peine à prendre, d'un mot ou d'une pilule les remettra sur pied (t. I, p. 207, 1. 9-18).

...ou comme le médecin qui, vous rappelant au sentiment du devoir et de la réalité, vous guérit d'un mal imaginaire dans lequel vous vous complaisiez... (t. II, p. 371, 1. 20-22).

Les neurasthéniques ne peuvent croire les gens qui leur assurent qu'ils seront peu à peu calmés en restant au lit sans recevoir de lettres, sans lire de journaux. Ils se figurent que ce régime ne fera qu'exaspérer leur nervosité (t. I, p. 610, 1. 2-6).

...mais elle ne restait jamais longtemps, même seule, sans dire quelque chose, parce qu'elle croyait que c'était salutaire pour sa gorge et qu'en empêchant le sang de s'y arrêter, cela rendrait moins fréquents les étouffements et les angoisses dont elle souffrait; ... (t. I, p. 50, 1, 31-37).

Pleurer ça ne me fait pas mal, tant qu'on voudra, seulement ça me fiche, après, des rhumes à tout casser, cela me congestionne la muqueuse, et quarante-huit heures après, j'ai l'air d'une vieille poivrote et, pour que mes cordes vocales fonctionnent, il me faut faire des journées d'inhalation. Enfin un élève de Cottard... (t. III, p. 241, 1. 16-21).

Il professe un axiome assez original : « Mieux vaut prévenir que guérir. » Et il me graisse le nez avant que la musique commence. C'est radical. Je peux pleurer comme je ne sais pas combien de mères qui auraient perdu leurs enfants, pas le moindre rhume. Quelquefois un peu de conjonctivite, mais c'est tout. L'efficacité est absolue. Sans cela je n'aurais pu continuer à écouter du Vinteuil. Je ne faisais plus que tomber d'une bronchite dans une autre (t. III, p. 241, 1. 28-36).

... le malade qui est couché tous les jours ne trouve pas à cela le charme singulier qu'y voient les autres (J. S., II, p. 308).

Je crois qu'on arriverait encore à guérir, s'il n'y avait pas « les autres ». Mais l'épuisement qu'il vous donne, l'impuissance où on est de faire comprendre les souffrances qui parfois pendant un mois, suivent l'imprudence qu'on a commise pour faire ce qu'ils s'imaginent un grand plaisir, tout cela c'est la mort » (*in* Ph. Kolb, Choix de lettres).

La fin de cette anthologie a trait à ce qu'on appelle couramment aujourd'hui les relations malade-médecin : le problème social. Proust a bien remarqué que, selon les milieux, la position du médecin, la considération que lui portent ses clients, varient beaucoup. A côté de ceux qui font preuve de confiance, de compréhension, de docilité, il y a les malades méfiants, les récriminateurs, les malappris. Dans le monde bourgeois, gâté, exigeant autant qu'ignare que le romancier met en scène, il faut aux praticiens auxquels on fait appel, des titres. Et aussi, « un médecin y prend du prestige bien moins à cause de ses connaissances que de son « diagnostic » (mot-clef pour les personnages de *la Recherche*) » (Fleury-Zéraffa et Péquignot). Quelques succès, il est porté au pinacle. Mais on se lasse comme on s'engoue. Une ou deux erreurs, c'est le discrédit : critiques sévères, voire diffamatoires, de se répandre aussitôt jusqu'à entamer la réputation de l'homme de l'art.

...Comme la pauvre accouchée remercie le médecin qui lui a été si dévoué... pendant que s'accomplissait dans son sein un travail mystérieux. Elle enverra une photographie [de son enfant] *à ce médecin qui l'a le premier soigné... et encore quand elle l'appellera Théodore, croyant lui donner le nom de*

ce médecin de cet étranger si bon, le vrai sens du mot dira :
Présent des Dieux. (J. S., I, p. 46.)

...D'un regard silencieux et épouvanté comme le patient
dans le salon d'attente du chirurgien entend la voix à côté
parlant tout haut à une personne qui elle n'a pas besoin d'opé-
ration. (J. S., II, p. 81.)

... C'est la déception d'un névropathe qui voudrait arracher
au médecin sur son mal quelques paroles profondes, et le
médecin se contente de parler de choses et d'autres et dit :
« Mais couvrez-vous je vous en prie, vous aurez froid », ou :
« bon appétit bon voyage ». (J. S., I, p. 50.)

Il venait de guérir le prince, déjà administré, d'une pneumo-
nie infectieuse, et la reconnaissance toute particulière qu'en
avait pour lui Mme de Guermantes était cause qu'on avait
rompu avec les usages et qu'on l'avait invité (t. II, p. 640,
1. 16-21).

Le médecin consultant, soumis à la question [merveilleuse
image!] *comme une maîtresse adorée, répond par des serments*
tel jour crus, tel jour mis en doute. Au reste, plutôt que celui
de la maîtresse, le médecin joue le rôle des serviteurs inter-
rogés. Ils ne sont que des tiers (t. II, p. 317, 1. 7-11).

J'étais comme un homme qui, ne pouvant ouvrir les yeux
depuis plusieurs jours, fait appeler un médecin lequel avec
adresse et douceur lui écarte la paupière, lui enlève et lui
montre un grain de sable; le malade est guéri et rassuré (t. II,
p. 90, 1. 14-17).

« Je vous conseillerais plutôt, poursuivit Bergotte, le docteur
du Boulbon, qui est tout à fait intelligent. Ce que Bergotte me
dit au sujet de Cottard me frappa, tout en étant contraire à
tout ce que je croyais. Je ne m'inquiétais nullement de trouver
mon médecin ennuyeux; j'attendais de lui que, grâce à un art
dont les lois m'échappaient, il rendît au sujet de ma santé un
indiscutable oracle en consultant mes entrailles (t. I, p. 571,
1. 5-15).

Et en effet sans doute les médecins ont pu constater que les gens de lettres dorment mal, souffrent de maux que l'on guérit difficilement, sont difficiles à soigner et désireux d'être drogués, qu'ils sont une proie facile pour les hypnotiseurs et les charlatans. (J. S. III, p. 116.)

Malgré cette compétence plus particulière en matière cérébrale et nerveuse, comme je savais que du Boulbon était un grand médecin, un homme supérieur, d'une intelligence inventive et profonde, je suppliai ma mère de le faire venir, et l'espoir que, par une vue juste du mal, il le guérirait peut-être, finit par l'emporter sur la crainte que nous avions, si nous appelions un consultant, d'effrayer ma grand-mère (t. II, p. 301, l. 22-27).

Affolé par une souffrance de toutes les minutes, à laquelle s'ajoutait l'insomnie coupée de brefs cauchemars, Bergotte ne fit plus venir de médecin et essaya avec succès, mais avec excès, de différents narcotiques, lisant avec confiance le prospectus accompagnant chacun d'eux, prospectus qui proclamait la nécessité du sommeil mais insinuait que tous les produits qui l'amènent (sauf celui contenu dans le flacon qu'il enveloppait et qui ne produisait jamais d'intoxication) étaient toxiques et par là rendaient le remède pire que le mal. Bergotte les essaya tous. Certains sont d'une autre famille que ceux auxquels nous sommes habitués, dérivés, par exemple, de l'amyle et de l'éthyle (t. III, p. 186, l. 9-22).

Dans un de ces moments où, selon l'expression populaire, on ne sait plus à quel saint se vouer, comme ma grand-mère toussait et éternuait beaucoup, on suivit le conseil d'un parent qui affirmait qu'avec le spécialiste X... on était hors d'affaire en trois jours. Les gens du monde disent cela de leur médecin, et on les croit comme Françoise croyait les réclames des journaux.

Le spécialiste vint avec sa trousse chargée de tous les rhumes de ses clients, comme l'outre d'Eole. Ma grand-mère refusa net de se laisser examiner. Et nous, gênés pour ce praticien qui s'était dérangé inutilement, nous déférâmes au désir qu'il exprima de visiter nos nez respectifs, lesquels pourtant n'avaient rien (t. II, p. 324, l. 29-41).

Mes parents le jugèrent sans rapport avec mon cas, inutilement affaiblissant et ne me le firent pas essayer. Ils cherchèrent naturellement à cacher au professeur leur désobéissance, et pour y réussir plus sûrement, évitèrent toutes les maisons où ils auraient pu le rencontrer. Puis mon état s'aggravant, on se décida à me faire suivre à la lettre les prescriptions de Cottard; au bout de trois jours je n'avais plus de râles, plus de toux et je respirais bien.

Et nous comprîmes que cet imbécile était un grand clinicien (t. I, pp. 498-499, ll. 43-49 et 1-7).

Le médecin de Balbec appelé pour un accès de fièvre que j'avais eu, ayant estimé que je ne devrais pas rester toute la journée au bord de la mer, en plein soleil, par les grandes chaleurs, et rédigé à mon usage quelques ordonnances pharmaceutiques, ma grand-mère prit les ordonnances avec un respect apparent où je reconnus tout de suite sa ferme décision de n'en faire exécuter aucune, mais tint compte du conseil en matière d'hygiène et accepta l'offre de Mme de Villeparisis de nous faire faire quelques promenades en voiture (t. I, p. 704, l. 11-18.)

« Tu dis à ce propos que tous les médecins disent la même chose. Comme ils m'ont tous dit le contraire, je ne suis pas de ton avis... J'ai pensé à Vaquez qui est un bon garçon intelligent et sérieux je ne te dis pas que j'y sois allé avec la certitude que si j'avais quelque chose au cœur il me le dirait... » (Lettre à sa mère, 1902.)

Tu avais fait venir le médecin, il m'avait ordonné des médicaments pour couper la fièvre et permis de manger un peu. Tu ne dis pas un mot. Mais à ton silence je compris bien que tu l'écoutais par politesse et que tu avais déjà décidé dans ta

*tête que je ne prendrais aucun médicament que je ne mangerais
pas tant que j'aurais la fièvre... tu n'avais aucune confiance
dans le médecin, tu l'écoutais avec hypocrisie — Tu te moques
de ma médecine, mais demande à M.* Bouchard [le professeur]
*ce qu'il pense de ta Maman et s'il ne trouve pas qu'elle avait
de bons principes pour soigner ses enfants.* (Contre Sainte-
Beuve, pp. 143-144.)

*La fille de la Berma aimée en secret par le médecin qui
soignait son mari, s'était laissé persuader que ces représenta-
tions de* Phèdre *n'étaient pas bien dangereuses pour sa mère.
Elle avait en quelque sorte forcé le médecin à le lui dire,
n'ayant retenu que cela de ce qu'il lui avait répondu, et parmi
les objections dont elle ne tenait pas compte; en effet, le
médecin avait dit ne pas voir grand inconvénient aux repré-
sentations de la Berma* (t. III, p. 995, l. 35-43).

*— Vous, Docteur, un savant, un esprit fort, vous venez
naturellement le Vendredi saint comme un autre jour?* (t. I,
p. 190, l. 11-13).

*Depuis quelque temps, dans certaines familles, le nom des
Champs-Elysées, si quelque visiteur le prononçait, était
accueilli par les mères avec l'air malveillant qu'elles réservent
à un médecin réputé auquel elles prétendent avoir vu faire
trop de diagnostics erronés pour avoir encore confiance en
lui; on assurait que ce jardin ne réussissait pas aux enfants,
qu'on pouvait citer plus d'un mal de gorge, plus d'une rougeole
et nombre de fièvres dont il était responsable* (t. I, pp. 494-
495, l. 40-44 et 1-4).

« *Etes-vous bien soigné? me demanda Bergotte. Qui est-ce
qui s'occupe de votre santé?* » *Je lui dis que j'avais vu et rever-
rais sans doute Cottard.* « *Mais ce n'est pas ce qu'il vous faut!
me répondit-il. Je ne le connais pas comme médecin. Mais
je l'ai vu chez Mme Swann. C'est un imbécile. A supposer que
cela n'empêche pas d'être un bon médecin, ce que j'ai peine
à croire, cela empêche d'être un bon médecin pour artistes,*

pour gens intelligents. Les gens comme vous ont besoin de médecins appropriés, je dirais presque de régimes, de médicaments particuliers. Cottard vous ennuiera et rien que l'ennui empêchera son traitement d'être efficace (t. I, p. 570, 1. 21-43).

Mme D. fit craindre de ne pas venir son petit garçon ayant la coqueluche. Mme C. s'indignait contre son père qui ne savait pas trouver un remède : « Un médecin à notre époque, si ce n'est pas honteux » (J. S., III, p. 187).

Eh! mais à propos, je ne vous faisais pas mes condoléances, il a été enlevé bien vite, le pauvre professeur! — Hé oui, qu'est-ce que vous voulez, il est mort, comme tout le monde; il avait tué assez de gens pour que ce soit son tour de diriger ses coups contre lui-même (t. III, p. 241, 1. 22-27).

Ainsi, à toutes les époques, le corps médical s'est-il vu l'objet des critiques et des doléances d'un public qui — comme Proust lui-même — voudrait des miracles et des thaumaturges.

TABLE DES ILLUSTRATIONS

TABLE DES MATIÈRES

LIVRE II

PROUST, LA SEXUALITÉ, LA MALADIE, LA MÉDECINE

———————— Imprimé en France ————————
IMPRIMERIE FIRMIN-DIDOT. — PARIS - MESNIL - IVRY — 5163
Dépôt légal : 3e trimestre 1967.
No d'éditeur : 9405